AU SERVICE DU MAL

Jean-Marc Deville

AU SERVICE DU MAL

(Les Grandes Personnes)

Collection dirigée par Florence Barrau
Photo de couverture : Jean Tholance

© Éditions des Grandes Personnes, 2010
Dépôt légal : septembre 2010
ISBN : 978-2-36-193020-2
N° d'édition : 174233
Impression n° 1
Loi n° 49-956 du 16 juillet 1949 sur les publications destinées à la jeunesse

Éditions des Grandes Personnes
17, rue de l'Université 75007 Paris
www.editionsdesgrandespersonnes.com

À Myung-sook, ma tourneuse de pages préférée,
ma belle lisseuse d'écailles.

AVERTISSEMENT AU LECTEUR

On croit souvent que les personnes qui écrivent à l'intention des enfants éprouvent pour eux une affection particulière. Dans mon cas, c'est totalement faux. En réalité, ils me laissent indifférent. Je ne m'émerveille pas devant leurs exploits et je ne leur reconnais aucune qualité extraordinaire. Dans le même ordre d'idées, je ne place pas la vie d'un enfant au-dessus de celle d'un vieillard. D'ailleurs, on me l'a fréquemment reproché au cours de ma longue carrière d'assassin.

Cette profession, comme les autres, a ses joies et ses peines. Elle m'a notamment enseigné que les enfants et les vieilles personnes partagent de nombreux défauts. Lorsque je pratiquais encore, les uns et les autres avaient tôt fait de m'insupporter, que cela soit par leurs questions incessantes ou leur manie de tout vous faire répéter. Pourtant, il me semblait être clair quand, tenant ma hache d'une main ferme, je leur annonçais qu'ils allaient mourir. Eh bien, non, tout ce beau monde demandait des explications, des détails. Pourquoi ? Comment ? Vous êtes sûr ? Pourquoi moi, pourquoi pas un autre? Et si l'on remettait ça à plus tard?

Tous ces gens ne voulaient pas comprendre que j'exerçais somme toute un métier ordinaire. J'avais des employeurs et je leur obéissais. Tout simplement. Quand on me disait de tuer, je tuais. Et je tuais bien. Il ne fallait pas chercher plus loin. Pourquoi tout compliquer?

On s'en doute : je n'écris pas ce livre pour faire plaisir au jeune lecteur. Celui-ci s'en apercevra rapidement. Pour être honnête, je souhaite que ce récit l'effraie et lui fasse venir d'horribles cauchemars. Il ne me déplairait pas que, pour la première fois depuis longtemps, l'imprudent se mette à appeler père et mère dans son sommeil.

Lecteur, il faut maintenant que tu te décides. Es-tu enfin prêt à quitter l'enfance et à grandir? Es-tu disposé à cette fin à tourner les quelques pages qui suivent? Mais réfléchis-y à deux fois. Lorsque tu auras franchi le pas, il sera trop tard. Tu ne pourras pas faire machine arrière : le monde tel que tu le connaissais aura disparu et tu risques de le regretter. Car il est triste de perdre une chose à laquelle on tenait, même sans le savoir.

Tu l'auras compris : je n'entends pas t'épargner. Au contraire, je ne te cacherai rien. Tu découvriras sans tarder que tous les contes auxquels tu croyais n'étaient que des mensonges. Tu devras ainsi renoncer à tes certitudes. Tu devras cesser de penser que le bien triomphe du mal, que les méchants sont toujours punis, qu'il y a toujours un moyen d'être sauvé.

Je ne suis pas certain que tu sois satisfait du résultat. Au moins auras-tu été prévenu. C'est justement le rôle d'un avertissement. J'en donne rarement à mes victimes.

PREMIÈRE PARTIE
QUAND TOUT COMMENCE MAL

UNE CHANSON DURE
QUE ME CHANTAIT MA MAMAN

J e suis né au Moyen Âge. En ce temps-là (vers 740 après je ne sais plus qui), Pépin III dit le Bref régnait sur les Francs en compagnie de son frère Carloman. À la vérité, ce Pépin est un personnage de peu d'intérêt, juste bon à figurer dans les livres d'Histoire. Il est donc inutile que je m'attarde sur son cas. On raconte qu'il a évincé le dernier souverain mérovingien, chassé les Maures de Septimanie, reconquis l'Aquitaine, instauré le denier d'argent et la dîme. Et alors ? Qui s'en soucie aujourd'hui ? Faisons simple : n'en parlons plus.

Je ne vous l'apprendrai pas : même les pires assassins ont une mère. La mienne se prénommait Valkiria et descendait d'une longue lignée de sorcières. Au fil des siècles, ses ancêtres avaient consacré leur existence à massacrer une multitude de magiciens, ces abominables traîtres qui, de beaux discours plein la bouche, mettent leurs talents au service du bien. Notre famille avait remarquablement prospéré dans cette entreprise puisque la blanche barbe de Merlin l'Enchanteur trônait au-dessus de notre cheminée. Ma mère aimait souvent à raconter comment ce trophée avait été remporté par sa trisaïeule. Le vieil homme était sensible du menton et avait renoncé à regret à cet attribut.

Quiconque s'intéresse au crime le sait : il est rare que les assassins aient eu une enfance heureuse. Je ne fais pas exception. Au cours de mes premières années, je fus régulièrement abandonné dans la forêt par ma mère. Je manquai à plusieurs reprises d'être dévoré par les bêtes sauvages, de sombrer dans quelque crevasse ou de me faire débiter en tranches par les pièges acérés qu'elle disposait un peu partout. J'endurai mille maux et cent fois je frôlai la mort. Aussi n'éprouvai-je aucune compassion le jour où le Petit Poucet entreprit de m'attendrir en me racontant combien ses frères et lui avaient souffert dans les sous-bois obscurs où ils s'étaient perdus.

Longtemps, je crus que toutes les épreuves que ma mère me réservait faisaient partie pour elle de mon éducation. Elles devaient m'endurcir et me préparer aux rudes combats qui m'attendaient. Il me semblait que, par cet apprentissage, elle voulait assurer ma survie. Ce ne fut que bien plus tard, alors que j'étais orphelin depuis belle lurette, que l'idée que je m'étais peut-être trompé du tout au tout sur ses intentions me traversa l'esprit.

Ma mère ne manquait pas d'imagination. Que n'aurait-elle fait pour m'aguerrir ? À certains repas, elle dissimulait dans ma purée de navet des morceaux de verre aussi coupants que les canines des ogres ou bien elle me jetait au visage la soupe bouillante que je croyais destinée à mon estomac. Un soir, elle glissait un rat affamé dans mon lit. Un autre, elle répandait du sel sur mes plaies à vif. Elle m'interdisait sévèrement de pleurer, de gémir, de m'apitoyer sur mon sort comme de compatir aux souffrances des petits animaux qu'elle martyrisait tout au long de nos promenades nocturnes parmi les orties, les chardons et les pièges à loups.

Quand l'envie lui en prenait, mais c'était rare, elle me chantait une berceuse à sa façon. Malheureusement, je ne me souviens plus aujourd'hui que des premiers mots de cette comptine : *Un jour, ton prince viendra et tu l'étriperas...*

Cette femme avait du caractère (mais une voix de crécelle).

Elle est morte sur le bûcher. Les sorcières, malgré leurs multiples pouvoirs, n'ont jamais songé à concevoir un sort qui les protège des flammes et n'ont jamais pris le temps d'inventer l'une de ces combinaisons argentées qui résistent au feu. Je ne m'explique toujours pas cette étourderie. Cette négligence me priva de ma mère alors que je n'avais pas encore dix ans.

Même si près de treize siècles m'en séparent à présent, je me rappelle parfaitement les circonstances dans lesquelles elle me fut arrachée.

Le soir commençait à tomber. À perte de vue, de longs nuages gris encombraient le ciel. L'orage pouvait éclater à tout moment. Des corbeaux affolés virevoltaient dans les airs, tandis que des animaux inconnus hurlaient à la mort. Effrayé par tant de menaces, tout autre enfant que moi eut déjà copieusement mouillé son fond de culotte. Pour ma part, je ne me laissais pas impressionner par cette atmosphère lourde et sinistre. J'en avais vu d'autres. Au cours des deux années précédentes, j'avais notamment éventré une demi-douzaine d'ours à l'arme blanche. Ma mère m'avait patiemment montré comment faire.

Sans vouloir me vanter, j'étais déjà prodigieux.

Ce jour-là, je m'étais éloigné de la hutte misérable où nous vivions, elle et moi. Il me fallait ramener pour le souper les deux yeux d'un faucon vairon – un ingrédient indispensable à la réussite de l'omelette «à la diable» telle qu'elle se transmettait dans notre famille de génération en génération. Je n'en ai pas mangé depuis des lustres et je donnerais cher pour que l'occasion m'en soit encore offerte.

Non sans mal, je m'étais acquitté de ma mission. Mon corps était zébré d'écorchures, la tête me tournait mais, dans la bourse de cuir que j'avais accrochée à mon ceinturon, j'avais enfermé les deux agates bleues et vertes qui m'avaient été commandées.

J'étais fier de moi. J'imaginais les félicitations que j'allais recevoir. Je me voyais penché au-dessus du feu, la douce chaleur des braises illuminant mon épaisse figure. Ma mère m'aurait couvé du regard et, quand la douzaine d'œufs se serait enfin rassemblée en une omelette dorée et gluante, elle m'aurait autorisé, d'une bourrade dans le dos, à jeter ma précieuse prise dans la poêle. Pendant quelques secondes, un petit feu de Bengale d'un rouge très vif aurait jailli de l'ustensile. C'est généralement l'effet que cela produit, quand les yeux sont encore bien frais. Elle m'aurait lancé : «Pour une fois, tu ne me fais pas trop honte, Wilmuth!»

Oui, je m'appelle Wilmuth. J'ai oublié de le mentionner mais ce n'est pas grave. Les gens ont rarement la possibilité de m'interpeller par mon prénom. Je n'ai que peu d'amis qui pourraient se permettre cette familiarité…

Ce fameux jour de malheur, je m'en allais gaiement sur le chemin. J'approchai de notre maison, quand une sourde rumeur me parvint. Une troupe en armes, cavaliers, fantassins, archers, avait investi les lieux. C'était la première fois que je voyais des hommes. La plupart d'entre eux portaient des boucliers aux couleurs de leur seigneur et maître. Ils étaient revêtus de cottes de mailles, aussi serrées que la peau d'un serpent. Ils étaient sales, arboraient une barbe de quelques jours (ou, pire encore, des moustaches), parlaient fort et tenaient à la main de longues épées prêtes à tuer. D'emblée, ils me firent mauvaise impression.

Ces soldats s'étaient emparés de ma mère et l'avaient vigoureusement ligotée. De ma cachette, je devinais que ses liens lui pénétraient douloureusement la chair. Cependant, l'auteur de mes jours n'était pas resté sans réaction. Elle avait transformé deux de ces hommes en porcs et donné à un autre le corps d'une autruche. À présent, ses anciens compagnons d'armes harcelaient le pauvre volatile. De toute évidence, ils avaient oublié qu'ils auraient pu être les victimes d'un semblable sort. Mais la pitié n'est pas le trait dominant du haut Moyen Âge. Ni l'intelligence d'ailleurs.

Je compris bientôt que les soldats projetaient de conduire ma mère devant le juge le plus proche. Tous en étaient déjà convaincus : la maléfique Valkiria serait condamnée à mort et la sentence immédiatement exécutée. Aussi l'insultaient-ils sans vergogne et se réjouissaient-ils de sa fin prochaine. Ils soutenaient que le supplice qui l'attendait était amplement mérité et qu'elle expierait ainsi d'innombrables crimes. Je ne voyais pas du tout de quoi ils voulaient parler.

J'ignorais quelle attitude adopter. Pour sûr, je ne

m'étais jamais trouvé dans pareille situation. Malgré ma solide constitution, je ne pouvais m'attaquer seul à une cinquantaine d'hommes puissamment armés. Certes, je serais venu à bout de la première moitié d'entre eux mais la seconde m'eut réglé mon compte.

Sur le moment, j'eus donné mon royaume pour un dragon. En un rien de temps, un tel compagnon m'aurait permis de réduire à néant ces odieux personnages. Leurs armures, leurs flèches et leurs épées n'auraient pas pesé lourd. Malheureusement, je n'avais pas de royaume ; je n'avais que ma mère. Le poissard que j'étais !

Désespérant d'inventer un stratagème efficace, je me résignai à suivre à distance le triste cortège qui emportait ma mère. Nous marchâmes de la sorte pendant plus de trois jours. Je me nourrissais de baies sauvages, de belettes et de gentils écureuils. Rompu à l'art du camouflage, je sus toujours dissimuler ma présence. Naturellement, Valkiria, grâce à son odorat exercé, savait que j'étais tout proche. À certains de ses gestes (de violents coups de tête vers l'arrière, qui faisaient lourdement s'esclaffer ses gardes), je devinais qu'elle m'intimait de rebrousser chemin. À l'en croire, je ne devais rien tenter pour la sauver. Je devais m'enfuir et mettre entre ces hommes et moi autant de montagnes et de rivières qu'il était possible. Je n'en fis rien. Quel fils peut obéir à un tel ordre ?

Après trois jours, nous atteignîmes une ville entourée de remparts de bois. Je ne pourrais pas vous la situer. À l'époque, j'avais des notions de géographie très confuses. J'ajouterai qu'après une existence de près de mille trois cents ans, on finit par perdre le compte de tous les endroits par lesquels on est passé.

Cette ville devait regrouper deux à trois mille

habitants. Ceux-ci menaient une bien triste vie parmi les ordures et les égouts à ciel ouvert. Les rares boutiques qui occupaient les trois ou quatre rues de la cité ne proposaient pas grand-chose : quelques casseroles cabossées, du sel, des quartiers de viande autour desquels tournoyaient des nuées de mouches, des légumes avariés, de vieilles fourrures trouées, du charbon ou encore des bougies qui répandaient une maigre lumière…

L'arrivée de ma mère suscita une singulière animation au sein de cette morne communauté. Caché dans le feuillage d'un grand hêtre à l'entrée de la ville, je ne perdis rien des clameurs méchantes qui saluèrent la capture de la sorcière. Je vis aussi les faces des badauds s'orner de sourires mauvais et d'une impatience malsaine. Ils se réjouissaient déjà du spectacle du lendemain, quand ma mère monterait sur le bûcher puis se consumerait sous leurs yeux. En attendant que se joue cette prometteuse attraction, les enfants lui jetaient des pierres. Ils n'étaient pas maladroits et, du reste, on les encourageait à redoubler d'efforts.

Pour tout le monde, c'était jour de fête.

Ces festivités se prolongèrent toute la nuit. Sans pouvoir rien faire, j'entendais tous ces gens boire, chanter et rire. La mort prochaine d'une simple femme suffisait manifestement à les mettre en joie.

Tandis que j'assistais à ces réjouissances, je sentais la haine affluer à gros bouillons dans mes veines. C'était la première fois que j'éprouvais ce sentiment. J'avais déjà tué mais je l'avais toujours fait le cœur pur, sans concevoir aucune rancune contre les animaux auxquels j'ôtais la vie. Au contraire, je les avais toujours remerciés de m'offrir leur chair fondante, leur peau, leur pelisse ou ce sang bien chaud que je buvais par rasades pour me protéger des morsures du gel.

Je fus d'abord surpris par cette sensation violente qui venait de m'envahir. Mais je sus peu à peu la domestiquer et la transformer en une froide colère. Je reçus cette haine comme un grand réconfort. Avec elle, j'avais l'impression de ne plus être seul. Elle me tenait compagnie. Sans elle, je me serais lamenté sans fin sur ma personne, ce qui n'est pas une digne manière de survivre à ses parents.

Cependant, j'allais un peu vite en besogne : ma mère était encore de ce monde. Par une ouverture que j'avais ménagée dans les minables remparts de bois, j'avais découvert qu'on l'avait enfermée sous bonne garde dans une bâtisse dont les fenêtres haut perchées portaient de lourds barreaux. Je remarquai que les hommes utilisaient le mot «prison» pour désigner l'endroit. Ce terme était aussi pour moi une découverte.

Naturellement, je songeais à me lancer à l'assaut de l'édifice. Il aurait toutefois fallu un miracle pour aboutir à la réussite d'un plan aussi simplet. Or les miracles sont rares pour les gens de mon espèce. Je n'avais donc d'autre choix que de souffrir et d'attendre le petit matin.

Les heures passèrent. Inexorablement. Le festin avait cessé, les éclats de rire s'étaient tus, les ivrognes avaient cuvé leur vin. Ils avaient repris tant bien que mal leurs esprits, s'étaient levés et mis en route pour le lieu du supplice. À présent, ils hurlaient, se dressaient sur la pointe des pieds pour mieux voir, tendaient le poing en proférant des insultes ou en demandant qu'on en finisse. Ma mère ne leur accordait pas le moindre regard : une femme comme elle était décidée à mourir dans l'honneur.

Pour mon malheur, j'étais là, parmi la foule.

Au milieu de la place principale, on avait installé un assemblage de fagots. Celui-ci était surmonté d'un poteau dont je ne devinais que trop bien l'utilité. Le bourreau fit d'abord revêtir à ma mère une chemise que l'on avait enduite de soufre afin de favoriser sa combustion. Il l'attacha ensuite au poteau par trois chaînes qui lui retenaient les jambes, la taille et la poitrine. Son cou était également prisonnier d'une corde étroitement serrée. Toutes les précautions étaient prises. Le bourreau s'écarta et se saisit d'une torche que l'on venait d'allumer à son intention.

Il se tourna vers la foule comme pour lui demander son accord. L'excitation était à son comble. Les enfants battaient des mains et trépignaient de ravissement. Tous réclamaient la mise à mort de la maudite Valkiria. Ceux qui m'entouraient s'étonnaient d'ailleurs de mon manque d'enthousiasme. L'un d'entre eux eut la mauvaise idée de me le reprocher. Comme je n'affichais aucun remords et refusais de me joindre à ses vagissements, il commença de me menacer et de me bousculer.

Ce fut la dernière erreur de sa vie. La rage qui couvait en moi ne demandait qu'à éclater et je le reconnais : je perdis mon sang-froid. Ni une ni deux, je décapitai l'importun. À dire vrai, je n'avais pas imaginé que mon geste se révélerait aussi radical. Une simple gifle que j'avais, certes, donnée avec le tranchant de la main avait en effet suffi à accomplir cette splendide décapitation.

La tête de cet idiot retomba au milieu des enfants comme l'eut fait une balle. La chose produisit son petit effet. Un vaste mouvement de surprise (et de désapprobation me sembla-t-il) traversa la foule. Tous les regards se dirigèrent vers moi. Tous constataient avec incrédulité que, tout enfant que j'étais, j'avais décapité d'une chiquenaude un homme de belle taille.

«Qu'on s'empare de lui!» lâcha aussitôt une voix.

Après un bref moment d'hésitation, une douzaine de soldats équipés de lances et de massues résolut d'obéir à cet ordre. Dans le même temps, le bourreau se fit un devoir d'exécuter ma mère. Utilisant la torche qu'il tenait toujours à la main, il déposa plusieurs mèches de feu au pied du bûcher. Des flammes puissantes s'élevèrent aussitôt sous les acclamations du peuple.

– Wilmuth, mon garçon, sauve-toi, je t'en conjure! Va-t'en : ton heure n'est pas encore arrivée. Sois raisonnable, mon petit… Non, Wilmuth! Non, non, non… Là, tu vas trop loin. Maman ne va pas être contente. Arrête ça tout de suite! Je t'interdis de venir à mon secours! N'insiste pas! A-t-on jamais vu une sorcière se dérober devant le bûcher? Quelle honte cela serait pour la famille! Que penseraient les gens?

Ma mère s'égosillait en pure perte. Je ne l'écoutais pas. Je ne fis qu'une bouchée du premier soldat qui, tout en proférant un cri de guerre ridicule, se porta à ma rencontre. J'évitai son coup de massue, le fis adroitement trébucher et, lorsqu'il se fut étalé de tout son long, lui sautai à pieds joints sur le crâne. Je me saisis ensuite de son arme et ne tardai pas à m'en servir. Je frappais à droite, à gauche, sans distinction, les hommes, les femmes, les grands, les petits, les jeunes et les vieux.

Leur nombre ne me faisait pas peur. Quels que fussent les coups, j'étais insensible à la douleur. J'étais prêt à supprimer tous ceux qui me séparaient encore de ma mère, tous ceux qui laissaient aux flammes le loisir d'accomplir leur sinistre besogne.

En sus de ma massue, j'avais rapidement récupéré une épée auprès d'un chevalier qui, lui aussi, s'était montré bien naïf. Désormais, je la retirais d'un corps pour la plonger dans un autre. Avec elle, je tranchais les têtes sans coup férir et j'en éprouvais une véritable délectation.

Les assauts des soldats étaient désespérément prévisibles. Quand l'un d'entre eux attaquait, il me suffisait de m'écarter d'un bond pour lui perforer l'aine, lui sectionner la jugulaire, lui couper une main ou lui créer une troisième jambe. Les membres tombaient, le sang giclait, les boyaux déroulaient leurs guirlandes malodorantes. Si mon adversaire, blessé, se laissait choir sur les genoux, c'en était fait de lui car plus rien ne s'opposait à ce que je le démolisse tout à fait. Le premier morceau, le meilleur, c'était la tête.

Dans ma furie, je jetais quelquefois un regard inquiet sur le bûcher. Sans un mot, la courageuse sorcière se laissait dévorer par les flammes. Elle était encore consciente et semblait considérer avec un mélange de fierté et de réprobation l'immense tumulte dont j'étais la cause.

Il faut dire que le chaos le plus complet régnait sur la place. Sous l'effet de la panique, la foule s'était transformée en une épouvantable mêlée. Les plus faibles étaient ainsi piétinés sans pitié, les blessés abandonnés à leur triste sort.

De mon côté, je n'avais qu'une seule angoisse, ma mère, et un unique ennemi, le feu qui l'enveloppait d'un halo rougeoyant. À cause de la fumée, je ne la voyais plus et je me figurais évidemment le pire. J'imaginais déjà son corps carbonisé, des fragments de peau calcinée qui s'enroulaient autour de ses os noircis et le creux profond et vide de ses deux orbites. Cette horrible vision attisait ma rage et ma fureur. Mon impatience redoublait et chaque adversaire qui osait se présenter devant moi m'était un obstacle insupportable qui devait disparaître.

Avant de délivrer ma mère des flammes et des chaînes, il me restait cependant à m'acquitter d'une ultime formalité : le bourreau. L'homme était consciencieux et voulait mener à bien sa tâche. Je ne pouvais naturellement pas l'accepter. Je pris donc au plus court et le traversai de part en part.

Derrière le rideau de flammes, j'aperçus une silhouette à moitié affaissée. En deux sauts, je fus près d'elle. Les chaînes qui la retenaient étaient trop solides. Même dans l'état second où je me trouvais, je ne pouvais les briser. Je soulevai donc le poteau tout entier auquel ma mère était liée et l'emportai à quelques pas.

Elle était méconnaissable. Je cherchai en vain sur son visage les traits familiers que je chérissais : ses joues rebondies, ses yeux perçants, ses lèvres charnues qui avaient tant de fois craché sur moi ou ses bonnes grosses dents qui m'avaient mordu jusqu'au sang. Tout avait fondu.

Un mince souffle de vie soulevait encore sa poitrine mais il pouvait s'évanouir à tout moment. Je lui parlais doucement et la berçais comme elle m'avait bercé autrefois, comme si cela pouvait lui faire du bien et la consoler. Je pleurais à chaudes larmes. Je la conjurais de se reprendre. Pourtant, je savais au fond de moi que ses blessures étaient fatales et que son agonie ne durerait pas.

Tout à coup, je sentis ses doigts boudinés empoigner ma main. Son regard, qui jusqu'alors était demeuré éteint, s'anima à nouveau d'une pâle lueur, celle qui annonce la fin. Elle me fit signe de me pencher sur elle : je ne devais rien perdre de ses ultimes paroles.

– Mon garçon, tu m'auras déçue jusqu'au bout... Tu m'as empoisonné l'existence et il a fallu que tu viennes gâcher ma mort. Décidément, tu ne m'auras rien épargné...

J'en restai bouche bée. Je n'en croyais pas mes oreilles. Ma mère m'avait toujours habitué à des manières déconcertantes et brutales mais, après le furieux combat que j'avais livré pour elle, je ne m'attendais pas à ce genre de reproches.

– Nous, les sorcières, sommes préparées depuis notre naissance à finir sur le bûcher... On peut même affirmer que, pour nous, ce supplice est une forme de reconnaissance : avec lui, nous terminons notre carrière en beauté. C'est une grande récompense. Ta mère l'avait bien méritée. Mais, toi, mauvais fils, tu m'as privé de ce bonheur. Tous ces gens que tu as trucidés auraient dû se réjouir du feu et des flammes, applaudir à mes souffrances, saluer ma mort d'un murmure approbateur et rentrer chez eux heureux et le cœur léger. Eh bien, non, monsieur, du haut de ses dix ans, en a décidé autrement ! Quel déshonneur ! Que va-t-on dire de moi en enfer ?

Je protestai de mon innocence. Je pensais avoir agi au mieux en accourant à la rescousse. Je ne pouvais pas savoir que j'allais à l'encontre de sa volonté. Elle ne m'avait jamais averti qu'elle voulait finir ainsi.

– Avec ton massacre, tu m'as reléguée au second plan. Qui se souviendra de moi après un tel carnage ? On m'aura oubliée depuis longtemps quand on parlera encore du monstre qui a anéanti aujourd'hui la moitié de la ville… Dire que cela devait être mon jour de gloire ! Sois maudit !

Pour une agonisante, ma mère était intarissable. Cependant, après les réprimandes dont elle venait de m'accabler, je n'étais plus certain de vouloir l'entendre jusqu'à la fin. Pourquoi devions-nous nous quitter ainsi ?

– Heureusement, je n'en ai plus pour longtemps à te supporter… À présent, tu vas rentrer chez nous et, pour une fois, faire ce que je te dis. Là-bas, tu iras dans notre cuisine, tu te faufileras sous la cheminée et, là, contre le mur, tu repéreras, si tu n'es pas trop bête, une brique plus rouge que les autres… Tu appuieras dessus… Tu verras que celle-ci actionne un mécanisme secret de mon invention… Pour la suite, tu te débrouilleras !

Sur ces mots, elle expira.

J'étais désormais seul au monde. Je regardai alors tous ces morts autour de nous. Mais je n'éprouvais pour eux qu'indifférence. Seule la perte de ma mère m'importait.

Tous les meurtres que j'avais commis pour elle s'étaient révélés inutiles. Même si cela est difficile à croire de la part d'un enfant qui, en quelques minutes, avait effectué un si grand nombre de décapitations, éviscérations et autres mutilations, j'avais le sentiment d'être un incapable.

Je me levai et fis quelques pas jusqu'à tomber sur l'une des moitiés du bourreau. Dans l'une de ses

poches, je trouvai le trousseau de clés que je cherchais. Après plusieurs tentatives infructueuses, je libé-
rai le cadavre maternel des chaînes qui l'attachaient
toujours à son poteau. Puis je le soulevai et, sans me
retourner, je sortis de la ville, le cœur gros et les
épaules lourdes.

QUAND ON ME CHERCHE, ON ME TROUVE !

Au cours des heures qui suivirent, j'arpentai les environs de la cité à la recherche d'un endroit où enterrer ma mère. Dans une forêt, je finis par trouver une minuscule grotte qui me parut parfaitement appropriée. Je me mis alors à creuser à mains nues une sépulture aussi décente que possible. Ces travaux parvinrent à distraire ma colère pendant quelque temps mais, sitôt la dernière poignée de terre répandue, sitôt l'entrée de la grotte dissimulée sous de lourdes pierres, je sus que je ne pouvais m'en tenir là et que je devais encore exercer ma vengeance contre ceux qui avaient participé à la mort de Valkiria.

Ainsi, alors que ma mère m'avait ordonné de regagner au plus vite notre maison, je me montrai une nouvelle fois un fils désobéissant et choisis de rester sur place pour achever mon œuvre de destruction.

Je ne pouvais cependant tenter un nouvel assaut contre la ville. Les défenses avaient été renforcées et les habitants montaient une garde extrêmement vigilante. Pour les liquider, je ne pouvais plus jouer de l'effet de surprise. Il fallait ruser, ce qui, jusque-là, n'avait jamais été dans mon tempérament.

Pendant des heures qui me parurent interminables, je me creusai la tête à la recherche d'idées. Je pris alors conscience d'un changement qui s'était produit en moi et que, accaparé par la haine, le chagrin et l'accablement, je n'avais pas remarqué. À mon grand étonnement, des écailles avaient poussé en plusieurs endroits de mon anatomie. Par exemple, il m'en était venu sur le tranchant de mes mains. Encore tachées du sang de mes victimes, elles étaient coupantes comme l'acier de Tolède, effilées comme des pointes de flèches.

À cet instant, je compris combien elles m'avaient aidé au cours de la bataille. Grâce à elles, j'étais parvenu à décapiter d'un simple revers de main nombre d'honnêtes bourgeois et d'enfants innocents. J'avais pu dérouler des mètres de boyaux aussi facilement que des pelotes de laine.

Je ne pus contenir la reconnaissance que j'éprouvais pour mes petites compagnes d'armes, aussi inattendues qu'efficaces. Par un réflexe stupide, j'eus un élan de tendresse pour quelques-unes d'entre elles. Elles me firent sentir à leur manière qu'entre nous, les caresses n'étaient pas de mise et qu'elles pouvaient se retourner contre moi, si je ne savais pas en user correctement.

Ces découvertes retardèrent quelque temps mes efforts pour aboutir à un plan aussi implacable que je le souhaitais. Néanmoins, à force d'obstination, je réussis à identifier le moyen infaillible qui me permettrait de me venger une fois pour toutes : la peste !

Grâce aux connaissances acquises lorsque je tendais des pièges en forêt, je pus construire sans difficulté une puissante catapulte. Une nuit, je gravis la petite colline où, sous la protection d'une escorte, les habitants de la ville avaient enterré leurs morts à la va-vite. Après avoir creusé suffisamment, je pus en récupérer une bonne vingtaine puis les emporter dans le bois où je me cachais. Au petit matin, j'entamai mon bombardement. Le premier tir fut trop long, le second trop court. En revanche, le troisième atteignit sa cible : le cadavre que j'avais catapulté s'écrasa avec un craquement sinistre sur le toit d'une maison. J'expédiai de la même façon et avec le même succès une quinzaine de corps en décomposition.

Si je me fiais à mes oreilles, mes ennemis n'appréciaient guère de retrouver si vite leurs chers disparus. Mais le pire était encore à venir. Car, en se dispersant sur les toits, contre les murs, sur les pavés ou dans la boue, ces cadavres libéraient une multitude de microbes qui, bientôt, allaient répandre de virulentes et répugnantes maladies. Germes et bactéries feraient tout le travail à ma place : nul n'en réchapperait. Ils tomberaient tous sous les coups de la dysenterie, du typhus, de la peste pulmonaire et de toutes sortes de nausées meurtrières.

Mes vœux furent exaucés encore plus rapidement que je ne l'espérais. La peste se déclencha au bout de deux jours et se répandit à une vitesse foudroyante. De nombreux habitants ressentirent d'abord de légers frissons. Puis, tout d'un coup, de fulgurantes fièvres s'emparèrent de leurs corps et de leurs pensées, ne leur laissant plus aucun repos.

Leurs yeux étaient rougis comme par des torrents de larmes. La gorge leur brûlait. Leur langue était sèche, noire et gercée, comme un morceau de charbon. Ils éprouvaient une soif que rien ne pouvait calmer.

Certains d'entre eux étaient à ce point désespérés qu'ils se jetaient dans les puits. Ce n'était guère intelligent : en souillant ces réserves d'eau, ils ne faisaient qu'accélérer la propagation de la maladie. Ils se rendaient complices des puces, des tiques, des poux, des crapauds et des rats qui, tous ensemble, mordant l'un, léchant l'autre, répandaient le mal.

L'haleine des malades devenait vite infecte et leur respiration laborieuse. La peste s'attaquait ensuite à la poitrine. Les malheureux crachaient alors le sang et vomissaient de la bile. Leur sueur était visqueuse et épaisse comme de l'huile. Des pustules noirâtres et des taches violettes perforaient leur peau. Certains d'entre eux mangeaient leurs plaies, tant les démangeaisons étaient insupportables. D'autres se coupaient une main, un bras, une jambe pour arrêter le mal.

Certains habitants essayèrent bien de s'enfuir. Ils périrent tous sous mes coups. Déjà affaiblis, ils se débattaient à peine. Lors de l'une de mes embuscades, l'un d'entre eux me tint des propos totalement incohérents. Il commença par marmonner dans sa barbe puis adjura l'un de ses amis de venir à son secours. Cet ami s'appelait Mondieu et paraissait extrêmement influent. En effet, l'homme semblait convaincu qu'à lui seul, il pourrait le sauver. Je dois reconnaître que cela m'inquiéta un peu. Je me tins aux aguets pendant quelques minutes mais nul ne se présenta. Mondieu avait sans doute jugé bon de rebrousser chemin et d'abandonner son fidèle compagnon à son triste destin.

Je n'appris que bien plus tard que je m'étais trompé sur l'identité exacte de Mondieu.

Au fil de ces événements, je m'étais transformé en un fieffé criminel. Aussi songeai-je à me choisir un surnom qui me rende justice. J'envisageai d'abord d'opter pour Wilmuth le Barbare, mais l'expression était trop vague à mon goût. Je préférai une étiquette plus évocatrice et plus effrayante : Wilmuth le Terrible ! Ça en imposait.

En quelques jours, je m'étais familiarisé avec la pratique du mal. Désormais, je ne pouvais plus m'en passer. Si, pendant une heure ou deux, je n'avais commis aucune mauvaise action, j'éprouvais un singulier malaise, comme une sensation de faim, mais plus forte, plus violente que tous les appétits.

Faire le mal m'était devenu une drogue qui me procurait un plaisir intense mais extrêmement bref. Pour le prolonger, je devais tuer toujours plus de monde, choisir des victimes toujours plus vulnérables et jouer avec elles comme l'aurait fait un chat d'une souris.

Dans la ville que j'assiégeais à moi seul, les hommes continuaient de tomber comme des mouches. Les familles étaient décimées. Parfois, le père restait seul après avoir vu périr tous les siens. Abasourdi, il demandait à la mort de le frapper à son tour et il était exaucé. Les fosses communes se remplissaient à vue d'œil. La ville n'était plus défendue et les remparts n'étaient plus gardés. Des pillards saccageaient les maisons à la recherche de pièces d'or mais ils ne profitaient de leur butin que pendant quelques jours ou quelques heures. Cette soif de richesses, alors que tous étaient perdus, me laissait perplexe. Décidément, le comportement des hommes demeurait pour moi un langage indéchiffrable.

Un matin, les portes de la ville ne s'ouvrirent pas.

Un matin, je ne vis pas apparaître la carriole branlante qui charriait son lot de cadavres et de linceuls vers le cimetière. Ce jour-là, d'immenses nuées de charognards tournoyèrent dans le ciel et formèrent au-dessus des fortifications un épais nuage d'ailes noires. Les oiseaux étaient devenus les nouveaux maîtres des lieux et se disputaient leur festin.

Quand je fis mon entrée dans la place, je ne rencontrai que des corps inanimés pendant aux fenêtres, gisant au milieu de la rue, sur le seuil des maisons ou parmi les ordures. Hormis les rats et les hordes de chiens revenus à l'état sauvage, il ne restait plus un être vivant.

Je rassemblai tout le bois que je pus trouver et allumai un grand feu. Je portai ensuite les flammes en divers endroits de la ville si bien que celle-ci se consuma en un rien de temps.

J'observai le spectacle pendant quelques instants. Ceux qui avaient brûlé ma mère brûlaient à leur tour. Même si je savais que toutes ces destructions ne pouvaient me la rendre, contempler ce désastre me faisait du bien. Toutes mes écailles frémissaient de joie, comme si elles étaient vivantes, comme si elles partageaient ma fierté. À les voir se dresser et s'agiter de bonheur, je n'eus plus aucun doute : j'avais bien agi.

Wilmuth le Terrible était satisfait et put enfin se mettre en route.

J'EN APPRENDS DE BELLES !

Tandis que la ville disparaissait sous les flammes, je m'éloignai. J'entamai tristement le long trajet qui devait me reconduire jusqu'à la masure où, ma mère et moi, sans nous douter de notre chance, avions vécu quelques années de tranquillité.

Au cours des jours précédents, tout occupé à ma vengeance, je n'avais pas eu le loisir de comprendre ce que signifiait réellement se retrouver seul au monde. Je n'avais pas encore passé ces longues heures sur la route sans personne à qui parler. Je n'avais pas langui au fil de ces soirées glaciales sans personne pour m'insulter, me cracher au visage ses glaviots et m'infliger, au gré de ses humeurs, de frénétiques corrections ou ces vigoureuses caresses qui, autrefois, au temps du bonheur, me valaient de pénibles crises d'urticaire.

Après trois jours, cependant, je revis enfin le toit de chaume de notre misérable demeure. Elle avait été mise à sac et les quelques meubles que nous possédions étaient sens dessus dessous. J'étais néanmoins surpris que, dans leur bêtise, les soldats n'aient pas songé à réduire notre maison en cendres. Sans doute n'avaient-ils pas voulu s'attarder.

Cet oubli me permit de respecter les dernières volontés de ma mère. Je passai dans la cuisine où le contenu pourtant appétissant d'une marmite avait été renversé sur le sol : une gelée de têtards qui avait certainement exigé beaucoup d'efforts. Puis je me faufilai tant bien que mal sous la cheminée. Malgré l'épaisse couche noire qui recouvrait les murs de l'âtre, je repérai la brique plus rouge que les autres dont elle m'avait parlé. Elle céda facilement sous la poussée mais, soudain, un mécanisme dissimulé dans la paroi se déclencha et m'envoya deux flèches. La première se ficha dans mon bras tandis que la seconde rebondit sur les écailles qui protégeaient désormais mes épaules.

Ma mère avait certainement conçu ce mécanisme pour se débarrasser des intrus et défendre son secret. Je reconnus là une preuve supplémentaire de sa prudence. Je songeai simplement que, dans son dernier souffle, elle aurait pu me prévenir de cet ingénieux dispositif.

J'arrachai la flèche qui pendait à mon bras et me confectionnai un pansement de fortune. Je pus ensuite m'intéresser au contenu de la cachette qui venait de s'ouvrir. Celle-ci révéla une petite boîte en acajou. À l'intérieur, je découvris une lettre. Je ne vous la lirai pas car c'est tout de même personnel. Mais je vous en expliquerai les grandes lignes.

Cette lettre m'apprit tout d'abord une bonne nouvelle, la première depuis longtemps : de par ma naissance et mon hérédité, je n'étais pas tout à fait un homme. Pour être honnête, depuis que des écailles m'étaient venues, je m'en doutais un peu. Toutefois, en avoir confirmation était pour moi un grand soulagement.

Par son récit, ma mère m'éclairait sur mes origines. Parmi mes ancêtres se trouvaient des créatures qui n'entretenaient qu'un vague rapport avec un être humain. En particulier, mon grand-père – le père de ma mère – n'était autre qu'un sciapode. L'auteur de la lettre, devinant que ce terme ne me dirait pas grand-chose, en évoquait brièvement les caractéristiques les plus intéressantes. Je m'en vais donc vous les résumer.

Le sciapode ne s'appuie que sur une seule jambe, qui a cependant le mérite d'être gigantesque. Cette particularité lui permet de rattraper à la course les animaux les plus rapides, comme le cerf ou le lévrier. En outre, son pied lui sert de parasol pour se protéger du soleil. Il vit dans des contrées reculées, ce qui explique pourquoi on ne croise que peu de spécimens. Pour ma part, je n'étais pas certain de vouloir rencontrer un tel individu, même si nous étions unis par les liens du sang.

À des époques plus reculées, notre famille avait aussi été apparentée à des centaures, des griffons, des licornes, des panotis, des blemmies, des sirènes, des arimaspes, des hippopodes et des cynocéphales. Il serait trop long de tous vous les décrire. Il suffit de retenir qu'avec cette multitude de croisements, la part de sang humain qui coulait dans mes veines devait être très faible. J'ajouterai que, si les choses avaient mal tourné, j'aurais pu arborer tout à la fois une tête de chien, un œil unique, une quantité déraisonnable de poils, un arrière-train de cheval ou encore des oreilles immenses dans lesquelles j'aurais pu me glisser pour dormir. En vérité, je l'avais échappé belle !

Dans sa lettre, ma mère se montrait par ailleurs

extrêmement réticente à me renseigner sur mon père. À certaines allusions, je supposais qu'il n'était guère respectable et que je devais à tout prix m'en tenir éloigné. Si nous devions nous connaître, le pire serait à redouter. «Il n'est pas comme nous!» me mettait en garde la grosse voix maternelle.

Cette rencontre me semblait hautement improbable. Par quel invraisemblable hasard pourrais-je retrouver en ce vaste monde la trace de mon géniteur? Je ne disposais d'aucun indice pour orienter mes recherches, ma mère s'étant bien gardée de m'en fournir.

À l'évidence, mes parents ne s'étaient pas quittés dans les meilleurs termes. D'après la lettre, mon père nous avait lâchement abandonnés et n'avait eu pour nous que mépris ou indifférence. Ah, le malotru! Je le détestais déjà!

Ma Valkiria de mère, sans jamais m'en entretenir de son vivant, avait également mûri des plans pour mon avenir : elle voulait parfaire mon éducation qui, à ses yeux, comportait de trop nombreuses lacunes. Cette remarque tardive me surprit et heurta ma susceptibilité (qui n'était protégée par aucune écaille).

Wilmuth le Terrible n'avait pas besoin de maître! avais-je envie de lancer à la terre entière. Je pouvais vivre selon ma propre loi, sans rien demander à personne. Je n'étais plus un petit garçon. Les derniers jours m'avaient considérablement endurci et, au cours de ces heures mouvementées, j'en avais appris davantage que beaucoup de gens en toute une vie.

Ma mère ne l'entendait pas ainsi. Elle voulait confier mon instruction à des précepteurs qui ne me laisseraient aucun repos tant que je ne connaîtrais pas mes leçons sur le bout des doigts. Si le besoin devait s'en faire sentir, ils n'hésiteraient pas, m'avertissait-elle, à me rouer de coups pour m'inciter à me montrer plus sérieux. Elle m'assurait que, pour ce qui était des punitions, des vexations et des dérouillées, je n'avais encore rien vu.

Si je me fiais au papier que je tenais entre les mains, mon intelligence devait s'ouvrir à de nouvelles disciplines. La liste était interminable : botanique, médecine, optique, astronomie, mathématiques, trigonométrie, maniement de la hache danoise, tir à l'arc et à l'arbalète, procédés d'écrasement au marteau et à la masse, confection de cottes de mailles, chimie explosive, constructions d'armes de siège (chars, béliers, tours de guet…), cours de sabotage, de trahison, de félonie et de bassesse, anatomie et dissections, travaux pratiques d'empalement, préparation de poisons, philtres, interprétation des rêves… J'en passe, et des meilleures. Comme si cela ne suffisait pas, je devais encore me soumettre à de redoutables épreuves, m'exposer à une foule de dangers et, enfin, prouver ce que je valais. Tout cela me semblait superflu.

De son côté, ma mère paraissait persuadée que l'apprentissage de ces matières m'était indispensable et que je pouvais en tirer le plus grand profit. Elle avait même choisi l'endroit où je devais recevoir cette éducation. L'institution à laquelle elle voulait confier mon instruction s'appelait le séminaire Inferno. Celui-ci se trouvait au fond d'une vallée isolée qui, elle-même, se cachait dans une chaîne de montagnes que ma mère me désignait comme les Pyrénées. Moi qui détestais les excursions, je devais marcher pendant vingt jours en direction du sud, en suivant les instructions d'une carte jointe à la lettre.

Une fois sur place, je devais réclamer audience

auprès d'un certain Maître Triple-Mort (quel nom ridicule). Celui-ci, affirmait-elle, saurait faire de moi un personnage. Je me demandais ce qu'elle voulait dire par là. Je devrais obéir en tout point à mon futur précepteur et tout faire pour lui plaire. Pire, je devais considérer qu'il était à présent ma seule famille, ce contre quoi mon cœur protestait.

La tentation fut grande d'enfreindre ses ordres. Je n'avais pas la moindre envie de reprendre la route et de quitter les lieux de mon enfance pour remettre mon sort entre les mains de parfaits inconnus. Je pouvais très bien prétendre n'avoir jamais trouvé la lettre et la chasser totalement de mon esprit. Malheureusement, je ne pouvais oublier que j'avais été incapable de délivrer ma mère des flammes. Dans ces conditions, je n'allais pas lui imposer une nouvelle déception en me dérobant à ses instructions. Je pris donc une douloureuse décision : je me rendrais à ce maudit séminaire Inferno et j'y suerais sang et eau jusqu'à ce que mes maîtres en finissent avec moi ou jugent bon de me renvoyer dans le monde.

J'inspectai ensuite le reste du contenu de la boîte en acajou. Je n'y trouvai que des objets qui me semblèrent sans rapport entre eux et de peu d'utilité : une clé en argent, un lacet, une noix, une touffe de poils de sanglier, une queue de musaraigne et un petit miroir ovale.

Néanmoins, ma mère devait avoir de bonnes raisons pour réunir ces différents éléments. Je décidai donc de ne point les séparer et les glissai dans la bourse accrochée à mon ceinturon, celle-là même où roulaient depuis longtemps les deux yeux du faucon vairon.

Je rassemblai quelques affaires dans une besace et

revêtis un manteau que ma mère avait grossièrement taillé dans la fourrure d'un ours. Là où je me rendais, je connaîtrais certainement des hivers rigoureux et de longues semaines de neige.

L'heure du départ avait sonné. Ma décision était irrévocable, mais il me fut pénible de me mettre en route. En m'éloignant, je renonçais au dernier lien qui, la mémoire exceptée, m'attachait encore à ma mère. Je jetai pourtant un dernier regard à la pauvre cabane où j'avais connu tant de joies, de sévices et de châtiments corporels, lâchai un soupir puis m'en allai.

Le voyage me parut particulièrement monotone, chaque jour apportant son lot de bandits de grand chemin qu'il me fallait terrasser. Il en sortait de partout. Les routes n'étaient vraiment pas sûres à cette époque.

Je perdis également des heures précieuses en de vains détours tant la carte que ma mère avait dessinée à mon intention manquait de précision. Pour ne rien arranger, lorsque je me renseignais sur la direction du séminaire Inferno, on ne savait me répondre ou bien on s'enfuyait à toutes jambes.

Quand le soir tombait, j'organisais mon bivouac, allumant un feu auprès duquel je me réchauffais tant bien que mal. Si je m'arrêtais non loin d'une rivière, je faisais frire quelques poissons. Si ma route me conduisait à proximité d'une garenne, je me contentais de lièvres. Quand j'avais plus de chance, je me préparais des tripes de salamandre. Mais la recette était difficile à réaliser, notamment pour quelqu'un qui, comme moi, voyageait léger.

Je ne dormais que d'un œil, prêt à bondir si quelque brigand s'avisait de me détrousser. Généralement, quand une menace de ce genre se manifestait, mes écailles se hérissaient et m'avertissaient du danger. Pour mettre en confiance mon ennemi, je prétendais alors être profondément assoupi. Lorsqu'il n'était plus qu'à quelques pas, ricanant déjà et brandissant sur moi sa dague, je lui sautais à la figure et, à sa grande stupéfaction, je l'égorgeais. Je pouvais ensuite me recoucher et terminer ma nuit.

Ces bandits étaient tous plus stupides les uns que les autres. Ils devaient imaginer qu'un enfant de mon âge était une proie facile. Ils n'étaient pas non plus très malins pour supposer que je transportais des richesses qui pourraient les récompenser du mal qu'ils se donnaient.

En effet, les seuls biens que je possédais étaient ceux que m'avait légués ma pauvre mère. Le soir, quand je me reposais, je les passais souvent en revue. Je me rappelais ainsi le temps où nous avions vécu ensemble. À l'une de ces occasions, je découvris que le petit miroir présentait une propriété surprenante.

Lorsque vous vous regardiez dedans, le reflet dessinait toujours sur votre visage un sourire rayonnant. Le miroir n'était jamais pris en défaut. Vous pouviez avoir le cœur lourd, verser toutes les larmes de votre corps ou être en proie à une affreuse migraine : il affirmait imperturbablement que vous étiez heureux et souriant. Je fus d'abord surpris par cette invention mais, peu à peu, je réalisai à quel point ce miroir pouvait être un compagnon agréable. Il me redonnait du courage quand mes forces m'abandonnaient ou me réconfortait dans mes moments de mauvaise humeur.

Ma mère avait fait un bon choix.

En revanche, je doutais sérieusement de son jugement quand, après une vingtaine de jours, j'arrivai enfin en vue du séminaire Inferno. La vallée dans laquelle il se dissimulait était sinistre. Seuls quelques cailloux parvenaient à s'accrocher aux pentes de la montagne. Un vent puissant dévalait des hauteurs et vous glaçait le sang. De maigres troupeaux de brebis broutaient une herbe clairsemée et jaunie. Les forêts qui entouraient ces pâturages laissaient échapper de rauques craquements, comme si elles étaient animées de mauvaises intentions.

Le séminaire Inferno lui-même se trouvait dans une sorte de vaste auberge au toit à moitié effondré. L'endroit était visiblement en pleine décadence. J'étais extrêmement contrarié car je m'étais attendu à une adresse plus prestigieuse. En chemin, je m'étais préparé à découvrir un fier château doté de tours gigantesques et imprenables. J'avais imaginé une masse sombre et imposante qui, de son surplomb, aurait fait régner la peur et imposé le respect. En observant cette auberge minable, je compris que la réalité était loin du compte.

Après un si long voyage, il aurait pourtant été incongru de rebrousser chemin. Je ne pouvais plus reculer. Puisque j'étais condamné à ce triste décor et à la compagnie de ces brebis imbéciles, je me résignai à parcourir les derniers mètres qui me séparaient de cette repoussante demeure où l'on prétendait m'instruire.

Pour ne rien vous cacher, j'étais dans les pires dispositions quand je frappai à la porte du séminaire.

À ma première tentative, personne n'ouvrit. Peut-être l'endroit avait-il été déserté. Cela n'aurait guère été surprenant. Pendant un court instant, je crus que j'allais échapper à mon destin d'écolier. Cependant, par une impulsion que, plus tard, je me reprocherais amèrement, je choisis de toquer une nouvelle fois.

Cette fois, une voix me demanda de m'annoncer. En y mettant toute la conviction dont j'étais capable, je me présentais sous le nom que j'avais si chèrement gagné : Wilmuth le Terrible !

«Connais pas!» me répondit la même voix. Ces gens qui devaient tout m'apprendre n'étaient manifestement pas très bien renseignés. Il me sembla que c'était un tort.

Puisque mon seul nom ne suffisait pas à m'assurer une entrée triomphale, il me fallut expliquer en long et en large les raisons de ma venue. Je dus indiquer que ma mère me destinait aux rigueurs de l'établissement, que c'était là sa dernière volonté, et que j'entendais donc obtenir satisfaction. Je fus aussitôt sommé de préciser l'identité de celle à qui je devais ma naissance. Quand je prononçais le prénom chéri de Valkiria, je perçus que, de l'autre côté de la porte (qui était toujours fermée), ces trois syllabes produisaient un certain effet.

J'ajoutai que la dénommée Valkiria me recommandait chaudement au Maître Triple-Mort et qu'elle lui confiait mon éducation de même que ma destinée tout entière. La voix m'intima alors de patienter : elle devait rapporter sur-le-champ ces informations à qui de droit.

Quelques minutes plus tard, la porte s'ouvrit enfin et on me laissa entrer. Le gardien était une sorte de cyclope court sur pattes et doté de bras démesurés dont les extrémités griffues traînaient sur le sol. Son œil unique ne respirait pas l'intelligence. Ses cheveux étaient graisseux comme de la viande et son corps couvert de boutons gorgés de pus. Pour couronner le tout, il empestait la charogne.

L'intérieur du séminaire confirmait ma première impression peu favorable. Tout y était misérable. Les portraits qui étaient accrochés dans le couloir de l'entrée tombaient en lambeaux. Les personnages qui y apparaissaient semblaient ainsi souffrir d'une maladie de peau incurable. Mon guide m'expliqua que ces tableaux représentaient dans leur ordre de succession les différents maîtres des lieux.

Je ne pouvais m'empêcher de penser que ces derniers ne s'étaient pas montrés très efficaces, leur ancienne demeure menaçant à tout moment de s'écrouler. Les meubles y étaient rares et prêts, eux aussi, à se disloquer. Une épaisse couche de poussière se soulevait à chacun de nos pas. Une mine de charbon aurait sans doute été plus propre.

La lumière du jour ne pénétrait que rarement dans les pièces que nous traversions. Cela valait mieux. On pouvait ainsi ignorer plus facilement certains détails peu ragoûtants. Je devinais ainsi que, dans certains recoins, des araignées grosses comme le poing tissaient des toiles aussi grandes que des filets de pêcheurs. Un peu plus loin, d'énormes rats laissaient dépasser leur museau du trou qu'ils avaient ménagé dans le mur. Je crus même reconnaître, dans une antichambre, le cadavre d'un homme que l'on avait pendu par les pieds.

Nous arrivâmes enfin dans une immense salle qui exerça sur moi une fascination ambiguë, tant cette pièce était à la fois solennelle et ridicule, grandiose et pitoyable. Un roi que tous ses sujets auraient abandonné aurait pu y attendre sagement la mort, assis sur son trône. Les hauts plafonds, les tapisseries aux riches couleurs, les trophées de chasse, les grands candélabres ou les tapis finement brodés donnaient à l'ensemble une incontestable majesté. Néanmoins, quand on y regardait de plus près, on s'apercevait que les plafonds s'entrouvraient sur le ciel, que les tapisseries étaient aussi trouées que certains fromages, que les trophées étaient mangés par les mites, que les grands candélabres avaient perdu leurs feuilles d'or et que les tapis étaient plus crottés que le sol d'une étable.

Au fond de la pièce, une silhouette grotesque se réchauffait près d'une cheminée. Les flammes dessinaient autour d'elle des ombres inhumaines et, lorsque je m'approchai, je pus mesurer que le personnage qui m'attendait n'était pas exactement fait comme la plupart d'entre nous.

Cet être était proprement étonnant. Pour ne pas se heurter aux plafonds, il était contraint de se voûter comme un saule pleureur. Pourtant, les murs atteignaient plus de quatre mètres. En outre, mon hôte était plus maigre que maigre : ses jambes avaient le même diamètre que des tiges de bambou et semblaient aussi souples que des roseaux. Il ne marchait pas, il ondulait. Sa peau était verdâtre, ce qui lui conférait une allure un peu végétale ou, si l'on préfère, un teint de salade. Mais sa principale particularité était d'une autre nature. Son cou aboutissait à quatre têtes : une seule d'entre elles était encore vivante tandis que les trois autres étaient réduites à l'état de squelette. À cet instant, je compris que je me tenais face à Maître Triple-Mort.

Je dois reconnaître que j'étais légèrement intimidé. On le serait à moins. Un interlocuteur aussi difforme ne correspondait pas à ce que j'avais imaginé. Pour autant, je ne me laissais pas démonter et soutins son regard alors qu'il m'examinait sans un mot. Puis, se jugeant satisfait ou bien lassé de m'étudier, il daigna enfin m'adresser la parole.

– Ainsi, mon garçon, tu étais le fils de Valkiria…

– Je ne suis pas votre garçon, je suis toujours le fils de Valkiria, et je vous prie de noter que l'on m'appelle désormais Wilmuth le Terrible !

Triple-Mort fut désagréablement surpris par ma réponse. Je ne m'en souciais guère. Je n'appréciais pas d'être traité avec condescendance. Fermement mais poliment, je lui avais mis les points sur les i et je n'étais pas mécontent de moi.

– Ne t'en déplaise, tu étais le fils de Valkiria et, maintenant, tu n'es plus rien. Ou plutôt tu seras ce que je déciderai. Pour commencer, tu vas abandonner ce surnom grotesque que tu t'es choisi…

– Pas question ! Je suis et je reste Wilmuth le Terrible !

– Puisque tu le prends ainsi, je vais donner pour consigne que l'on t'appelle Wilmuth Tout-Court. Pour un nabot comme toi, cela ira très bien.

Mes écailles frémissaient de rage. Je les avais rarement vues aussi violemment dressées, ne demandant qu'à frapper. Je n'avais jamais été insulté de la sorte et j'allais mettre très vite un terme à cette détestable nouveauté. Échauffé comme je l'étais, je ne pus réprimer un grognement de bête qui, tenant largement du rôt, n'était pas des plus élégants.

Triple-Mort appréciait visiblement la situation. Il me dévisageait d'un air narquois, tandis que ses trois autres têtes semblaient se désintéresser de moi. J'eus plus tard l'occasion de constater que c'était là une fausse impression. En réalité, il voyait quatre fois plus de choses que chacun d'entre nous car il pouvait observer simultanément les quatre directions cardinales. Il était donc impossible de le prendre en traître.

– Bon, à présent, Wilmuth Tout-Court, tu vas m'écouter…

Je ne pus me contenir davantage. Je bondis à l'attaque, prêt à lui confectionner une quatrième tête de mort, histoire qu'il puisse compléter sa collection. Je restai cependant figé dans mon élan. Triple-Mort m'avait jeté quelque mauvais sort et j'étais paralysé.

– Mon garçon, tu es décidément bien agressif. Tu as de la chance que je sois dans un bon jour car je pourrais te briser comme du petit bois. Heureusement pour toi, j'avais une certaine estime pour ta défunte mère. Mais tu m'as assez dérangé. Borgnus va te conduire en un lieu où tu pourras méditer sur ta conduite et apprendre l'humilité. Ton instruction commence dès demain. Tu feras partie du groupe M. Si tu n'es pas debout pour l'appel à quatre heures, il t'en cuira !

Sans que je puisse esquisser le moindre geste, l'étrange cyclope me plaça sous son épaule, comme si j'étais un vulgaire paquet, puis salua respectueusement son maître. Nous sortîmes de la salle et empruntâmes les mêmes couloirs désolés que nous avions traversés à l'aller.

À un moment, pourtant, Borgnus bifurqua et, après quelques portes, nous débouchâmes sur ce qui ressemblait à la cour d'une ferme. Quelques poules multicolores y picoraient des graines et des morceaux de ver, une pintade gloussait à tort et à travers, des lapins tournaient en rond dans leurs clapiers tandis qu'un faisan toisait tout le monde.

Je fus surpris de ne point trouver trace de quelques cochons.

Une explication me fut rapidement fournie. Borgnus se dirigea vers un bâtiment bas de plafond d'où émanait une écœurante odeur, en ouvrit la porte et me balança sans ménagement au milieu d'un grouillement de porcs répugnants. L'enchantement qui m'immobilisait se dissipa immédiatement mais il était déjà trop tard : la porte s'était refermée et j'étais prisonnier.

Mes compagnons d'infortune m'étudièrent d'abord avec étonnement et compassion. Les visites étaient rares et mon arrivée inattendue créait un peu d'animation. Néanmoins, après m'avoir reniflé à satiété, ces encombrants voisins retournèrent à leurs occupations qui consistaient pour l'essentiel à sommeiller d'un œil ou à grogner bruyamment. Je songeai un instant à tous les transformer en jambons mais j'abandonnai un projet qui ne m'aurait apporté qu'une joie passagère.

Je me relevai et inspectai les alentours, cherchant à tâtons sur les murs quelque point faible par lequel j'aurais pu m'enfuir. Naturellement, je n'en trouvai aucun. De même, la fenêtre qui se découpait près de la porte était gardée par de solides barreaux. Mais, soudain, je m'aperçus que je n'étais pas seul. Dans un coin sombre de la porcherie, se tenait un garçon qui devait avoir mon âge et dont le regard curieux brillait de sympathie. Je supposai que lui aussi avait été puni. Pourtant, il paraissait si sage et si gentil que je ne parvenais pas à imaginer ce qui avait pu le condamner au même châtiment que moi.

Mon air revêche ne le dissuada pas de prendre l'initiative. M'abordant avec un sourire hilare, il me tendit la main et se présenta sans façon :

– Bonjour, je m'appelle Mange-Burnasse ! Et toi ?

COPAINS COMME COCHONS

Je n'avais jamais entendu de ma vie un nom aussi abracadabrant. Mange-Burnasse ! Il fallait tout de même oser ! Entre les mains de quels parents ce pauvre garçon était-il tombé pour hériter d'un tel fardeau ? Si ma mère s'était souvent montrée cruelle, elle m'avait évité ce genre de ridicule. Face à ce camarade que le sort avait si durement frappé, je n'hésitai pas à décliner mon identité sous sa forme la plus simple : Wilmuth. Par comparaison, cela suffisait à faire bonne impression.

Je n'étais guère désireux d'engager la conversation mais mon compagnon de porcherie me pressait de tant de questions que j'en vins à lui apprendre sur moi plus de choses que je ne l'aurais souhaité. Ainsi, en quelques minutes, Mange-Burnasse sut comment et pour quelles raisons j'avais échoué, moi aussi, parmi ces porcs indifférents.

– Mon pauvre Wilmuth, comme je te plains ! Comme tu as dû en baver ! Les hommes sont bien méchants…

Le garçon parut particulièrement touché quand je lui fis le récit des derniers instants de ma mère.

Cependant, je ne fus pas sensible à la pitié qu'il éprouvait à mon égard. Mais pas du tout. La pitié est un sentiment qui m'a toujours déplu : seuls les gens qui vous regardent de haut vous en gratifient.

Je lui ordonnai donc de revenir à des émotions plus honorables. Je ne tolérerais pas davantage une telle insolence de sa part. Je n'avais pas choisi sa présence et, si nous devions supporter ensemble une longue attente dans la fiente et la puanteur, nous avions intérêt à convenir de quelques règles claires qui régiraient notre petite communauté : il me respecterait et je ne le découperais pas en tranches. Mange-Burnasse fut légèrement surpris.

– Mais… Mais je suis ton ami, Wilmuth !

Je ne savais pas exactement ce qu'était un ami mais je trouvai qu'il tirait des conclusions hâtives. Il protesta que je l'avais mal compris et qu'il ne voulait pas me blesser. Néanmoins, comme je commençais à faire les gros yeux, il n'insista pas et me signifia qu'il acceptait mes principes.

Puisque je l'avais sous la main, je lui demandai de me décrire la vie et l'organisation du séminaire Inferno. Visiblement soucieux de rendre service, mon compagnon se fit un plaisir de tout m'expliquer. Cela nous occupa un bon moment. Pour ma part, je résumerai.

Comme je l'avais deviné, le séminaire était en plein déclin. Alors qu'au temps de sa splendeur, ses classes rassemblaient plusieurs centaines de disciples, il n'accueillait plus désormais qu'une douzaine d'élèves. Or la moitié n'avait même pas les moyens de payer leurs études, s'offusqua Mange-Burnasse. À ma grande honte, je réalisai que cela serait également mon cas. Il m'était insupportable de m'apercevoir que j'allais devoir dépendre de la générosité d'un être aussi odieux que Triple-Mort. Tout le monde n'avait pas, comme Mange-Burnasse, la chance de pouvoir compter sur des parents fortunés !

Maître Triple-Mort avait la charge de tous les cours. Cette situation prouvait là encore la décadence de l'établissement. En réalité, notre professeur était loin de maîtriser toutes les matières qu'il enseignait, mais le séminaire aurait été bien en peine de rémunérer un spécialiste pour chaque discipline.

Au fil des explications de mon condisciple, je compris peu à peu que j'avais échoué à l'école de la pingrerie et de l'économie. Le séminaire ne roulait pas sur l'or et se payait en partie sur ses élèves. Chacun d'entre eux devait ainsi se soumettre à diverses corvées : nourrir les animaux de la basse-cour, réparer les fuites du toit, servir à la table de Triple-Mort ou se livrer à de violentes razzias dans les villages de la vallée afin d'y piller les réserves des paysans. Nous n'avions guère d'autres moyens d'améliorer notre ordinaire.

– Tu verras, la cantine n'est pas très bonne… Ou alors il faut aimer les haricots et la viande avariée !

J'en déduisis que je n'étais pas près d'apprécier à nouveau des plats aussi succulents que l'omelette aux yeux de faucon vairon.

Nos journées commençaient à l'aurore, me prévint mon camarade. Après avoir fait l'appel, Triple-Mort emmenait ses élèves dans une course de plus de deux heures dans la montagne, parmi les rocailles, les moraines, les glaciers et les avalanches. Lors de ces expéditions, la troupe rencontrait parfois quelques bouquetins qui la toisaient avec étonnement. Grâce à sa taille et à sa souplesse, le Maître franchissait les obstacles sans difficulté mais il n'était pas rare que ceux qui le suivaient tombent dans d'obscures crevasses ou se fassent amocher par la chute d'un rocher. À leur retour au séminaire, les malheureux pouvaient être certains d'écoper, en plus de leur peine, d'une effroyable punition qui leur briserait plus sûrement les reins que la glace ou la plus tranchante des pierres. Le Maître ne connaissait pas la pitié et l'une de ses missions consistait à nous faire oublier ce sentiment. Pour ma part, je m'en étais déjà débarrassé.

Après un tel régime, on pouvait être certain de rattraper tout ennemi, qu'il s'enfuie à pied, à cheval ou à dos de centaure. Certes, la peur donne des ailes mais, plus efficaces encore, les épreuves physiques que nous imposerait Triple-Mort produiraient des mollets étonnamment fermes et des muscles durs comme l'acier. Quand on s'était habitué à perdre son souffle dans les hauteurs enneigées, on découvrait ensuite qu'il était plus facile de cavaler dans l'air moins raréfié de la plaine.

De manière générale, le Maître semblait se faire un devoir de nous rendre la vie aussi pénible que possible. Aujourd'hui, je crois comprendre son raisonnement. En nous endurcissant, il prévoyait que, lorsque nous serions de retour parmi les hommes, les sévices les plus féroces nous feraient l'effet d'une aimable plaisanterie. Il n'avait pas tort…

– Tu fais partie de quel groupe d'élèves, Wilmuth ?

– Triple-Mort m'a expliqué que j'appartiendrai au groupe M.

– Comme moi ! Quelle bonne nouvelle !

– Hum… Et qui d'autre sera avec nous ?

– Jusqu'à présent, il n'y avait que moi dans le

groupe M. Je trouvais ça rudement déprimant mais, maintenant, je me sens moins seul !

J'aurais voulu en dire autant.

Mange-Burnasse m'assura que notre éducation comporterait aussi des enseignements plus théoriques, de ceux pendant lesquels on peut s'endormir, confortablement installé au fond de la classe. Par exemple, nous devions nous familiariser avec les grands principes de la sorcellerie. Quand il m'annonça cette nouvelle, je haussai les épaules : pour avoir vu ma mère périr sur le bûcher, je n'avais qu'une confiance très limitée en cette science et je préférais m'en remettre à celle des armes.

De ce côté-là, le séminaire Inferno ne me décevrait pas, me promit Mange-Burnasse. Nous devions apprendre le maniement de l'épée, de la hache, de la fronde, de la masse, de l'arc, de l'arbalète, du fléau, de la sarbacane, de la dague et du poignard, de la lance, du trident et de la hallebarde, du cimeterre arabe, du glaive picte et du fleuret persan. On nous enseignerait également la composition de puissants explosifs, ce qui semblait déjà plonger mon compagnon dans une excitation sans bornes.

– Je crois que nous allons nous régaler ! J'ai déjà repéré dans la région un château fort sur lequel j'ai prévu d'essayer quelques bombes.

Ce garçon me dressa un inventaire précis de toutes les disciplines que j'allais découvrir. Il était intarissable. Je dois avouer que son impatience était assez contagieuse et que je brûlais, moi aussi, d'entrer dans le vif du sujet. On nous promettait tant de choses admirables… Si nous nous montrions suffisamment assidus, nous deviendrions des experts redoutables dans de nombreux domaines. Nul mieux que nous ne saurait sévir, punir, assouvir (ses vengeances), nuire, haïr, enlaidir, avilir, empuantir, salir, pourrir, envahir, conquérir, asservir, désobéir, mentir, pervertir, trahir, honnir, vomir, détruire, anéantir, maudire, réduire (en miettes), occire, raccourcir (les têtes), ensevelir, aplatir, farcir ou bouillir (ses ennemis). Un programme alléchant !

– On a même prévu des leçons de savoir-vivre. Moi, je trouve ça tout à fait normal ! Ce n'est pas parce que l'on fait le mal que l'on ne doit pas se tenir correctement. Au contraire ! Les méchants les plus horribles sont souvent les plus polis. Et puis, de jolies phrases, de bonnes manières, cela endort l'adversaire…

Sous ses airs bonasses, Mange-Burnasse était moins naïf qu'il y paraissait de prime abord. Je compris que je ne devais pas le sous-estimer. Il n'avait pas adopté les mêmes approches directes que moi, mais, le jour venu, ses méthodes plus fuyantes me seraient peut-être utiles.

– Il y a aussi des cours de savoir-mourir mais il paraît que les élèves du groupe M en sont dispensés. Je me demande bien pourquoi. C'est tout de même étrange…

Savoir-mourir ? Je n'avais jamais entendu parler de ce genre de choses. D'après mon compagnon, pendant ces cours, notre terrible professeur inculquait à ses disciples comment ils devaient se préparer à la mort. En effet, il pouvait arriver un moment où, malgré l'enseignement extrêmement complet délivré par le séminaire Inferno, on ne pouvait plus échapper à son destin. Il fallait alors se résigner à ce que, pour une fois, le Bien l'emporte sur nous et extermine les créatures maléfiques que nous étions. Faire le Mal n'est pas une science infaillible.

Or mourir n'est pas une chose facile. Il peut donc être utile que l'on vous l'apprenne.

Je m'étonnai de découvrir que nous n'allions pas bénéficier de ces précieux conseils. C'était scandaleux ! Ma résolution était prise : dès que j'en aurais la possibilité, j'en toucherais deux mots à Triple-Mort !

Mange-Burnasse m'indiqua par la suite qu'il n'était arrivé au séminaire Inferno que depuis une semaine. Il ne connaissait donc qu'une faible proportion de ses secrets. Néanmoins, il me semblait qu'en quelques jours, il avait déjà su accumuler une grande masse d'informations.

— Je n'ai pas les yeux dans ma poche, tu vois, et j'écoute tout ce qui se dit... Je ne peux pas me retenir ; c'est comme un réflexe ! Je crois que je ferai un bon espion. D'ailleurs, je pense qu'en dernière année, je me spécialiserai dans la trahison.

Puisque mon interlocuteur était si bien renseigné, je lui demandai combien de temps notre scolarité devait durer. Il s'empressa une nouvelle fois de satisfaire ma curiosité.

— Nos études dureront une petite cinquantaine d'années. Un peu plus, si nous redoublons certaines classes.

— Mais, crétin, dans cinquante ans, nous serons devenus des vieillards, ou bien nous serons tout simplement morts ! Oublies-tu que nous sommes au Moyen Âge et qu'on ne fait pas de vieux os à notre époque ?

— Qu'est-ce que j'y peux, moi ? Je répète seulement ce que j'ai entendu ! Cinquante ans, ni plus ni moins. C'est une éducation très complète. Il faut dire que l'on ne devient pas démoniaque du jour au lendemain.

— Au contraire, c'est très facile de faire le mal ! Ça

vient tout seul ! C'est bien gentil de vouloir nous offrir une instruction très poussée, mais à quoi cela nous servira-t-il, si nous n'avons même pas le temps d'en profiter ? Ce n'est pas quand j'aurai les cheveux blancs ou les mains qui tremblent que je vais mettre le monde à feu et à sang ! Tu y as pensé à ça, bougre d'idiot ?

– Ce n'est pas moi qui fais les programmes ! Et puis, tu es bien pressé. Tu te prends pour qui, monsieur Je-sais-tout ?

Nous en serions sans doute venus aux mains et je lui aurais réglé son compte en deux temps trois mouvements si la porte de la porcherie ne s'était entrouverte. Malheureusement, avant que nous ayons pu nous précipiter vers la sortie, le lourd battant s'était déjà refermé. Borgnus le cyclope avait simplement déposé près de l'entrée un bol empli d'une soupe infâme ainsi qu'une miche de pain.

Est-ce que les cours d'empoisonnement avaient déjà commencé ? Cela paraissait en tout cas une bonne entrée en matière. Je reniflai cet affreux potage dans lequel nageaient les fameux haricots dont Mange-Burnasse m'avait parlé mais aussi quelques asticots et ne pus me contenir :

– Non seulement ce repas est infect mais, pour couronner le tout, cet imbécile n'a même pas pensé à apporter de la nourriture pour deux !

– En fait, je crois que Borgnus ne sait pas que je suis ici… Depuis mon arrivée au séminaire, j'en explore le moindre recoin et, aujourd'hui, ma curiosité m'a conduit jusqu'à cette porcherie…

– … et on a refermé la porte sur toi sans s'apercevoir que tu étais là ! Ça va, j'ai compris… Et monsieur veut faire carrière dans l'espionnage ! Avec des types comme toi, ce n'est pas étonnant que l'on nous prévoie cinquante années d'études !

– C'est facile de se moquer ! Pourtant, toi qui es si dégourdi, tu n'as pas fait mieux : tu t'es retrouvé ici, comme moi ! Alors arrête un peu ! Mais cela ne sert à rien de nous disputer. Voyons plutôt comment améliorer notre repas. À mon avis, ce ne devrait pas être trop compliqué avec tous ces cochons gros et gras autour de nous ! Je me charge d'allumer un feu en moins de deux et de nous fabriquer une broche à rôtir, après quoi nous devrions pouvoir nous préparer un festin.

Je dois reconnaître que cette proposition me mit de meilleure humeur. Alléché par la perspective de notre gueuleton, je joignis mes efforts à ceux de Mange-Burnasse. Après quelques minutes pénibles, nous parvînmes ainsi à arracher l'un des barreaux de la fenêtre qui donnait sur la basse-cour : nous tenions déjà notre broche ! Mon compagnon avisa alors une petite réserve de bois entreposée le long d'un mur. Nous avions le combustible ! De surcroît, Mange-Burnasse sut confectionner à partir de quatre bûches un petit dispositif tout à fait ingénieux qui nous permettrait de faire aisément tourner la broche au-dessus du feu.

Nous arrachâmes un cochon de lait à sa mère. Je lui fis ensuite une prise à ma façon et il cessa de couiner. Cependant, je crus que nos plans allaient s'effondrer quand je m'aperçus que nous ne disposions d'aucun moyen d'allumer un feu. Là encore, mon condisciple avait une solution. Il sortit de son petit sac un objet qui fit merveille. Il s'agissait, m'expliqua-t-il, de bouts de bois qu'il avait longuement trempés dans du soufre fondu. Si on les frottait contre un papier rugueux enduit de phosphore (il en avait dans l'une de ses poches), on pouvait produire des flammes pendant quelques secondes ! Avec mille ans d'avance, Mange-Burnasse avait inventé l'allumette.

Grâce à cette magnifique invention, ce garçon décidément plein de ressources sut nous faire démarrer un feu sur lequel nous fîmes patiemment tourner le corps rondelet du petit porcelet. J'offris sans rechigner l'une de mes écailles, ce qui nous permit de découper d'épais quartiers de viande. Celle-ci fondait dans la bouche en libérant un jus tiède et bienfaisant qui nous réchauffait les entrailles. Il y avait longtemps que je n'avais connu un tel festin ! Mange-Burnasse commençait à me devenir sympathique. Il n'était peut-être pas aussi idiot qu'il en avait l'air !

La nuit était déjà grandement avancée quand notre repas s'acheva. Nous étions repus et nous léchions les doigts avec ravissement. J'avais le cœur léger, comme cela ne m'était pas arrivé depuis des semaines. Malheureusement, nous étions à court de bois et nous ne tardâmes pas à sentir la morsure du froid. On ne nous avait laissé aucune couverture et, à cette altitude, les nuits étaient plutôt fraîches.

À intervalles plus ou moins réguliers, nous étions saisis de frissons. Cependant, il était hors de question de rechercher un peu de chaleur auprès des porcs : depuis que nous nous étions emparés de l'un des leurs, ils se montraient nettement plus distants. Nous dûmes nous résigner à nous réfugier dans l'un des recoins de la porcherie et à nous blottir l'un contre l'autre. À ma grande surprise, cela n'était pas désagréable. Mange-Burnasse partageait mon avis.

– On n'est pas bien là ? Un bon repas, un toit au-dessus de la tête et un ami à côté de soi : qu'est-ce que l'on peut demander de plus ?

– Parce que c'est ça, l'amitié ?

– Et pardi ! Parfois, tu poses de ces questions ! Tu n'as jamais eu d'amis auparavant ?

– Eh non ! Il faut que je m'y habitue…

– Tu verras ; on s'y fait très vite. Même lorsque l'on se destine comme nous à devenir des êtres nuisibles et malfaisants, c'est tout de même utile de pouvoir s'appuyer sur quelqu'un.

– Tu as peut-être raison après tout…

Je n'étais arrivé au séminaire Inferno que depuis quelques heures et j'avais déjà découvert une toute nouvelle notion : l'amitié. Cette idée me déconcertait mais j'étais prêt à l'apprivoiser. Cependant, je n'étais pas certain que celle-ci figure au programme que nous réservait Triple-Mort. Mais cela ne m'importait guère. Les choses les plus intéressantes sont souvent celles que l'on vous défend d'apprendre.

– Eh, Mange-Burnasse, dis-moi, d'où tu le sors, ton nom ?

LA MAUVAISE ÉDUCATION

Je pourrais vous raconter dans le détail les cinquante années que je passais au séminaire Inferno. Je pourrais même écrire un livre pour vous décrire chacune d'entre elles. Je crois que la chose rencontrerait un grand succès auprès du public. D'ailleurs, je sais que d'autres auteurs ne s'en sont pas privés et qu'ils peuvent aujourd'hui s'en féliciter : ils ont acquis une renommée mondiale et une fortune colossale.

Il faut pourtant le clamer haut et fort : tous ces gens ne savent pas de quoi ils parlent. Ils ont tout inventé. Pour moi, c'est différent. Tous les faits que je rapporte sont rigoureusement exacts. J'ai personnellement participé aux méfaits dont je fais le récit. Les blessures que j'ai subies en ces occasions sont bien réelles et j'en porte les multiples cicatrices sur tout mon corps. Celui-ci en est même constellé à tel point qu'il est difficile de trouver chez moi un pan de chair qui ne porte aucune trace de mes combats.

Toutes ces années d'apprentissage au séminaire Inferno s'écouleront donc en quelques pages. Je ne vous parlerai que des événements les plus importants et vous épargnerai la fastidieuse description de toutes les matières qui me furent enseignées. Si vous avez quelques trimestres de collège derrière vous, vous devez déjà savoir que cet inventaire n'aurait guère d'attraits.

En revanche, un point me paraît particulièrement intéressant à vous signaler : au terme de ces cinq décennies, j'avais encore les traits d'un garçon de dix ans ! Certes, ma voix était devenue un peu plus rauque qu'autrefois, j'avais poussé de deux ou trois centimètres et quelques poils m'étaient venus sous les bras ainsi qu'en d'autres endroits qu'il est plus gênant de citer. Mais, tout de même, cinquante années pour en arriver là : c'était plutôt désespérant. De surcroît, aucune écaille supplémentaire n'était apparue sur moi alors même qu'elle aurait été la bienvenue. J'appréciais ces petites compagnes qui pouvaient être tout à la fois une arme et une protection très précieuse.

De son côté, Mange-Burnasse n'avait pas davantage vieilli que moi. Nous suivions en réalité le même rythme. Pour une raison qui m'échappait, nous étions frappés de la même manière par ce phénomène étrange qui nous maintenait dans notre triste état d'enfant.

Avec le temps, nous finîmes naturellement par nous en inquiéter et, prenant notre courage à deux mains, demandâmes régulièrement des explications à Triple-Mort. Cependant, lorsque nous nous risquions à le solliciter, il refusait de nous écouter et nous congédiait d'un ton plein de menaces. D'ailleurs, le Maître ne changeait pas non plus d'un iota. Il gardait toujours le même teint verdâtre, alors que j'aurais tant voulu le voir se flétrir et se faner comme une horrible fleur dans son vase.

Nous étions les seuls élèves à nous distinguer de la sorte. Nos camarades de classe, eux, vieillissaient comme le faisaient tous les hommes et, quand ils atteignaient l'âge de quinze ans, s'en allaient de par le vaste monde mettre en pratique leur savoir. Quand nous assistions à leur départ, nous les regardions avec jalousie, rêvant de les imiter. Pour leur part, ils nous dévisageaient avec mépris, gonflés d'orgueil qu'ils étaient à l'idée de mettre enfin leur force au service du crime. Ils nous prenaient pour deux crétins qui ne voulaient pas se décider à grandir et qui ne feraient jamais rien de mal de leur vie. C'était assez vexant.

Puisque nous avions devant nous plus de temps que nos condisciples, tout était donc prétexte à prolonger notre apprentissage plus que de raison. On nous imposait des corvées qui n'avaient qu'une lointaine relation avec nos chères études. Quand il fallait réparer le toit, nous étions toujours désignés pour monter là-haut et risquer une mauvaise chute. Les métiers que Mange-Burnasse et moi devions exercer changeaient sans cesse selon les saisons ou les moments de la journée. Nous fûmes charpentiers, lavandières, vignerons, chevaux de trait, comptables, maçons, gardiens de nuit, messagers, forgerons, palefreniers, cuisiniers, vidangeurs de cuves, peintres en bâtiment ou bergers.

Tandis que Mange-Burnasse s'occupait des vaches, j'étais souvent affecté à la surveillance des brebis. Triple-Mort estimait que ces tâches modestes m'inciteraient à l'humilité. Il n'avait pas oublié comme je l'avais pris de haut lors de mon arrivée et il veillait constamment à me rabaisser ou à m'humilier. Malheureusement, il restait encore trop fort pour moi. Me rebeller contre lui ne m'attirait que de nouvelles souffrances ou des tortures inédites. Toutefois, le châtiment qu'il m'infligeait le plus souvent était assez banal : dépourvu de la moindre imagination, il se plaisait à m'écorcher le dos avec la lanière cloutée d'un fouet.

Dans ces moments-là, il exultait. Son quadruple visage respirait une joie vicieuse, tandis que son teint d'olive semblait s'animer d'une rouge excitation.

– Tu vois, Wilmuth, je te fouette aussi bien que le ferait le plus aimant des pères !

Il se moquait de moi mais je prenais mon mal en patience. De ce point de vue, j'étais à bonne école.

Le premier cours qui nous avait été donné sur l'art de la vengeance m'avait rappelé que celle-ci se mangeait froide. Fort de ce principe, j'attendais le bon moment. Triple-Mort finirait par s'affaiblir et moi par m'endurcir, si bien qu'il deviendrait la victime et moi le bourreau. Je lui ferais alors payer toutes les ignominies qu'il m'avait imposées. Comme cette fois où il m'avait obligé à le regarder tandis qu'il embrassait avec voracité un portrait de ma mère sorti je ne sais d'où.

Mange-Burnasse subissait, lui aussi, son lot de sévices. Il était aussi durement traité que moi. Avec lui, Triple-Mort était peut-être moins violent mais il n'était pas moins cruel. Par exemple, il se déplaçait en personne pour lui annoncer régulièrement les mauvaises nouvelles que les décennies apportaient. En effet, mon compagnon était le seul dans sa famille à ne pas vieillir, ou si peu. Aussi avait-il perdu au fil des ans ses deux parents ainsi que plusieurs frères et sœurs. Je me souviens notamment d'un jour où Triple-Mort le prit à part pour lui indiquer d'une voix monocorde :

– Mange-Burnasse, je viens t'annoncer un heureux

événement. Tu te rappelles, ta petite sœur Héloïse ? C'était ta préférée, non ? Eh bien, elle est morte la semaine dernière. Dans d'atroces souffrances. Elle a aussi perdu son bébé. Quand elle a vu sa dernière heure arriver, elle aurait bien aimé t'avoir à ses côtés. Mais, évidemment, tu n'étais pas là. Alors peut-être t'a-t-elle maudit. Qui sait ? Bon, voilà, maintenant, tu es au courant. Va, tu peux retourner t'amuser…

Si, à notre entrée au séminaire Inferno, on ne nous avait pas enlevé les glandes lacrymales, Mange-Burnasse aurait versé toutes les larmes de son corps. Il en aurait sans doute été bien soulagé car, lorsque l'on est triste, il n'y a rien de plus terrible que de ne pouvoir pleurer. Enfin, c'est ce qu'on dit…

Ce jour où je vis Mange-Burnasse s'effondrer sous le poids du chagrin, je fus saisi d'une sourde colère contre Triple-Mort. Lorsqu'il se retira, lassé de jouer avec sa victime, je bondis sur lui, bien décidé à lui trancher la gorge avec mon écaille la plus acérée. J'avais attendu qu'il ait le dos tourné, comme il me l'avait enseigné en cours de trahison et de fourberie. Mais j'avais oublié que les têtes de mort ne relâchaient jamais leur garde et qu'elles surveillaient toujours les arrières du Maître. Ce dernier me balaya donc comme un fétu de paille, me brisant au passage trois ou quatre côtes.

– Tu pensais me surprendre avec une attaque aussi élémentaire ? Quel crétin ! Tu n'as même pas songé à tenter une manœuvre de diversion, comme je te l'ai pourtant appris. Je me demande bien ce que je vais faire de deux abrutis comme vous !

Malgré sa peine, Mange-Burnasse me remercia chaudement d'être venu à sa rescousse. Peut-être avait-il raison, peut-être avais-je agi par amitié…

Quand, le soir venu, nous pensions à toutes les bassesses que nous devions endurer, nous en arrivions à considérer que notre nuit la plus heureuse en ces lieux maudits avait été celle que nous avions passée à la porcherie, repus et insouciants.

Nous avions rejoint le séminaire pour tout y apprendre du Mal mais avions été bien confiants pour ne pas imaginer qu'une partie de cet apprentissage se ferait à nos dépens. Le Mal est un savoir exigeant qui vous renforce et vous torture en même temps. Le Mal n'est pas arrangeant. Il ne vous donne jamais que la moitié de ce que vous attendez de lui et vous prend toujours plus que ce que vous voulez lui céder. On ne le connaît jamais parfaitement, même quand on l'étudie pendant cinquante interminables années.

Vous l'aurez compris : nos joies étaient rares. Les meilleurs moments étaient ceux que nous vivions loin du séminaire, quand on nous envoyait porter un message à quelque tyran de la région ou lorsque nous guidions les brebis jusqu'aux pâturages. En ces occasions, nous avions parfois essayé de nous enfuir mais toutes nos tentatives d'évasion s'étaient soldées par un lamentable échec. À chaque fois, le Maître avait retrouvé notre trace et, sous les claquements de son fouet, nous avait reconduits à nos études.

Un jour que nous étions dans ces hauts pâturages, un événement totalement imprévu vint perturber les heures tranquilles que nous vivions avec les troupeaux. Ce jour-là, je m'ennuyais ferme. Pour la énième fois, je recomptais mes écailles. Je n'avais rien d'autre à faire et il fallait bien s'occuper. Mais j'avais beau vérifier et vérifier encore, j'aboutissais toujours au même résultat. Je n'avais pas gagné le moindre fragment de carapace.

Mange-Burnasse s'était éloigné de quelques mètres et taillait un morceau de bois en sifflotant. Il ne semblait jamais se languir, ce qui avait parfois le don de m'agacer. Pour moi, le temps pouvait rapidement devenir une torture. J'avais l'impression d'avoir déjà découvert l'éternité. Toutes les années se ressemblaient, puisque nous ne changions pas. Seules les saisons atténuaient en partie cette monotonie, mais elles finissaient à leur tour par prendre un air de déjà-vu.

Mange-Burnasse, dont l'ouïe était plus fine que la mienne, s'interrompit tout à coup dans son travail. Il m'assura avoir entendu un bruit inhabituel et, pour en avoir le cœur net, il m'intima de me taire.

– Mais je n'ai rien dit! Je comptais juste mes écailles!

– Chut! Je crois qu'il se trame quelque chose d'étrange derrière cette montagne. J'ai l'impression qu'on est train de se battre. Et ils n'ont pas l'air de plaisanter!

– Je n'entends rien. Tu as dû rêver. Parfois, on a tellement envie qu'il se passe quelque chose que l'on est prêt à l'inventer de toutes pièces. Tu sais, je serais le premier à vouloir un peu d'animation…

– Tais-toi donc! Je suis sûr de moi. Si tu te lavais un peu plus souvent les oreilles, tu saurais que j'ai raison. Mais non, Monsieur a peur de l'eau!

Mange-Burnasse m'attaquait sur l'un de mes points faibles. Une telle attitude manquait d'élégance de sa part. On a tout de même sa fierté.

– Viens, Wilmuth, nous allons tirer cette affaire au clair! En une heure, nous serons là-bas.

– Comme tu y vas! Nous ne pouvons pas abandonner le troupeau pour courir après une chimère! Tu sais ce qui se passera si nous perdons la moindre de nos bêtes : Maître Triple-Mort nous fera encore passer un mauvais quart d'heure.

– On aura tout vu : c'est toi qui me conseilles de suivre les ordres de Triple-Mort ! Nous n'allons quand même pas lui obéir sagement alors qu'il n'a aucun moyen de nous surveiller et de nous punir ! Pour une fois que nous pouvons vivre une expérience intéressante, nous n'allons pas nous en priver. En tout cas, ma décision est prise. Mon épée, ma cape, quelques bombes de ma fabrication et je m'en vais t'éclaircir ce mystère ! Tu peux rester avec les bêtes, si tu préfères.

Mange-Burnasse m'avait piqué au vif. Je ne pouvais lui laisser le beau rôle. Et puis, je ne voulais pas courir le risque de passer pour un lâche. Je décidai donc de lui emboîter le pas.

Tandis que je l'accompagnais dans sa folle course vers l'autre versant, je dus peu à peu en convenir : mon camarade n'avait pas été victime d'une hallucination. Les échos d'une féroce mêlée nous parvenaient de plus en plus distinctement. Je devinais même le choc des épées contre les boucliers, les plaintes des blessés, les hennissements des chevaux affolés ou la chute flasque des corps privés de vie. Naturellement, Mange-Burnasse n'en perdait pas une miette et jubilait.

– Je pense que nous allons nous en payer une bonne tranche, Wilmuth !

– J'espère seulement que nous n'allons pas arriver trop tard. À l'oreille, je crois deviner que tous ces lascars commencent à s'essouffler…

– Oh, non, pas déjà !

Nous parvînmes enfin sur les lieux de la bataille. Une petite armée de chevaliers francs avait été surprise au fond d'un étroit défilé. Elle était tombée dans une embuscade que lui avaient tendue de fiers montagnards que nous identifiâmes comme des Basques. Les Francs se battaient comme des diables mais se trouvaient en mauvaise posture. Leur résistance déclinait et la conclusion des hostilités était proche. Si nous n'avions pas accéléré le rythme, nous aurions pu être totalement exclus des réjouissances. Or c'était là une issue que Mange-Burnasse ne pouvait accepter.

— Attendez, ça ne va pas se passer comme ça ! Nous venons à peine d'arriver ! Un peu de nerf, que diable ! Nous n'avons pas fait tout ce chemin pour rien… Ne croyez pas que vous allez vous en tirer aussi facilement. Je vais vous en donner, moi, du combat ! Et du violent, du médiéval !

Passant des menaces aux actes, le brave garçon balança dans les rangs des Basques quelques bombes de son cru, ce qui eut plusieurs effets immédiats :

— disloquer de façon épouvantable plusieurs représentants de ce peuple ombrageux ;

— mettre en fuite un nombre non négligeable d'entre eux ;

— rétablir un certain équilibre entre les forces en présence ;

— redonner une brève illusion de courage aux Francs ;

— prolonger la bataille

— nous permettre de nous y joindre joyeusement.

Dans un souci d'équité, Mange-Burnasse intégra les rangs des Francs, et moi ceux des Basques. Nous ne voulions pas non plus fausser le cours de l'Histoire.

Les combattants furent quelque peu surpris par le désordre qu'engendra notre arrivée. Ils ne parvenaient pas à nous ranger avec certitude parmi leurs alliés ou leurs ennemis. De même, ils ignoraient s'ils devaient se réjouir ou s'inquiéter de notre intrusion. Ces gars-là, tout autant qu'ils étaient, n'avaient visiblement pas inventé la poudre, comme nous l'avait d'ailleurs prouvé leur stupéfaction face aux bombes artisanales de Mange-Burnasse.

Toutefois, on était là pour se battre. Aussi en revint-on à l'essentiel et se remit-on à s'étriper dans les grandes largeurs.

La mêlée était plus meurtrière que tout ce que j'avais connu jusque-là. Les corps tombaient dru, presque les uns sur les autres. Une vraie pluie de cadavres. Pour espérer s'en sortir, il fallait être particulièrement vif. Mais cela ne suffisait pas toujours. Une flèche venue de votre propre camp, tirée par maladresse ou sous l'effet de la panique, venait soudain vous transpercer, alors que vous pensiez avoir gagné un moment de répit. Vous retiriez à peine votre épée du ventre d'un adversaire qu'un autre vous rentrait la sienne dans les tripes. Parfois, à la traîtrise s'ajoutait la lâcheté. Vos ennemis s'y mettaient à plusieurs et vous cernaient de toutes parts. Il ne restait qu'à vous demander de quel côté vous percerait la lame de votre meurtrier. Vous aviez bientôt la réponse.

Le champ de bataille était rouge de sang. Celui-ci coulait à un rythme trop rapide pour que la terre puisse le boire d'un trait. Quelquefois, le regard tombait sur un objet inconnu et, une seconde après, on comprenait que l'on avait affaire à une main ou un pied.

Mange-Burnasse était aux anges. On eût dit un écolier appliqué à faire ses devoirs. Il s'y reprenait avec soin quand il n'avait pas correctement achevé un ennemi. Chaque victoire semblait pour lui une bonne note, comme s'il se réjouissait déjà des félicitations d'un maître.

Je n'étais pas en reste : il fallait bien se défendre. Je décapitais, je perforais, j'arrachais, je coupais, je subdivisais, je morcelais, je laminais, j'écrasais, je broyais, je faisais du petit bois. Je retrouvais les gestes d'autrefois, quand, pour venger ma mère, j'avais découpé des oreilles, ouvert des ventres ou tranché des bras.

Un des Francs était particulièrement en verve. D'après ce que j'avais compris, il s'appelait Roland, et ses compagnons le considéraient comme leur chef. Ses exhortations produisaient un grand effet sur eux, tandis qu'ils se désespéraient quand l'homme faiblissait ou recevait une vilaine blessure. Roland se battait comme un lion. Il était la proie d'une telle furie que l'on aurait pu croire que sa mère venait de périr sur le bûcher. Mais ce n'était qu'une impression. Ce n'était pas son genre.

Cet homme était un fanatique, comme je pus en juger par moi-même. Par le hasard du combat, nous nous retrouvâmes en effet l'un en face de l'autre. Ou plus exactement Roland surgit derrière moi, leva bien haut son épée (qui semblait d'excellente qualité) et, prêt à me fendre en deux d'un seul coup d'un seul, il me lança cette phrase ridicule :

– Meurs, chien de païen !

Alors qu'il abattait son arme sur moi, je reculai d'un bond, lui passai entre les jambes et, avant qu'il ait eu le temps de se retourner, je l'empalai sans hésiter. Ce n'est pas une fin très glorieuse pour un fier chevalier mais il l'avait bien cherchée. Je n'aime pas me faire insulter.

Sa mort honteuse fut le signal de la débandade pour ses compagnons. Quelques-uns parvinrent à s'enfuir mais, dans l'affolement, la plupart d'entre eux ne réussirent qu'à s'offrir plus aisément aux coups de l'adversaire et à accélérer leur mort. Finalement, du camp des Francs, il ne resta plus que Mange-Burnasse. Celui-ci était méconnaissable, tant la crasse, la terre, la bave et toutes sortes de fluides recouvraient son visage et ses vêtements. Il ne décolérait pas.

– Revenez, bande de lâches! Ce n'est pas fini!

Pourtant, la bataille était bel et bien terminée. Le sol était jonché de corps mélangés, amis et ennemis. Les Basques triomphaient et laissèrent échapper une clameur virile. Que les uns perdent, que les autres gagnent m'était indifférent. Tous étaient des hommes et, pour cette raison, je leur voulais du mal.

Les Basques entendaient dépouiller les vaincus qui gisaient à terre. C'était sans compter avec nous. En effet, nous estimions que ce privilège nous revenait. Je vous passerai les détails mais, après une discussion brève et animée, ces idiots jugèrent préférable de ne pas insister. Ils rebroussèrent chemin et l'on peut supposer qu'ils retournèrent chez eux raconter à leurs femmes un récit empli d'exploits où ils turent sans doute notre présence.

Mange-Burnasse exultait. Je ne l'avais pas vu ainsi depuis des lustres. Le pauvre n'avait guère eu de joies au cours des dernières années tant Triple-Mort ne l'avait pas ménagé.

– Tu vois, Wilmuth, que nous avons bien fait de venir! Cela aurait été dommage de rater un tel carnage!

– Pour une tuerie, c'était une sacrée tuerie!

Mon acolyte s'éloigna ensuite de quelques pas et se pencha sur le cadavre du dénommé Roland. Celui-ci portait autour de son cou, attaché par une fine lanière de peau, un cor délicatement ouvragé. Mange-Burnasse s'en empara et entreprit d'en jouer. Mais je ne l'entendais pas de cette oreille :

– Mon vieux, tu ne manques pas d'air ! C'est tout de même moi qui ai occis ce type et, par conséquent, son butin me revient. Tu dormais quand on nous a appris ça en cours de non-droit ?

Les cours de non-droit, comme leur nom le laisse supposer, étaient consacrés à toutes les règles que nous devions enfreindre au cours de notre carrière de criminels. Tu ne respecteras pas la parole donnée, tu pilleras les églises, tu convoiteras les richesses d'autrui, tu voleras les pauvres, tu massacreras la veuve et l'orphelin, tu rompras les trêves, tu trahiras tes alliés, tu feras bouillir tes ennemis, etc. Les cours de non-droit étaient notre matière principale.

– Bon, puisque tu le prends comme ça, le voilà, ce fichu cor ! Mais tu vas me montrer comment tu en joues. J'attends de voir ça avec impatience !

Cela ne semblait pas si difficile. Il suffisait juste de souffler dedans. N'importe quel demeuré devait en être capable. Je portai donc l'embout à ma bouche, pris une profonde inspiration et vidai mes poumons dans l'instrument. Mais je ne parvins à produire qu'un petit son pathétique et suraigu, comme un estomac qui se dégonfle lamentablement.

– Oh, bravo ! Quelle éclatante démonstration !

– Eh bien, vas-y toi, si tu es plus doué !

Mange-Burnasse s'empara du cor, fit peu ou prou ce que j'avais fait et arracha à l'instrument une note extrêmement puissante, grave et, pour tout dire, très impressionnante. C'était pour le moins humiliant.

– En fait, il suffit de bien appuyer les lèvres sur

l'embouchure et de savoir les faire vibrer comme il faut…

Sur les indications de mon camarade, je réussis à mon tour à faire entendre quelques majestueux sons de basse. Je dois reconnaître que cet instrument en imposait : sa puissance était telle que les montagnes alentour en tremblaient.

Nous passâmes un bon moment à rivaliser d'efforts pour tirer de cet engin les notes les plus fortes et les plus tonitruantes possibles. C'était certainement un spectacle cocasse que de voir deux enfants improviser un cours de musique au milieu d'un champ de bataille sur lequel planaient un parfum de vermine et, dans le ciel, des charognards aux grandes ailes déployées.

Nous aurions pu continuer à nous divertir pendant des heures, quand nous entendîmes une cavalcade qui annonçait une armée considérable, sans commune mesure avec celle qui venait d'être exterminée. Les Francs arrivaient en nombre, accourant un peu tard au secours de Roland et de ses compagnons. Nous ne parvenions pas à nous expliquer comment ils avaient eu connaissance de l'embuscade dans laquelle était tombée leur arrière-garde.

Quoi qu'il en soit, il nous sembla plus prudent de nous retirer. Certes, nous étions particulièrement vigoureux mais, contre une armée de plusieurs milliers d'hommes, nous aurions pu subir un mauvais coup. Nous retournâmes donc auprès de nos troupeaux et les conduisîmes vers des alpages reculés où l'on ne viendrait pas nous chercher des noises.

Quelques jours plus tard, nous étions de retour au séminaire Inferno. Avec une excitation qui me parut exagérée, nos camarades nous racontèrent alors la bataille de Roncevaux où avaient péri le neveu de

Charlemagne, Roland (on ne choisit pas sa famille), et tous les guerriers qui l'accompagnaient. Le roi des Francs en était très affecté. Néanmoins, là n'était pas le principal motif de satisfaction de nos camarades.

Nous apprîmes qu'un ancien élève du séminaire s'était distingué au cours de cette histoire : en effet, il se disait que le dénommé Ganelon (issu de la promotion Inferno 748) avait trahi son camp pour celui des Basques et livré ainsi Roland et les siens à l'ennemi. De l'avis général, une telle nouvelle ne pourrait que contribuer à la notoriété du séminaire et lui redonner une partie de sa gloire perdue. Il semblait que notre école savait encore produire des traîtres et des félons dignes de ce nom.

Mange-Burnasse et moi-même nous efforçâmes alors de rétablir la vérité. Les Francs n'avaient pas seulement péri sous les coups des Basques. Roland n'avait pas vraiment succombé dans la dignité. Il n'avait pas joué du cor pour appeler à son secours les armées de son oncle. Ganelon n'était visiblement qu'un intrigant qui cherchait à s'attribuer tout le mérite du désastre.

Personne ne voulut nous croire ou nous prendre au sérieux. On nous considéra plutôt comme des fous. Si seulement nous avions pensé à emporter le cor de Roland ! L'objet aurait représenté une preuve irréfutable. Mais cet abruti de Mange-Burnasse l'avait oublié sur le champ de bataille.

Au cours des siècles qui suivirent, je fus régulièrement exaspéré par le retentissement que connut cette petite escarmouche. On en faisait non seulement un récit truffé de mensonges, mais on en tirait aussi d'insupportables poèmes de même que de stupides chansons. Toutes ces fadaises m'irritaient. Pour avoir été aux premières loges, je ne pouvais tolérer que l'on cherche à donner à cette affaire une apparence de dignité, de courtoisie ou d'élégance. Le combat avait été sale, laid, primitif, veule et vil. J'y avais personnellement veillé.

De longues années continuèrent à s'écouler, sans autre événement marquant. Nous vîmes encore de nombreux camarades à peine diplômés prendre la route pour une carrière emplie de crimes et d'ignominies. Nous en vîmes aussi des fuites à réparer et des latrines à nettoyer !

Au fil du temps, mon condisciple apprit la mort de la plupart de ses parents, Triple-Mort perdant ainsi un moyen de le faire souffrir. Pour ma part, je pensais parfois à mon père, m'interrogeant sur ce qu'il était devenu. Sans doute était-il mort lui aussi. S'il était encore en vie, il devait avoir oublié ma mère depuis longtemps et ne plus se rappeler le fils qu'il avait conçu avec elle.

Je me demandais souvent à quoi il pouvait ressembler. Ma mère m'avait à ce point mis en garde contre lui que j'imaginais le pire. Quand je tentais de me le représenter, j'entrevoyais une créature dégénérée et faible qui m'aurait fait honte : un infirme, un misérable, une sorte de ver rampant, sans orgueil ni dignité. Peut-être cela me faisait-il plaisir de le concevoir sous un jour aussi noir. Car il nous avait abandonnés et je ne voulais pas supposer que son départ m'avait privé d'un être fascinant que j'aurais pu admirer.

À plusieurs reprises, je m'étais risqué à interroger Triple-Mort à son sujet. Dans sa dernière lettre, ma mère m'avait en effet donné à penser que le Maître avait croisé à diverses occasions la route de mon géniteur. Malheureusement, mes tentatives pour lui extorquer des informations restèrent vaines pendant plusieurs décennies. À chaque fois, Triple-Mort avait réagi violemment, comme si je lui rappelais un souvenir douloureux qu'il aurait voulu enfouir au plus profond de sa mémoire. Il m'avait menacé de mort et j'avais jugé plus prudent de ne pas insister. Tout au moins pendant quelques années.

Vers la fin de mes études cependant, alors que j'étais une nouvelle fois revenu à la charge, il avait laissé échapper quelques bribes d'une vérité que je brûlais de découvrir tout entière.

– Mais tu ne me ficheras donc jamais la paix avec ton père ? Tu n'arrêteras jamais avec toutes tes questions ? Crois-moi, si ton père est encore de ce monde, tu ne gagneras rien à le retrouver ! Je ne crois pas non plus qu'il ait la moindre envie de te voir. Au contraire, si vous vous rencontrez et s'il découvre qui tu es, il risque fort de vouloir t'éliminer.

Pourquoi mon père aurait-il été si mal disposé à mon égard ? N'était-ce pas à moi d'éprouver de la rancune contre lui ?

– C'est à ton horrible père que je dois ces trois têtes de mort. Avant qu'il ne porte la main sur moi, j'avais quatre têtes bien vivantes et même plaisantes au regard. Mais ton père a considéré que j'étais un criminel ; il a estimé que la justice exigeait ma mort. Ce traître a voulu me tuer ! Ni plus ni moins. C'est qu'il n'a pas été loin de réussir ! Disons qu'il a fait le travail aux trois quarts, si tu vois ce que je veux dire…

L'idée que mon père avait fait passer un mauvais moment au Maître ne me déplaisait pas. Elle me dédommageait un peu de tous les tourments qu'il m'avait infligés. L'homme m'avait vengé par anticipation. Finalement, il ne semblait plus aussi débile et médiocre que je me l'étais d'abord figuré. Je comprenais mieux à présent pourquoi Triple-Mort mettait tant de cœur à l'ouvrage lorsqu'il me fouettait.

Quand la vie était dure, le souvenir de ma mère m'était aussi un réconfort. Pour elle, je m'obligeais à supporter vaille que vaille toutes les épreuves qui, jour après jour, parsemaient mon apprentissage. Je ne voulais pas la décevoir. Plus que tout au monde, je désirais être un bon fils, ce qui est plutôt crétin quand on est orphelin.

À la vérité, je dois pourtant reconnaître que son visage commençait peu à peu à s'effacer de ma mémoire. J'aurais aimé posséder un portrait qui m'eût rappelé ses traits chéris, ses poils au menton, son rictus de mépris, son teint écarlate et son regard pénétrant. Il m'aurait plu que le petit miroir ovale qu'elle m'avait légué fît de temps en temps apparaître sa figure hargneuse. Mais le précieux objet continuait toujours à offrir un immense sourire à celui qui y cherchait son reflet. Je l'avais prêté à Mange-Burnasse chaque fois qu'on lui avait annoncé une mort dans sa famille. Cela l'avait aidé un peu.

Le reste de mon héritage, quant à lui, ne cessait de me laisser perplexe. J'en faisais souvent l'inventaire : une clé en argent, une noix, une touffe de poils de sanglier et une queue de musaraigne. Je ne voyais pas à quoi cela pourrait me servir. Mange-Burnasse, lorsque je lui avais demandé son avis, n'avait pas non plus su m'éclairer.

– Si elle t'a donné tout cet attirail, c'est qu'il doit y avoir une bonne raison. Je te conseille donc de garder ces objets précieusement. Ils finiront bien un jour par se montrer utiles à quelque chose. Il se peut même qu'ils te sauvent la vie !

J'étais prêt à le croire mais je doutais que ces babioles puissent avoir un effet aussi prodigieux. Pour autant, je décidai de suivre le conseil de mon camarade.

– Dis-moi, Wilmuth, tu crois que nous sortirons un jour de ce fichu séminaire ? Ou bien allons-nous rester éternellement les esclaves de Triple-Mort ?

– Bon sang, bougre d'âne, as-tu oublié ce que tu m'as expliqué à mon arrivée ? Tu m'as dit que nos études dureraient environ cinquante ans. Eh bien, si je compte bien, dans deux ou trois ans, nous devrions enfin parvenir au bout de nos peines. Comme quoi, il ne faut jamais désespérer.

– Tout de même, quand je pense qu'à près de soixante ans, je n'ai pas encore de moustaches ! C'est assez humiliant…

LES FAUVES SONT LÂCHÉS !

Trois années passèrent et Mange-Burnasse n'arborait toujours pas les fières moustaches dont il avait une si grande envie. Pour ma part, je concevais une franche aversion pour les moustaches. Depuis longtemps, j'avais remarqué que tous ceux qui me tourmentaient en portaient une. C'était notamment le cas de Triple-Mort ou des soldats qui avaient emmené ma mère vers le bûcher.

Comme tu auras sans doute l'occasion de le remarquer au cours de ton existence, ceux qui te feront souffrir entretiendront entre eux un léger air de ressemblance. Ils auront tous quelque chose en commun. Aussi auras-tu souvent l'impression de les avoir déjà rencontrés. En fait, quand tu en auras vu quelques-uns, tu les auras tous vus ! Ainsi, tu les sentiras venir de loin. C'est ce que l'on appelle l'instinct.

Mon instinct est extrêmement aiguisé…

Depuis quelques semaines, nous n'assistions plus au moindre cours. Nous commencions à croire que Triple-Mort avait à présent accepté cette vérité : il ne pouvait plus rien nous enseigner. Notre délivrance était peut-être proche. À cette idée, nous nous trouvions dans un état de surexcitation qui nous transformait en de véritables fauves. Enfin, redevenir nos propres maîtres !

Un matin, nous fûmes avertis que Triple-Mort désirait nous entretenir d'un sujet de la plus extrême gravité. Il nous donnerait audience en fin d'après-midi. Nous avions ordre de nous préparer à cet honneur et d'endosser pour l'occasion nos plus beaux vêtements.

Ce fut Borgnus II qui se chargea de nous transmettre ces consignes. Comme on l'aura déjà compris, Borgnus II avait succédé à Borgnus Ier, celui-là même qui nous avait accueillis à notre arrivée. Ce dernier avait été emporté en 788 par une crise de conjonctivite. On sait que de tels maux sont souvent fatals aux cyclopes.

Borgnus II n'était pas plus intelligent que son père. Cela importait peu. Il ne fallait pas être un « monstre » d'astuce pour passer ses journées à attendre les visiteurs éventuels et, lorsqu'il s'en présentait, les scruter à travers l'œilleton puis leur demander d'une voix hargneuse ce qu'ils fichaient là.

Comme il nous l'avait été demandé, je tâchai de faire preuve de toute l'élégance vestimentaire dont j'étais capable. Je revêtis ma tunique de cérémonie, celle avec des bandes rouges (pour le sang) et blanches (pour le deuil), ainsi qu'un pourpoint gris doublé de fourrure. Ce costume était en fait celui que les élèves réservaient aux grandes occasions : les messes noires les plus solennelles, la Saint-Satan et chaque victoire retentissante de l'obscurantisme.

J'étais prêt depuis deux bonnes heures lorsque Borgnus II vint me chercher. Mange-Burnasse ne serait convoqué que par la suite. Lorsque je le croisai dans les couloirs, celui-ci m'adressa un clin d'œil en guise d'encouragement :

– Tu vas voir, tout va bien se passer !

Je ne demandais pas mieux. Cependant, tandis que je suivais la claudication grotesque de mon guide, je ne pouvais ignorer les battements affolés de mon cœur dans ma poitrine. J'avais beau être déjà passé par de nombreux périls, je n'en menais pas large.

Triple-Mort m'attendait. Me tournant le dos et regardant par la fenêtre, il paraissait si absorbé dans ses pensées que, pendant un moment, il ne remarqua même pas mon arrivée. J'en profitai pour balayer la pièce du regard et mon attention fut alors attirée par un objet posé sur une table. Je crus d'abord le reconnaître et je manquai de m'étrangler de rage. Pensez donc : un miroir qui ressemblait en tout point à celui que je tenais de ma mère. Je crus un instant qu'il était tombé entre les mains du Maître ! Toutefois, quand je me penchai sur la glace, je ne vis aucun sourire se dessiner sur ma face mais aperçus simplement mon visage maussade tel que je le connaissais depuis des décennies. Le miroir portait les mêmes motifs que celui que je possédais mais n'avait visiblement pas les mêmes pouvoirs. J'en fus immédiatement soulagé, même si je ne pouvais m'empêcher de songer qu'une telle coïncidence était pour le moins troublante.

Néanmoins, je n'eus pas le loisir de m'interroger davantage. Triple-Mort prit enfin conscience de ma présence et m'intima de m'asseoir. Jusqu'alors, nous avions toujours dû patienter debout, lorsqu'il nous recevait. Ce changement me sembla donc positif. Peut-être avions-nous fini par gagner un peu de respect.

– Si je t'ai fait venir, c'est parce que ton apprentissage est désormais terminé… Mais ne te réjouis pas trop vite ! Ne crois pas être débarrassé de ton vieux Maître. J'ai encore des droits sur toi et tu vas t'en apercevoir tout de suite.

C'était le problème avec le Maître : s'il devait perdre l'avantage sur un point, il n'avait de cesse de le reprendre sur un autre. Il ne lâchait jamais prise, ne s'avouait jamais vaincu. Je pouvais donc craindre quelque coup fourré.

– À présent, je veux avoir la certitude que je n'ai plus rien à t'apprendre. Pour cela, je dois te mettre une dernière fois à l'épreuve. Je vais donc te confier une mission que tu devras mener à bien si tu veux définitivement quitter le séminaire…

– Comment ça, une mission ? C'est nouveau, ça ! Ils en ont eu, des missions, les autres élèves ? Bien sûr que non ! C'est encore un de ces traitements à la noix que vous ne réservez qu'à moi et Mange-Burnasse ! Vous ne nous laisserez donc jamais en paix !

– Pourquoi donc me parles-tu de paix ? La paix, c'est pour les gentils et les faibles, ce n'est pas pour toi. Cesse de dire des énormités. J'ai décidé que tu devais encore faire tes preuves et rien ne me fera changer d'avis. Plus tôt tu en auras terminé avec ta mission, plus vite tu seras débarrassé de moi. Cela devrait te plaire !

Cet être abominable se moquait encore de moi. Si j'en avais eu la force, je lui aurais fait ravaler ses paroles, je l'aurais réduit en miettes. Pourquoi mon sort dépendait-il d'une créature que je détestais tant ? Pourquoi devais-je passer près de cinquante ans à ses côtés et, même après cela, revenir vers lui quémander ma libération ? N'avais-je pas été assez humilié ?

Peu à peu, j'avais fini par me convaincre que ma mère, en m'envoyant au séminaire Inferno, connaissait tout du supplice qui m'attendait. J'en venais à me demander si ses dernières volontés ne ressemblaient pas à une forme de vengeance.

– Tu n'as pas envie de savoir en quoi consiste ta mission ?

En réalité, je m'en souciais comme d'une guigne. Seul un preux chevalier pouvait s'enthousiasmer pour une «mission». Seul un sale type de ce genre pouvait désirer des aventures extraordinaires au cours desquelles il pourrait montrer sa bravoure et sa vertu. Ce n'était évidemment pas mon cas. Moi, je me trouve du mauvais côté de la barrière, parmi ceux dont vous souhaitez habituellement la mort, alors que vous vous enflammez pour les exploits de vos héros préférés. Je me situe parmi ceux que vous êtes habitués à voir perdre quoi qu'il advienne...

– Si vous saviez ce que j'en ai à f...!

– Ne le prends pas sur ce ton! Si j'agis ainsi, c'est dans ton intérêt, pas dans le mien, crois-moi! Si tu voyais un peu plus clair, tu ne parlerais pas de la sorte. Ne comprends-tu pas qu'en t'imposant toutes ces épreuves, je t'endurcis encore davantage et que je te donne même les moyens de devenir plus puissant que moi? J'aurais pu te tuer des centaines de fois depuis que je t'ai recueilli mais je n'en ai rien fait. Au contraire, je t'éduque, je t'apprends mille fois plus qu'il n'en faut pour m'abattre. Est-ce que tu connais une attitude plus généreuse?

La conversation devenait trop compliquée pour moi. Triple-Mort généreux : on aurait tout vu!

– Finissons-en et expliquez-moi ce que je dois faire pour plaire à mon bienfaiteur.

– Je te préfère ainsi! Agressif, tranchant, direct! Aussi ne vais-je pas te faire languir plus longtemps.

Je te confie une mission à la hauteur de tes dons : assassiner Charlemagne ! Cet imbécile doit prochainement se rendre à Rome pour rencontrer le pape et se faire sacrer empereur. Tu te débrouilles comme tu veux mais tu me fais le plaisir d'occire ce fâcheux Carolingien ! Borgnus te donnera tous les renseignements nécessaires pour que tu parviennes à bon port. Et, surtout, ne me déçois pas ! J'ai de grands plans pour le monde mais, pour que je puisse les réaliser, il faut absolument que le roi des Francs périsse de ta main. Alors montre-toi digne de cette lourde responsabilité ! Va, tous mes vœux de réussite t'accompagnent !

La discussion était close. Triple-Mort ne s'intéressait déjà plus à ma personne.

Tandis que je quittais la salle et songeais à la mission qui m'attendait, je ne parvenais pas à chasser de mon esprit une certaine déception. Certes, je devais supprimer une personnalité prestigieuse : pensez donc, Charlemagne ! Pourtant, j'aurais préféré quelque chose de plus grandiose encore. Après tout, il y a mieux à faire dans la vie que de tuer des personnes âgées, quand bien même elles seraient dotées d'une barbe fleurie !

Si j'étais déçu, c'est aussi parce que, de manière inconsidérée, j'avais espéré que Triple-Mort me convoquait pour m'annoncer ma prochaine libération. J'avais été honteusement naïf. Non seulement j'appartenais encore au Maître, mais je devais encore supporter ses brimades et continuer à me soumettre à ses quatre volontés.

Je me demandais également si Mange-Burnasse allait subir le même traitement que moi. Allait-il, lui aussi, recevoir une mission ? Pourquoi en serait-il autrement ? Nous avions toujours été égaux en tout. Les années étaient passées sans produire sur nous les effets habituels qui auraient dû nous conduire depuis longtemps à l'hospice ou au cimetière. Nous avions été tous deux contraints de souffrir les insultes de nos camarades, sans pouvoir jamais leur faire payer le prix du sang. De tels déboires créent fatalement des liens.

Je ne tardai pas à obtenir les réponses que je cherchais. À la mine rembrunie affichée par Mange-Burnasse quelques instants plus tard, je compris que Triple-Mort lui avait servi un discours qui ne devait pas être très éloigné de celui auquel j'avais eu droit.

– Je n'ai jamais rien entendu d'aussi absurde ! Pour qui il me prend, le cadavre ?

– Il t'a fait le coup de la mission ? Il m'est arrivé la même chose. Dis-moi plutôt quel défi il t'a réservé !

– Tu ne me croiras pas. Cette larve inhumaine m'a demandé de retrouver la trace de mes parents et de mes frères et sœurs…

– Mais ils sont tous morts !

– Ce n'est pas cela qui l'arrête ! En réalité, une fois que je les aurai retrouvés, il faudra que je les déterre et que je revienne ici présenter leurs corps à Triple-Mort !

– Ce type est un grand malade !

Je m'apercevais que la tâche qui m'était dévolue n'était qu'une banale plaisanterie en comparaison des perverses exigences que le Maître avait imposées à Mange-Burnasse. Je n'osais imaginer comment j'aurais réagi si pareille mission m'avait incombé.

– Qu'est-ce que tu vas faire ?

Mange-Burnasse m'entraîna à l'écart et, tout en chuchotant, m'expliqua ses intentions.

– Quand il s'est adressé à moi, j'ai joué au petit

garçon soumis mais s'il pense que je vais me conformer à ses instructions, il se met le roseau dans l'œil ! Je suis prêt à faire le mal mais j'ai quand même des principes, moi, monsieur !

Nous avons tous des principes. Toutefois, il ne faut pas trop les montrer car, avec eux, on devient prévisible et, dans nos métiers, ce n'est pas bon. Cela facilite le travail de nos ennemis.

– Pour moi, tu sais, la famille, c'est sacré ! J'y attache d'autant plus d'importance que j'ai dû renoncer à vivre à ses côtés pour suivre ces fichues études. C'est quelque chose que j'ai sacrifié et qui me tient beaucoup à cœur. Aussi n'ai-je pas patienté tout ce temps pour terminer mon apprentissage en allant profaner les tombes de mes proches ! Je vois d'ici la scène. Bonjour, Papa. Bonjour, Maman. Oui, c'est moi, votre fiston. J'aurais encore besoin d'un petit coup de main pour décrocher mon diplôme. Mais ne vous dérangez pas, je m'occupe de tout. Le temps de ranger vos ossements dans un petit sac et nous y allons ! De quoi aurais-je l'air ? Pour qui il me prend ?

– Il finira bien par s'apercevoir que tu l'as trompé. Et il ne le supportera pas ! Il n'aura de cesse de te traquer et de te faire payer ta désobéissance. Il t'arrachera le cœur et la langue, il te découpera comme de la viande, il te mettra en charpie… Sais-tu au moins où tu vas t'enfuir, sais-tu où tu vas te cacher ?

– J'irai le plus loin possible, je franchirai autant de frontières qu'il faudra, je m'exilerai dans des pays où ses espions n'osent pas s'aventurer, jusqu'aux confins du Cathay ou sur les côtes des îles Andaman, jusque chez les cannibales ou au plus profond des gouffres et des abîmes, là où se cachent les hydres et les dragons…

– C'est bon, c'est bon, j'ai compris : nous n'allons pas nous revoir de sitôt, avec toutes ces idioties !

– J'en ai bien peur…

Nous aurions voulu ajouter quelque chose mais rien à faire : cela ne nous venait pas. Les mots nous restaient en travers de la gorge.

Dès lors, qu'elle fut longue et silencieuse notre dernière soirée au séminaire Inferno ! D'ordinaire, quand ils parvenaient à ce stade de leurs études, les autres élèves tenaient une grande fête et abusaient de boissons fortement alcoolisées, heureux qu'ils étaient de partir se frotter à un monde peuplé de menaces et d'ennemis. De notre côté, trop accablés pour parler vraiment, nous nous contentâmes d'un repas vite expédié au cours duquel nous échangeâmes à peine quelques phrases sans intérêt.

Le lendemain matin, nous partîmes à la première heure. Le séminaire était encore endormi. Je crus d'abord que personne ne se déplacerait pour assister à notre départ. Néanmoins, alors que nous nous apprêtions à nous éloigner, Triple-Mort fit son apparition. Il nous adressa un ultime salut et, en guise d'adieu, nous lança :

– Et surtout, montrez-vous à la hauteur du séminaire Inferno !

Il ne semblait nullement se douter de la résolution que Mange-Burnasse venait de prendre. Il en paraissait même un peu idiot. Pour un champion du Mal, il était finalement assez benêt ! Cette observation me mit du baume au cœur. Peut-être mon compagnon avait-il des chances de le duper et de s'en sortir vivant.

Nous reprîmes aussitôt en sens inverse le chemin qui, cinquante ans plus tôt, nous avait menés à cet endroit de malheur. L'idée aurait dû nous galvaniser, mais nous ne pouvions ignorer ce qui se préparait : nos routes étaient sur le point de se séparer et, pour l'un d'entre nous, une telle décision signifiait peut-être un arrêt de mort…

Bientôt, nous nous arrêtâmes à un carrefour, hésitants et vaguement gênés. Je devinais parfaitement ce que Mange-Burnasse allait m'annoncer.

– Wilmuth, je vais partir de ce côté…

– Pas question !

Ce cri était parti tout seul, presque à mon corps défendant. Quelqu'un d'autre que moi aurait pu prétendre que celui-ci venait du cœur, mais je ne crois pas à ces bobards. Ce n'est pas le genre de la maison.

La réalité était beaucoup plus simple et moins poétique. Je me refusais à voir partir Mange-Burnasse car, malheur, je m'étais attaché à lui. Il ne fallait pas chercher plus loin. Mais ce grand escogriffe avait une lourde part de responsabilité dans l'affaire. En se montrant si aimable, en supportant sans faillir mon mauvais caractère et mon tempérament brutal, il avait fini par créer un lien entre nous qui ne pouvait se rompre du jour au lendemain, sans que j'aie eu le temps de m'y préparer. Il y a quand même des formes à respecter !

– Tu restes avec moi : un point c'est tout !

– Allons, Wilmuth, ce n'est pas raisonnable ! Si nous restons ensemble, je ne vais t'attirer que des ennuis. Et je m'en voudrais à mort si, par ma faute, tu récoltais quelque mauvais coup.

– Tu m'agaces, Mange-Burnasse ! Nous n'avons pas enduré toutes ces humiliations et tous ces coups de fouet pour nous quitter à la première difficulté. Si tu ne viens pas avec moi, je te suivrai à la trace. Je connais tes performances à la course et je sais que tu n'arriveras pas à me distancer. Alors, tu vois, nos sorts sont désormais liés. J'ai bien peur que nous soyons inséparables.

– Oh, la tuile ! Quelle poisse !

– C'est ainsi que tu le prends ? Eh bien, ça fait plaisir !

– Mais ça ne te vaudra que les pires embêtements…

– Et alors ? J'ai tout de même le droit de choisir mes ennuis !

Je ne comprenais pas pourquoi il se montrait aussi réticent à accepter ma compagnie. Pourquoi cherchait-il à tout prix à m'épargner alors que je ne demandais rien d'autre que d'être là quand cela chaufferait pour son matricule ? Ensemble, nous pouvions multiplier les chances de nous payer de bonnes tranches de rigolade et de nous adonner sans le moindre scrupule à des carnages de grande ampleur. À deux, nous serions plus forts pour affronter les périls qui se dresseraient devant nous ou ceux qui, en traîtres, surgiraient par-derrière.

Heureusement, je sentais peu à peu vaciller la détermination de mon compagnon. S'engager dans une longue errance solitaire sans pouvoir jamais se fier à quiconque n'était certainement pas une perspective séduisante.

– Allons, Mange-Burnasse, ne pense pas à me protéger ou à des devoirs que tu aurais envers moi ! Tout ça, ce sont des foutaises ! Entre nous, c'est à la vie, à la mort, et puis voilà !

– Alors je vois que tu as fini par l'admettre : tu es mon ami !

– Oui bon… Tu n'es pas non plus obligé de le crier sur les toits… C'est décidé : tu te joins à moi ?

– C'est vrai que c'est tentant…

– Bien sûr que c'est tentant ! Et pas qu'un peu ! Aller à Rome dézinguer le vieux Charlot : c'est un sacré programme ! Je peux t'assurer que ces fichus Romains vont se souvenir de nous ! Et puis, il faut dire ce qui est : ce Charlemagne, je n'ai jamais pu l'encadrer. Un type qui a inventé l'école, ça ne devrait pas exister ! Les fous dangereux de cette espèce, on les enferme ! Tu te rends compte : c'est à des individus de sa trempe que nous devons nos cinquante années de bagne au séminaire Inferno…

– Tu as raison : ce gars doit absolument expier ses crimes ! Nous allons lui faire payer notre vie d'esclavage et les infects haricots à la mode Inferno qui l'ont accompagnée !

– Vengeance !

– Vengeance ! Vengeance ! Vengeance !

Nos cris de guerre, que nous hurlions tous deux jusqu'à en perdre la voix, s'élevaient à l'unisson vers le ciel. Nous en voulions à la terre entière mais surtout à cette horrible partie de l'humanité qui se croit autorisée à éduquer l'autre. Professeurs de tous les pays, tremblez ! Pédagogues bigleux, enseignants de tout poil, fuyez tant que vous le pouvez ! Barricadez-vous dans vos maudites écoles et craignez le courroux de Mange-Burnasse et de Wilmuth !

Sans me prévenir et me laisser le temps de me faire à cette idée, mon compagnon fondit alors brusquement sur moi et me serra dans ses bras. Je dois avouer que je fus assez décontenancé par cette démonstration de tendresse. À mon grand étonnement, mes écailles, d'ordinaire si promptes à blesser, ne se révoltèrent pas contre cette intrusion mais épargnèrent celui que, désormais, il me fallait bien considérer comme mon ami. Le mal était fait : je lui avais apporté la preuve que je ne pouvais plus me passer de lui. Je me sentais un peu fautif car il me semblait que je m'étais montré faible. Mais, dans le même temps, j'éprouvais une étrange joie, comme si, en définitive, cet aveu de faiblesse n'avait aucune espèce d'importance.

– J'en déduis que tu es disposé à me suivre !

– C'est vrai : tu m'as convaincu ! J'ai hâte de bouffer du Carolingien !

– Tes vœux seront bientôt exaucés !

– J'ai toujours rêvé de voir la fameuse barbe de Charlemagne. Si l'occasion se présente, je lui en chiperai quelques brins afin de m'en faire des moustaches !

Je retrouvais enfin le Mange-Burnasse que je connaissais. Enjoué, bavard, la plaisanterie aux lèvres et toujours prêt à concevoir de grands projets !

– Wilmuth, pour fêter ce nouveau départ, nous allons brûler jusqu'à la dernière planche le premier village qui se présentera ! Nous allons nous offrir une magnifique flambée !

– Chouette, un massacre !

Voilà la vie telle que je l'entendais ! Un ami, une boîte d'allumettes et de pauvres gens qui, pleurant et criant, courent en tous sens ! Que demander de plus ?

DEUXIÈME PARTIE
RIEN NE S'ARRANGE

UN TYPE SACRÉMENT DÉRANGÉ !

Les premiers temps du périple qui devait nous conduire jusqu'à Rome constituèrent pour nous une succession presque ininterrompue de joies et d'amusements. Pas une journée sans son lot de paysans à tourmenter, de nez à découper ou de récoltes à brûler ! À peine avions-nous mis un village à feu et à sang que, quelques lieues plus loin, il se présentait déjà un château fort à anéantir ! Notre méthode était désormais éprouvée : après avoir demandé l'asile et abusé de l'hospitalité des châtelains, nous attendions la nuit pour massacrer les occupants des lieux. Le lendemain, au petit matin, nous reprenions tranquillement la route, en laissant derrière nous des ruines fumantes et quelques survivants encore choqués.

Nul ne se méfiait de nous. Qui aurait pu soupçonner que de braves enfants, d'apparence si inoffensive, dissimulaient d'authentiques criminels ? En réalité, on nous offrait le gîte et le couvert sans la moindre difficulté et, parfois, on nous accueillait même à bras ouverts. Les gentes dames qui vivaient en ces forteresses prenaient un grand plaisir à écouter nos récits quand, par mille mensonges, nous tâchions de les émouvoir en leur décrivant notre désolante condition d'orphelins. Certaines, la larme à l'œil, nous passaient la main dans les cheveux pour nous consoler. Je crois bien que deux ou trois d'entre elles auraient été prêtes à nous adopter. Mais, pour ma part, la seule expérience de ma mère m'avait suffi.

En chemin, nous savions aussi nous offrir de menus plaisirs. Par exemple, nous ne manquions jamais l'occasion de martyriser quelques-uns de ces stupides enfants dont les campagnes étaient pleines. Certains d'entre eux nous dépassaient d'une tête et, pour cette raison, faisaient les bravaches quand ils nous croisaient. Cependant, lorsque nous sortions nos armes ou commencions à leur tordre le cou, ils perdaient de leur superbe et, bientôt, gémissaient, pleuraient, hurlaient ou demandaient grâce.

Toutes nos victimes en venaient à invoquer lamentablement leur mère. Les entendre pousser leurs cris ridicules et appeler bruyamment «Maman, Maman!» nous mettait en rage. Comme ils manquaient de pudeur pour hurler ainsi devant deux pauvres orphelins comme nous!

Quelquefois, nous éprouvions pourtant le besoin de marquer une courte pause dans notre œuvre de destruction. Dans ces moments-là, nous nous arrêtions dans une ferme non loin de la route, frappions (doucement) à la porte et, en toute humilité, sollicitions un refuge pour la nuit. Presque toujours, on nous offrait alors une soupe chaude et un toit au-dessus de la tête. Pour une fois, nos épées demeuraient dans leur fourreau et nous ne faisions pas couler le sang.

Certains soirs, toutefois, nous ne parvenions pas à nous mettre au chaud ou à l'abri. Nous devions ainsi bivouaquer en rase campagne ou en pleine forêt, autour d'un feu auprès duquel, tant bien que mal, nous recherchions un mince réconfort. Si nous avons parfois claqué des dents lors de ce voyage, cela ne fut jamais de peur mais toujours à cause de ce froid vif qui perçait à travers nos couvertures et nos pelisses. Nous étions au début du mois de novembre et il commençait à faire frisquet !

Pour oublier cette atmosphère glaciale et meubler nos soirées, nous nous obligions donc à avoir un semblant de conversation.

– Tu ne regrettes pas de m'avoir suivi ?

– Penses-tu ! Qu'est-ce que je pourrais vouloir de plus ? Pour notre souper, nous avons mangé un infect porc-épic et bu de l'eau croupie et, maintenant, il fait tellement froid que nous tremblons comme des feuilles ! Pour couronner le tout, je devine que les chouettes et les grands-ducs vont nous casser les oreilles toute la nuit ! Allons, je serais bien délicat si je me plaignais…

– Eh, on n'a rien sans rien !

– Dis-moi, Wilmuth, tu crois que Triple-Mort s'est déjà aperçu de ma trahison ?

– C'est encore trop tôt. Nous venons à peine de partir.

– Mais le Maître a des réseaux d'espions dans tout le pays et partout en Europe, jusqu'aux confins de la civilisation…

– Ne l'appelle pas Maître : ça m'énerve !

– Si ce n'est déjà fait, on l'informera bientôt que je n'ai pas pris le bon chemin, que je ne suis pas revenu sur les lieux de mon enfance et que je n'ai obéi à aucun de ses ordres.

– C'est sûr : ça ne va pas lui plaire !

– J'espère qu'il ne se vengera pas sur mes parents et sur leur sépulture.

– À mon avis, il sera tellement remonté contre toi qu'il n'y pensera même pas !

J'avais prononcé ces quelques mots pour rassurer mon compagnon mais, à la vérité, je n'étais nullement convaincu de ce que j'avançais. Triple-Mort ne reculait devant rien pour torturer ceux dont la tête ne lui revenait pas. Or, depuis le début, Mange-Burnasse lui avait déplu et on pouvait supposer qu'à présent, il le détesterait tout à fait. Cette perspective finissait de me convaincre que j'avais pris une sage décision en persuadant mon camarade de venir avec moi.

Au cours de certaines nuits, nous trouvions heureusement le moyen de pratiquer un peu d'exercice et d'augmenter ainsi la température de nos corps. En effet, il venait régulièrement à certains détrousseurs de grands chemins la mauvaise idée de nous attaquer. Ces imbéciles nous lançaient le traditionnel « La bourse ou la vie ! », mais, dans l'affaire, ils perdaient l'une sans avoir gagné l'autre. Il faut dire qu'ils manquaient terriblement de méthode. Ils étaient aussi discrets qu'un troupeau de ruminants et aussi rusés que la dernière des buses. Ils ne se donnaient même pas la peine de nous tendre une embuscade à l'ancienne ! Décidément, il y avait du relâchement !

À l'issue de l'un de ces affrontements, je fis une découverte fort instructive. En dépouillant un cadavre, je trouvai, en plus des quelques pièces d'or habituelles et de l'inévitable patte de lapin, un petit ouvrage des plus passionnants. Le livre, relié en peau de chamois et écrit patiemment à la plume par quelque moine corrompu, s'intitulait le *Guide du Bâtard*.

Le contenu en était édifiant.

Comme son nom le suggère, cet opuscule était destiné à des individus peu recommandables : coupe-jarrets de la pire espèce, écorcheurs, canailles, assassins, rançonneurs à la petite semaine, escrocs, mercenaires, pilleurs de monastères, gredins sans foi ni loi... Autrement dit, il ne pouvait tomber en de meilleures mains que les nôtres !

Nul besoin de préciser que nous en fîmes un usage abusif.

Le *Guide du Bâtard* recensait les principales curiosités qui, dans chaque localité, pouvaient intéresser l'homme malhonnête : les couvents à saccager, les églises dont on pouvait dérober les trésors, les manoirs où attendait, frémissante, une princesse prête à être enlevée, ou encore les routes fréquentées par des marchands ventripotents... La liste des réjouissances était encore longue...

Le guide s'agrémentait également d'un ingénieux système de notation qui classait par ordre d'intérêt les attractions que recelaient chaque ville et chaque comté. Ainsi, les plus dignes d'attention se voyaient attribuer trois têtes de mort alors que les sites de moindre importance n'en obtenaient qu'une. C'était vraiment pratique ! Nous évitions ainsi de nous disperser et de perdre notre temps à des destructions mineures ou à des pillages de seconde zone.

Les auteurs du manuel avaient même songé à créer une rubrique qui comportait des conseils extrêmement utiles pour toute crapule qui se respecte. Nous étions notamment avertis des endroits où les gens d'armes se concentraient en trop grand nombre. Le livre mentionnait également les chemins où l'on risquait de croiser l'un de ces héros légendaires qui consacraient leur vie au service du Bien (il faut vraiment ne rien avoir à faire !). Les lecteurs du guide étaient invités à esquiver ce genre de rencontres périlleuses. Mange-Burnasse et moi cherchions, au contraire, à prendre systématiquement ces routes, désireux que nous étions de nous mesurer enfin à de valeureux adversaires. Hélas, nos espérances furent déçues : les héros que l'on nous promettait n'étaient pas au rendez-vous ou s'avéraient de bien piètres ennemis. La chevalerie n'était déjà plus ce qu'elle était !

L'ouvrage ne répertoriait malheureusement pas tous les dangers auxquels nous nous exposions le long de notre parcours. Cet oubli nous valut certains désagréments dont nous nous serions passés. En particulier, si ce fichu bouquin avait été plus complet, nous n'aurions certainement pas été capturés par un douteux personnage : le méconnu mais terrible Rangeur !

Cet épisode regrettable se produisit alors que nous traversions l'épaisse forêt de Guiolle, non loin de la frontière actuelle entre la France et l'Italie. Ne cherchez pas cette forêt sur une carte : elle a disparu depuis longtemps. Il n'est pas exclu que l'on en ait abattu tous les arbres pour en faire des livres, voire des manuels scolaires. La honte !

Lorsque survint cet incident, nous commencions à accuser une certaine fatigue après tous les exploits que nous avions sur la conscience. Dans ces conditions, ni l'un ni l'autre n'avions le désir de parler et nous préférions rester silencieux, perdus dans nos pensées.

De mon côté, je songeais à la mission que je devais accomplir à Rome et aux divers stratagèmes par lesquels je pourrais supprimer Charlemagne. Le monarque devait être sous bonne garde et serait difficile à approcher. Les dons que Mange-Burnasse avait développés pour l'espionnage me seraient donc certainement utiles. Mon camarade pourrait recueillir de précieux renseignements et contribuer de manière décisive à mon projet d'attentat. Lorsque Triple-Mort l'apprendrait, peut-être pardonnerait-il à son élève de lui avoir désobéi… Mais je ne me faisais guère d'illusions. Je savais pertinemment que le Maître n'avait aucune inclination pour le pardon…

Nous nous étions engagés dans les sous-bois depuis moins d'une heure et, jusqu'alors, nous n'avions fait aucune rencontre. En réalité, les lieux étaient complètement déserts, ce qui aurait dû nous alerter. Les animaux étaient tout aussi absents. Aucun oiseau ne chantait dans les branchages, pas un serpent pour nous couper la route, pas un renard pour nous dévisager de son regard ironique…

Soudain, dans ce silence absolu, nous entendîmes au loin des pleurs étouffés. Nul doute qu'ils émanaient d'un enfant, ce qui nous mit en joie. Nous allions pou voir à nouveau nous distraire aux dépens de l'un de ces êtres abjects !

Nous ne tardâmes pas à découvrir l'endroit d'où provenait cette douce mélodie. Nos pas nous menèrent bientôt dans une étroite clairière au centre de laquelle, liée à un solide poteau et se débattant en vain, une fillette d'une huitaine d'années se lamentait sur son sort.

Nous allions nous régaler !

L'enfant ne semblait pas réaliser ce qui l'attendait. Au contraire, elle accueillit notre arrivée avec un grand sourire, ne tarissant pas d'éloges sur ses bienfaiteurs. Nous avions les pires difficultés à garder notre sérieux.

Que nous fûmes sots !

Nous n'étions plus qu'à quelques pas de la bougresse, lorsque nous sentîmes tout à coup le sol se dérober sous nos pieds. Notre chute se termina violemment quelques mètres plus bas, au fond du gouffre qui venait de s'ouvrir. Aussitôt, alors que nous étions encore étourdis par notre culbute, un filet aux mailles solides comme l'acier se referma sur nous. Prisonniers ! Le piège était grossier mais nous avions foncé dedans comme des débutants !

Mange-Burnasse était aussi désorienté que moi. Nous n'en revenions pas de nous être fait rouler aussi facilement. Nous sortîmes immédiatement nos épées mais le filet était à ce point résistant qu'elles restaient sans effet sur lui. Nous devions nous rendre à l'évidence : nous étions à la merci de ceux qui venaient de nous capturer.

Nous fûmes brutalement soulevés du fond du trou où l'on nous avait jetés, puis hissés sans ménagement jusqu'à la surface. Nous eûmes alors la surprise de découvrir celui qui nous avait joué ce tour pendard. C'était un être prodigieux, un géant énorme qui devait bien dépasser les dix mètres et dont chaque bras valait un chêne de belle taille. D'un doigt, il nous eut écrasés sans difficulté. Son ventre poilu débordait de sa ceinture et l'on avait certainement rasé des dizaines de moutons pour confectionner ses vêtements : des pantalons qui s'arrêtaient aux genoux et une lourde chemise de laine avec un col en V. Quant à son alimentation, elle devait sûrement exiger chaque jour l'abattage de troupeaux entiers.

Son nez rougeaud s'ornait de lourds cailloux blanchâtres : des pustules prêtes à exploser. Ses cheveux poisseux plaqués sur son crâne luisant étaient d'un noir très sombre. Il portait un masque ridicule d'où émergeaient des yeux vairons dont j'aurais pu faire une ome-lette mémorable. Son haleine empestait l'ail et, quand il ouvrait la bouche, on pouvait entrevoir sa colossale den-tition et, sur certains de ses chicots, des caries grosses comme le poing. Sa respiration provoquait un vent de tempête qui hérissait le poil et donnait la nausée.

Il ne lui manquait plus que des moustaches pour m'être tout à fait antipathique.

– Je vous conseille de nous libérer tout de suite ou il vous en cuira. Vous ne savez pas à qui vous avez affaire !

– Je t'apprendrai à me parler sur un autre ton, vermisseau sans cervelle ! En un instant, je pourrais te réduire en poussière et briser chacun de tes os ! Heu-reusement que je tiens à vous conserver intacts pour ma collection !

Le diagnostic coulait de source : ce type délirait complètement. Quelle était cette collection à laquelle il venait de faire allusion ? En quoi pouvions-nous y trouver notre place ? Je m'impatientais déjà. Nous n'avions pas de temps à perdre avec ce genre de toqués, fussent-ils aussi hauts qu'une tour. Une mis-sion capitale m'attendait à Rome !

Cependant, la taille du bonhomme, les muscles herculéens qui gonflaient sa poitrine et ses mains gigantesques nous incitaient à nous montrer prudents et à ne pas (trop) le brusquer.

– Bon, monsieur le géant, nous sommes un peu pressés en ce moment et, si vous n'y voyez pas d'in-convénient, nous voudrions trouver rapidement une solution à notre léger différend. Qu'est-ce qui vous ferait plaisir ? Quelques pièces d'or pourraient-elles vous satisfaire ? Nous n'en manquons pas et nous

sommes disposés à vous en abandonner quelques-
unes si vous nous laissez partir sur-le-champ.

– Que m'importe votre or, quand je peux m'emparer de deux spécimens aussi rares que vous ! Épargne
ta salive, gamin, et garde tes piécettes.

– Puisque vous le prenez ainsi… Mais vous risquez
de le regretter !

– Oh, je suis terrorisé ! Que crois-tu que j'aie à
craindre de deux créatures aussi insignifiantes que
vous ? Allez, tu me fais rire. Je me demande d'ailleurs
si je ne vais pas te choisir comme bouffon ! Tu saurais
me distraire…

À ce moment, mon ami me tira avec insistance par
la manche. Il semblait se sentir mal et réclamait de
toute urgence mon attention.

– Oui, Mange-Burnasse ?

– Tu ne veux pas lui demander de détourner la
tête quand il nous parle ? L'odeur est insoutenable ! Si
je dois endurer un instant de plus cette horrible puanteur, je vais tomber dans les vapes !

S'il avait déjà conçu les allumettes, mon camarade
n'avait pas encore inventé le dentifrice. Or un tel produit n'aurait pas été un luxe pour le colosse à l'haleine
pourrie. Moi-même, qui ne suis pourtant pas d'un naturel délicat, je dois admettre que ces relents d'égouts
m'étaient difficilement supportables.

– Pourrions-nous au moins savoir à qui nous avons
le déplaisir d'être présentés ?

– On m'appelle le Rangeur. Parfois, on me désigne
aussi sous le nom du «Rangeur masqué», rapport à
mon masque.

Nous avions compris, merci.

– Le Rangeur masqué ? Permettez-moi de vous le
dire, mais c'est un surnom franchement ridicule !

– Et vous, mes gaillards, comment vous appelez-vous ? C'est pour mes étiquettes…

– Pour vos quoi ?

– Pour mes étiquettes… Ne cherchez pas à comprendre… Alors, comment vous vous appelez, les gars ?

– Moi, c'est Wilmuth et, lui, c'est Mange-Burnasse.

– Quoi ? Mange-Burnasse ? Et tu oses prétendre que mon surnom est ridicule ! C'est la meilleure que j'aie jamais entendue ! Où es-tu allé pêcher un nom pareil, mon garçon ? On aura tout vu ! Mange-Burnasse !

Il partit alors d'un rire tonitruant qui manqua de nous rendre sourds, coucha quelques arbres et dévia même la course de certains nuages. Mon compagnon d'infortune était pour le moins vexé. Il n'avait pas choisi son nom mais le tenait de ses parents, auxquels, comme on le sait, il vouait le plus grand respect. Sans doute préparait-il déjà des plans pour se venger du géant et lui faire rentrer ses insultes dans la gorge.

Avant de se mettre en route, le colosse s'assura que la nasse dans laquelle il nous tenait enfermés ne menaçait pas de s'ouvrir. Une fois tranquillisé, il ne se soucia plus de nous, se contentant de transporter fièrement son butin sur l'épaule et de siffloter gaiement tout au long du chemin.

À présent, la fillette gambadait à ses côtés. Ses larmes s'étaient envolées et elle affichait un sourire narquois. De temps en temps, pour mieux nous narguer, elle nous réservait ses grimaces les plus achevées et allait même jusqu'à nous faire des signes obscènes. C'était à se demander quelle éducation on lui avait donnée !

Le Rangeur et cette petite grue semblaient s'entendre comme larrons en foire. Ils se taquinaient et se parlaient avec tendresse, au point que ç'en était répugnant.

Nous cheminions depuis longtemps loin de la route et nous nous enfoncions dorénavant dans la forêt. Prisonniers de ce maudit filet, nous étions durement ballottés, propulsés à droite ou à gauche, parfois la tête en bas ou empilés l'un sur l'autre. Soumis à un tel traitement, nous avions le cœur au bord des lèvres mais tâchions de conserver une certaine dignité.

Pour notre soulagement, notre tortionnaire finit enfin par s'immobiliser. Nous nous trouvions maintenant devant l'entrée d'une grotte. Le colosse et son amie y avaient manifestement leur repaire. ·

L'antre dans laquelle nous pénétrâmes était à l'échelle du géant. Ses dimensions étaient tout à fait ahurissantes. Les voûtes atteignaient des hauteurs démesurées qui se perdaient dans l'obscurité. Tout autour de nous, des galeries composaient un vaste réseau qui s'enfonçait jusque dans les profondeurs de l'écorce terrestre. L'imprudent pouvait y passer ses derniers jours à chercher vainement le chemin de la sortie.

Seules quelques lampes-tempête dispensaient çà et là une timide lumière. Néanmoins, nous pouvions distinguer clairement les stalagmites qui dressaient à notre passage leur masse énorme. Ces étonnantes créations de calcaire imitaient parfois la forme d'un animal : un chien, un cheval, une araignée… Mais, à la vérité, nous n'avions pas le cœur à nous divertir de ces étranges coïncidences.

Après une descente qui nous parut de nouveau interminable, nous aboutîmes à une immense salle où le Rangeur tenait ses quartiers. Nous comprîmes alors d'où lui venait son surnom et en quoi consistait sa collection.

Le géant avait accumulé en ces lieux une quantité inconcevable de marchandises de toutes sortes. On pouvait y trouver des objets aussi disparates que des épées, des bijoux, des casques à pointe, des paires de chaussures trouées, des pelles, des hachoirs de cuisine, des roues de tout diamètre ou encore des tuniques brodées, des lyres en ivoire, des poignées de porte, des marmites en fonte et des statues romaines. Des balais, de magnifiques manteaux en vison, des éventails peints à la laque, des vases de la lointaine Chine, d'épais tapis d'Orient, des troncs d'arbre ou, horreur, des baignoires en marbre. L'inventaire de tous ces biens, parfois somptueux, parfois dérisoires, serait trop fastidieux et je m'en dispenserai. Mais n'allez pas supposer un bric-à-brac sans aucune discipline. Au contraire, tout était soigneusement ordonné par genre, par fonction, par couleur, par ordre alphabétique ou de taille.

Ainsi, le Rangeur portait parfaitement son nom : on ne pouvait imaginer plus méticuleux que lui. Je préférais ne pas penser à toutes les heures que le colosse et sa jeune acolyte avaient consacrées à cet invraisemblable classement ! Avec une bonne dose d'indulgence, j'aurais pu tolérer cet attachement à l'ordre et à la minutie. Cependant, il nous apparut rapidement que le géant appliquait aussi ses méthodes aux êtres vivants.

Le Rangeur avait ainsi recréé sous terre une véritable arche de Noé. Mais, pour leur malheur, tous les animaux qui vivaient là, de l'éléphant au dromadaire en passant par l'otarie et le loup, étaient retenus en captivité dans le seul but de contenter le géant. Dans leur cage, ils tournaient tristement en rond. Privés de tout contact avec la lumière du jour, ils se laissaient peu à peu dépérir. Ils n'avaient plus rien de sauvage, perdaient tout instinct et jusqu'à la plus petite once de volonté.

De nos jours, on appelle cela un zoo. Il paraît même que ce genre d'endroits rencontre un certain succès auprès des enfants. Que l'on ose, après, me traiter de barbare !

Mais les animaux n'étaient pas les seules créatures que le Rangeur soumettait à ce régime insultant. Son horrible musée s'étendait aussi aux hommes. Tous pouvaient y figurer, quels que soient leur origine, leur couleur de peau, leur âge ou leurs caractéristiques physiques. Les riches comme les pauvres, les laiderons comme les beautés, les savants comme les idiots. Chacun avait sa cage étroite et sombre, son lit de paille, sa cruche remplie d'une eau saumâtre et un mauvais quignon de pain pour la journée. Nombre de ces captifs ne supportaient pas longtemps ce traitement, et la faim ou la maladie finissait par les emporter. Le Rangeur devait alors remplacer les spécimens que la mort lui avait pris.

C'était précisément pour cette raison qu'il avait monté le piège dans lequel nous étions si sottement tombés. En effet, quelque temps plus tôt, les deux enfants qui nous avaient précédés dans son infâme collection avaient fini par succomber aux privations, à l'air vicié de leur cellule, au désespoir ou à quelque méchante pneumonie.

Il ne serait pas dit que nous connaîtrions le même sort !

Même quand il s'agissait d'un être humain, cha-cune des nouvelles acquisitions du géant était rangée avec soin. Les nains étaient parqués dans les pre-mières geôles, tandis que les hommes de plus grande taille se trouvaient relégués en fin de collection. Pour notre part, nous fûmes jetés sans ménagement dans une cage située à mi-chemin des uns et des autres, non loin de certains vieillards qui s'étaient courbés avec l'âge.

Nous étions furieux. Nous nous étions à peine éloi-gnés du séminaire Inferno que nous tombions déjà sous la coupe d'un nouveau maître !

Dès les premiers temps de notre captivité, nous n'eûmes de cesse de découvrir un moyen de nous échapper, tant la vie que nous réservait le Rangeur était intolérable. En particulier, l'alimentation qui nous était chichement offerte chaque jour était à ce point répugnante que nous en venions à regretter les hari-cots du séminaire ! Notre ennui était immense. Nous piétinions pendant des heures dans notre cellule, rumi-nant des projets d'évasion, pestant contre notre mal-chance ou soupirant sous l'effet de la mélancolie.

Dès qu'il nous avait installés, le maudit collection-neur s'était presque totalement désintéressé de nous, se contentant de jeter régulièrement un coup d'œil dans notre direction pour s'assurer que nous étions toujours là. Il avait également placardé au-dessus de notre cage un large panneau (une simple étiquette à son échelle) sur lequel il avait griffonné quelques informations : « *Spécimens de deux adolescents parti-culièrement mal élevés, capturés en novembre 800* ».

Que l'on nous reproche d'être mal élevés, passe encore. J'avais même tendance à prendre la chose comme un compliment. En revanche, que l'on nous traite d'adolescents, c'était insupportable ! Contrairement aux apparences, nous approchions désormais de la soixantaine et une telle insulte n'était nullement méritée.

Les jours passaient et notre détention s'éternisait. Nous eûmes ainsi tout le loisir d'observer le Rangeur dans son habitat naturel. Quand il ne partait pas en quête d'un nouveau butin, il faisait un peu de ménage dans sa caverne (la tâche était énorme), trucidait pour son repas une vingtaine de vaches et éclusait d'un trait de lourdes cuves de vin. Naturellement, à ses moments perdus, il vérifiait pour la énième fois le bon ordre de sa collection.

Pour parler clair, cet être phénoménal par la taille ne paraissait guère remarquable par son intelligence. Il ne me semblait pas avoir beaucoup de jugeote. Si l'on exceptait son obsession pour le rangement, il n'avait aucun centre d'intérêt dans la vie. Un crétin intégral. En réalité, le cerveau de la bande n'était autre que la fillette à qui nous devions nos malheurs. Cette détestable enfant venait souvent nous défier et nous entretenir des joies de la liberté et du grand air. Elle nous demandait si la nourriture était bonne ou si nous nous plaisions dans notre nouvelle maison. Nous tâchions de l'ignorer car elle aurait jubilé si nous avions cédé à ses provocations.

Nous avions déjà étudié plusieurs solutions pour nous sortir de ce mauvais pas. Mange-Burnasse avait notamment conçu le projet de produire une sorte d'explosif en utilisant le salpêtre qui suintait des parois de notre prison. Il l'avait ajouté à des fragments de soufre qu'il avait ramassés en chemin (mon camarade se passionnait pour la géologie) et à du charbon de bois que nous avions trouvé au fond de nos écuelles.

Malheureusement, le charbon avait irrémédiablement pris l'humidité et le salpêtre prélevé sur les murs était de médiocre qualité. Aussi la bombe que mon compagnon se proposait de préparer ne vit jamais le jour ou se limita à ce que l'on peut appeler « un pétard mouillé ».

– Nous n'avons vraiment pas de chance !

– C'est sûr : quand on n'a pas du bon matériel, on n'arrive à rien ! Ah, si j'étais un peu plus doué !

– Tu as fait ce que tu as pu, Mange-Burnasse.

– Tout de même, je commence à trouver le temps long. Nous sommes déjà à la fin du mois de novembre et Charlemagne doit se faire sacrer empereur à la Noël. Si cette farce se prolonge, nous allons le manquer et Triple-Mort sera en rage…

– Ce n'est pas grave. Il faudra qu'il s'y habitue.

Nous finîmes, cependant, par éprouver quelque angoisse : nous redoutions de demeurer ainsi prisonniers jusqu'au terme de notre existence (qui promettait pourtant d'être longue). Par chance, sans que rien ne le laissât présager, il me vint une idée de génie. Comment n'y avions-nous pas songé plus tôt ? La réponse à nos problèmes était évidente : elle se trouvait même sous nos yeux !

Je confiai instantanément à Mange-Burnasse le plan lumineux qui pouvait nous sortir de ce mauvais pas.

– Tu as remarqué comme le Rangeur est attaché à ce que chaque chose soit à sa place ?

– C'est difficile de l'ignorer. Ce type est un vrai maniaque !

– C'est précisément son point faible et nous allons en tirer parti.

– Comment ça ?

– Je vais grimper sur tes épaules…

– Excuse-moi, mais je ne vois pas le rapport !

– Ne m'interromps pas tout le temps et laisse-moi plutôt t'expliquer ! Où en étais-je ? Ah oui ! Je monte sur tes épaules et nous disposons ensuite nos vêtements de façon à nous transformer en un seul et même personnage, avec tes pieds en bas et ma tête qui dépasse en haut. Une sorte de déguisement. Tu vois ce que je veux dire ?

– Je vois. Mais en quoi cela peut-il nous aider ?

– Allons, ne me dis pas que tu n'as pas compris ! Une fois que nous nous serons déguisés, nous mesurerons, toi et moi réunis, plus de deux mètres. Le Rangeur ne tardera pas à le remarquer. Et finira par s'apercevoir que nous ne sommes pas rangés au bon endroit…

– Et, pour remettre sa collection en ordre et nous placer dans la cellule qui convient aux gens de notre taille, il ouvrira la porte de notre cage…

– Là, nous lui glissons entre les doigts, nous décampons fissa et bonjour la liberté !

– C'est génial !

– Je dois reconnaître que, sur ce coup, je ne suis pas mécontent de moi.

– Il y a quand même quelque chose qui me chiffonne.

– Quoi ?

– Pourquoi dois-je te porter et non pas l'inverse ?

– Parce que c'est moi qui ai eu l'idée. Il n'y a pas à discuter !

Mange-Burnasse, tout en bougonnant, finit par se « ranger » à mes arguments. Nous attendîmes ensuite que le géant et sa jeune complice s'assoupissent lors de leur sieste quotidienne pour mettre notre plan à exécution. L'occasion ne tarda pas à se présenter. Une fois notre petite transformation accomplie, il nous fallut encore patienter jusqu'à ce que nos geôliers daignent se réveiller. Je ne vous cacherai pas que mon ami, qui supportait vaillamment mon poids sur ses épaules, se montra le plus impatient de nous deux.

Toutefois, le Rangeur émergea bientôt de sa torpeur et se leva pour vaquer à ses occupations. Il passa plusieurs fois devant notre cage sans se rendre compte du moindre changement, ce qui eut le don de nous exaspérer comme il n'est pas permis. Quel abruti! Mange-Burnasse commençait à accuser de sérieux signes de fatigue et ne pourrait supporter longtemps son fardeau. Heureusement, notre ennemi s'immobilisa enfin à notre hauteur.

– Ventrebleu, que s'est-il passé? Qu'est-il advenu de ton compagnon de cellule? Où se cache-t-il?

– Je l'ai mangé.

– Tu l'as mangé?

– Eh oui! Tu t'es montré bien naïf en pensant que les rations minables que tu nous sers suffiraient à apaiser ma faim! À mon âge, on a besoin d'une alimentation saine et équilibrée. Tu ne m'as donc pas laissé le choix et, malgré toute l'affection que je lui portais, j'ai dû boulotter mon condisciple. Et maintenant me voilà! Au fait, tu ne trouves pas que j'ai fait une belle pousse?

– Quelle poisse! Si je m'étais douté, je vous aurais mis dans deux cages séparées...

– Grave erreur, mon cher!

L'imbécile acceptait docilement toutes mes explications. Je ne m'étais pas trompé lorsque j'avais supposé que nous tenions avec lui un parfait idiot. De temps à autre, je jetai néanmoins un bref coup d'œil sur la fillette qui, à quelques pas de là, dormait encore.

Si elle se réveillait, la situation risquait de tourner à notre désavantage car la gamine ne se laisserait pas embobiner aussi aisément que son gigantesque protecteur.

– Cela ne te gêne pas si je reste dans cette cellule ? Je m'y suis habitué à présent et, pour rien au monde, je ne voudrais en changer !

– Oh, là là ! Malheur ! Cela ne va plus du tout ! Toute la belle discipline de ma collection en est perturbée ! C'est l'anarchie ! Le chaos ! Tu n'as rien à faire ici et je m'en vais te transférer dans une autre cellule. Ah, on peut dire que tu me donnes du souci !

Et ce n'était qu'un début.

Le Rangeur porta la main au trousseau de clés accroché à sa ceinture. Vous ai-je dit que chacune d'entre elles pesait près de dix kilos ? Puis, de ses gros doigts boudinés, il ouvrit notre cage, s'apprêtant à se saisir de moi ou, plus exactement, de nous. Mais il n'en eut pas le loisir. Dès que la porte s'entrebâilla, je bondis des épaules de Mange-Burnasse et nous nous ruâmes vers la sortie. Avant que le géant ne comprenne qu'il avait été dupé, nous avions déjà quitté cette satanée cellule.

Notre bonhomme était complètement dérouté. Il bafouillait de colère et bredouillait des ordres que nous n'avions aucune intention d'exécuter. Il faisait également les gros yeux. Aussi je vous laisse imaginer les dimensions phénoménales que ceux-ci pouvaient atteindre à ce moment-là.

Nous décidâmes de ne pas nous arrêter en si bon chemin. Tandis que Mange-Burnasse, en l'insultant, en le provoquant et en lui intimant de le rattraper, détournait l'attention du Rangeur, je bondis sur les mollets de ce dernier, grimpai le long de ces jambes et, empruntant des passages dont j'aurais préféré tout ignorer, me retrouvai à hauteur de sa taille, à quelques centimètres de son trousseau de clés.

J'arrachai alors l'une de mes écailles et, en m'aidant de cet outil improvisé, tranchai d'un coup net la ceinture à laquelle s'accrochait le trousseau. Celui-ci chuta quelques mètres plus bas et, sous le choc, les clés se dispersèrent dans toutes les directions.

Le Rangeur, attentif qu'il était au plus petit détail, avait veillé à indiquer sur chaque clé la cellule que celle-ci permettait d'ouvrir. Par conséquent, si l'on fait abstraction du poids que représentait chacun de ces objets, ce fut pour nous un jeu d'enfant que de délivrer les autres prisonniers. Hommes, femmes, enfants, vieillards, singes, loups-garous, tamanoirs, tigres, griffons ou salamandres : à tous, nous offrions le salut et la fuite !

Le colosse ne savait plus où donner de la tête. Lorsqu'il parvenait à récupérer un fuyard, nous avions déjà ouvert deux autres cages. Nous l'entendions larmoyer et nous supplier d'épargner ce qui pouvait encore l'être de sa collection. Mais c'était en pure perte qu'il pleurnichait, implorait, menaçait ou hurlait. Nous restions inflexibles et poursuivions notre vaste entreprise de libération. Parfois, il essayait de nous mettre la main dessus ou de nous écraser de ses terrifiants arpions mais chacune de ses tentatives se soldait par un échec. Grâce à la formation dont nous avions bénéficié au séminaire Inferno, nous n'avions aucune difficulté à lui échapper.

De son côté, la détestable fillette n'était déjà plus de ce monde. Elle était à peine sortie de son sommeil qu'elle s'était fait férocement piétiner par un éléphant d'Asie. Celui-ci se distingue de son cousin d'Afrique par la taille de ses oreilles et de ses défenses. Quant à elle, l'enfant se différenciait désormais d'un être vivant par son teint pâle, ses os broyés et son visage aplati. Elle l'avait bien cherché !

Notre vengeance assouvie, nous n'avions aucun désir de nous attarder davantage. Nous avions libéré tous les captifs qui avaient eu l'infortune de croiser la route du Rangeur et n'avions qu'une hâte : retrouver la voûte du ciel, le souffle du vent, la poussière du chemin et les auberges abjectes que nous recommandait le *Guide du Bâtard* ! D'un signe de la tête, je fis comprendre à Mange-Burnasse qu'il était temps de prendre congé. L'instant d'après, nous récupérions les armes que le géant nous avait confisquées et nous nous élancions, le cœur léger, vers la surface.

Avant de quitter les lieux, je lançai un dernier regard en direction de ce scélérat de collectionneur. La bave lui était venue aux lèvres, il s'arrachait les cheveux par poignées, se roulait par terre et lâchait des cris de bête. Le désastre semblait avoir eu raison de son entendement : face à l'éparpillement de l'œuvre de toute une vie, il avait sombré dans la folie.

Quelques minutes plus tard, nous avions déjà rejoint les sous-bois de la forêt de Guiolle. Pas le temps de souffler ou de nous appesantir sur les derniers événements : sans plus attendre, nous reprîmes notre chemin vers Rome, bien déterminés à ne plus nous laisser ralentir.

CHARLEMAGNE, NOUS VOILÀ !

Fort heureusement, après le pénible épisode du Rangeur, notre voyage se poursuivit sans encombre. Nous ne ménageâmes cependant pas nos efforts, avançant souvent à marche forcée jusqu'à l'épuisement. À ce rythme, nous finîmes par atteindre notre but à la date prévue mais sur les rotules !

Ainsi étions-nous parvenus maintenant dans les faubourgs de Rome. À cette époque, la ville aux sept collines avait perdu de sa superbe. Depuis qu'elle avait cessé de dominer l'univers, elle avait dû subir les assauts successifs des Wisigoths, des Germains, des Ostrogoths et de quelques autres peuplades passablement énervées. Il est vrai que, sur la fin de l'Antiquité et dans les premiers temps du Moyen Âge, la mode avait été aux invasions barbares. On peut même affirmer que celles-ci avaient fait fureur.

Comme on s'en doute, ces pillages répétés n'avaient pas vraiment contribué à embellir la cité. Au contraire, nous fûmes frappés de constater à quel point l'endroit était mal tenu. Nombre des monuments que les empereurs romains avaient construits à leur gloire étaient désormais à l'abandon. Par exemple, le voyageur qui se serait rendu aux thermes de Caracalla aurait été bien en peine d'y prendre un bain puisqu'en 537, l'aqueduc qui alimentait ce gigantesque établissement avait été détruit par des envahisseurs en colère. Il va de soi que je n'éprouvais aucun regret à la perspective de rester sec et d'échapper à ce genre de divertissement inutile…

Certains palais menaçaient de s'écrouler à tout moment, tandis que des quartiers entiers où d'illustres familles avaient autrefois occupé de luxueuses villas n'étaient plus que des amas de ruines. Les lieux n'étaient plus fréquentés que par les herbes hautes, les meutes de chiens, les bandits et les fous. Les esprits chagrins appelleront cela la décadence.

De notre côté, nous n'avions pas l'esprit à donner dans les attractions touristiques ou à rechercher les derniers trésors encore intacts de la capitale. Si nous avions parcouru tout ce chemin, c'était uniquement pour envoyer Charlemagne dans l'autre monde. Nous étions d'ailleurs convaincus que la chose n'allait pas traîner. Dès les jours suivants, nous allions nous acquitter de cette mission et, une fois le Carolingien éliminé, nous reprendrions la route avec le sentiment du devoir accompli.

Dans l'immédiat, il nous fallait trouver un toit. Sur les conseils du *Guide du Bâtard*, nous nous dirigeâmes donc sans délai vers le quartier de Subure. L'ouvrage faisait de ces quelques rues une description des plus alléchantes. Cette partie de la ville comptait parmi les plus mal famées que l'on puisse imaginer et rassemblait plus de voleurs, de trafiquants et d'assassins que nous ne pouvions en rêver. Dans une telle compagnie, nous étions certains de nous distraire ! Si nous devions avant tout supprimer le roi des Francs, nous n'avions pas l'intention de nous priver de petits à-côtés et, si l'occasion se présentait, nous truciderions avec joie le manant, le noble, le brigand et toutes sortes d'autres fripouilles. Lorsqu'il s'agissait de faire couler le sang, nous ne renâclions jamais devant les heures supplémentaires !

Il va sans dire que notre entrée dans ce quartier fit quelque peu sensation. Imaginez-vous : deux enfants aux traits tirés et avec un accent étranger, qui semblaient de surcroît chercher leur chemin parmi ce dédale de ruelles obscures, glissantes et encombrées d'ordures. On ne pouvait se figurer victimes plus tentantes. Heureusement, quelques oreilles coupées çà et là nous permirent de dissiper rapidement tout malentendu.

Nous avions décidé de jeter notre dévolu sur l'auberge du Bourreau maudit car notre guide de voyage, auquel nous nous remettions dorénavant pour tout, en disait le plus grand bien.

« *Auberge du Bourreau maudit : compter 8 à 12 deniers la chambre double. Dans une rue extrêmement bruyante, cette sinistre pension familiale propose une dizaine de chambres très sales et sans aucun charme. Toilettes à l'extérieur. Draps changés tous les deux ans. Rats, pucerons, cafards et tiques. Accueil très apprécié des soudards. Fait aussi taverne et coupe-gorge. Le patron est un truand. Réduction de 5 % sur présentation du* Guide du Bâtard *! »*

Non sans mal, nous parvînmes enfin à dénicher cette admirable adresse. Exténués mais heureux d'être arrivés à bon port, nous franchîmes le seuil de l'établissement. Sitôt entrés, nous nous heurtâmes au cadavre de ce qui, quelques heures auparavant, avait dû être un client plein de vie. Le couteau fiché dans son cou nous avertit que l'auberge était à la hauteur de sa réputation.

La salle était occupée par une demi-douzaine de tables où des canailles au regard de tueur prenaient un plantureux repas fortement arrosé de vin. Le cadavre qui se rigidifiait à quelques mètres de là ne paraissait pas leur couper la faim. Les convives s'interrompirent un instant à notre arrivée, affectèrent une vague surprise puis se désintéressèrent de nous pour se consacrer à nouveau à leurs orgies. Pour autant, nous saluâmes et nous souhaitâmes à tous un bon appétit. Nous étions des gens polis.

La réception était tenue par une jeune fille qui avait à peu près notre âge. Elle soupirait bruyamment et, avec beaucoup de grâce, bâillait à s'en décrocher la mâchoire. Dès que je la vis, elle produisit sur moi une forte impression.

La jeune fille était franchement laide. Difforme, elle avait un bras plus court que l'autre, l'une de ses épaules semblait démise, et elle boitait sans retenue, ce qui me plaisait beaucoup. Une sorte de réflexe incongru la contraignait régulièrement à hocher la tête, alors qu'on ne lui demandait pas son avis. Elle était aussi menue qu'un moineau et on lui voyait les côtes quand elle respirait fort. Son nez était légèrement tordu. Ses yeux, noirs comme le charbon, révélaient un strabisme divergent qui ne manquait pas de charme. Elle arborait aussi une fine moustache. Autant ce détail m'importunait chez les hommes ; autant, dans le cas de cette mystérieuse inconnue, cette touche un peu excentrique était la bienvenue.

Sans pouvoir me l'expliquer, je ne pouvais détacher mon regard de cette hideuse créature, au point que cela en devenait gênant!

Mange-Burnasse remarqua sans doute le trouble qui s'était emparé de moi, puisqu'il prit lui-même l'initiative de réclamer à notre hôte sa meilleure chambre. Comme le font tous les hôteliers du monde, la jeune taulière nous donna aussitôt les clés de la piaule la plus immonde qu'il lui restait. Tout en nous faisant sentir combien il lui en coûtait, elle consentit ensuite à nous y conduire.

Tandis que nous montions l'escalier, je l'interrogeai sur son nom.

– Qu'est-ce que ça peut donc vous faire, sale type?

Quoique surpris, je ne me laissai pas impressionner par ces manières un peu rêches et la priai à nouveau de satisfaire ma curiosité. Non sans réticences, elle finit par se laisser convaincre et m'expliqua qu'elle s'appelait Lani. Je ne pus m'empêcher de trouver ça joli.

Toutefois, la jeune tenancière ne paraissait pas disposée à prolonger notre conversation. À ma grande honte, je souhaitais pourtant en apprendre davantage sur elle et, pire encore, il me semblait que les réponses qu'elle m'apporterait pourraient bientôt figurer parmi les choses les plus importantes que l'on m'eût jamais dites. D'où pouvait me venir un pressentiment aussi stupide?

À la réflexion, Mange-Burnasse avait peut-être raison de me lancer des regards de travers : si je continuais sur cette pente, je risquais de filer un mauvais coton!

Une fois sur le palier, Lani nous fit signe de la suivre jusqu'au fond du couloir. Je remarquai alors un détail pour le moins inattendu : obéissant à une bien étrange superstition, on avait donné à toutes les chambres le numéro 13 ! Il va de soi qu'une telle particularité n'aidait guère les clients et le personnel de l'auberge à se repérer. Au contraire, elle était continuellement source de malentendus et de disputes qui se réglaient rarement de manière courtoise. Tel brigand entrait par erreur dans le lit d'un confrère ; des bagages s'égaraient malencontreusement et, le lendemain, on découvrait en s'étranglant ses bottes préférées aux pieds d'un autre.

Seule la suite de luxe se distinguait des autres pièces en affichant orgueilleusement le numéro 666. On y avait remplacé le mobilier habituel par de magnifiques instruments de torture. En particulier, on y avait installé de redoutables chaises à clous qui vous faisaient passer à jamais l'envie de vous asseoir. Cependant, nous n'avions pas encore les moyens de nous offrir un train de vie aussi somptueux.

Lani s'arrêta devant la quatrième porte et introduisit la clé dans la serrure. Deux lits pouilleux occupaient la majeure partie de la chambre, tandis que des étagères branlantes prenaient la poussière dans un coin sombre. Un fauteuil troué et bancal attendait le voyageur fatigué pour lui réserver un mauvais tour à sa façon. Enfin, par la fenêtre entrouverte, nous pouvions percevoir toute l'animation de la rue : les insultes, les grognements, les cris, les gargouillements, les appels au secours et les rires méchants.

Mange-Burnasse et moi inspectâmes rapidement les lieux puis échangeâmes un regard entendu : nul doute que nous allions nous plaire ici ! Je m'apprêtai à remercier la jeune fille et à lui assurer que la chambre nous convenait en tout, mais Lani avait déjà disparu. Quel drôle de caractère !

À l'instar de mon condisciple, je déballai promptement mon petit nécessaire de voyage et pris mes aises.

Quelques minutes après, lorsque Mange-Burnasse me vit en train de me déchausser, je le sentis frémir : l'idée que mes orteils allaient désormais s'ébattre librement n'était pas pour le rassurer. Mais, en bon camarade, il s'habitua peu à peu à l'odeur… Je résolus ensuite de m'étendre sur mon lit pour un court moment de détente quand je vis bondir autour de moi tout un peuple de puces et de punaises qui, affolées par mon intrusion soudaine, cherchaient désespérément à se soustraire à ma compagnie. Il faut croire que je dégoûtais jusqu'à ces parasites pourtant peu regardants sur la marchandise.

Alors que je n'aspirai qu'à me reposer, mon ami choisit de m'asticoter sur notre dernière rencontre. Au sourire qui lui ouvrait la face plus profondément que ne l'aurait fait un coup de sabre, il était facile de deviner qu'il avait déjà abouti à des conclusions qui le mettaient en joie. Je craignais le pire !

– Dis-moi, Wilmuth, cette fille, cette Lani, elle t'a vraiment tapé dans l'œil !

– Oh, ne nous emballons pas : nous n'en sommes pas encore à ce stade d'intimité.

– Reste qu'elle te plaît beaucoup.

– Tu y vas un peu fort. Elle ne me laisse pas de marbre mais…

– Allez, tu peux l'avouer : tu serais prêt pour elle à t'abandonner à de «tendres sentiments»…

Mange-Burnasse allait trop loin. Je me sentais insulté par ses sous-entendus ironiques. Je ne pouvais tolérer d'être ainsi tourné en ridicule.

– Pour qui me prends-tu ? As-tu oublié qui est Wilmuth le Terrible ? Faut-il que je te rafraîchisse la mémoire à ce sujet ? Quand, comme moi, on a autant de sang sur les mains, il est évident que l'on n'est pas fait pour l'amour. D'ailleurs, je ne sais même pas ce que c'est! Et je n'ai aucune envie de le savoir! Le simple fait de prononcer ce mot me répugne et me brûle les lèvres. Je ne veux plus l'entendre!

– Ce n'est pas la peine de monter sur tes grands chevaux! Tu es bien susceptible! Un rien te vexe!

– Je ne me vexe pas; je t'explique! C'est tout!

Heureusement pour notre récente amitié, ces échanges s'arrêtèrent là et nous ne tardâmes pas à succomber à la fatigue pour piquer une petite sieste réparatrice. Rien ne troubla alors notre sommeil, pas même les émeutes qui ravagèrent le quartier pendant quelques heures ou les milliers d'insectes qui s'accrochaient hardiment à nos poils et nous couraient sous la peau.

Au cours des jours qui suivirent, nous nous efforçâmes de recueillir tous les renseignements susceptibles de nous être utiles dans nos projets criminels. Mange-Burnasse et ses dons pour les langues étrangères firent merveille à cette occasion. De mon côté, je regrettai de m'être montré un élève aussi peu attentif lorsque Triple-Mort nous avait enseigné les mille subtilités du bas latin, du grec, de l'hébreu, du burgonde, de l'alaman, du cornique ou de l'araméen. Mon camarade s'avérait aussi un remarquable espion, dont la discrétion et l'intelligence nous furent d'un grand secours. Heureusement que j'avais su le persuader de s'engager à mes côtés dans cette équipée!

À cette époque, le pape avait pour nom Léon, portait le numéro III et habitait en son palais du Latran. Selon nos informations, il y recevait régulièrement Charlemagne afin de s'entretenir avec lui des préparatifs de son prochain couronnement. Il va de soi que le palais était sous bonne garde et que, malgré toute notre bonne volonté, notre attentat aurait été voué à l'échec si nous nous étions rués frontalement à l'assaut. De la même façon, la résidence où vivait le roi des Francs était une vraie forteresse et nous n'avions aucune chance d'y pénétrer par la force. Un malheur ne venant jamais seul, le futur empereur était extrêmement méfiant et il était vain d'espérer l'approcher par la ruse.

Nous ne nous laissions cependant pas abattre par ces nouvelles pour le moins décourageantes. Lorsque notre petite enquête nous en laissait le loisir, nous nous adonnions à des activités bien plus enthousiasmantes que tous les fastidieux interrogatoires qui occupaient l'essentiel de notre temps. En particulier, il était d'usage que, le soir, sur le seuil de l'auberge du Bourreau maudit, éclate, pour un mot de travers ou un regard insistant, l'une de ces bagarres générales qui laissaient d'ordinaire plusieurs corps refroidis sur le dur pavé romain.

Nous ne refusions jamais de nous joindre à ces réjouissances. Après les tracasseries et les déceptions de la journée, ces hostilités nocturnes représentaient un parfait délassement. Et puis, quoi de plus normal, lorsque l'on voyage, que d'adopter les mœurs locales et de vivre à la manière des autochtones ?

« À Rome, fais comme les Romains ! » recommande d'ailleurs le vieux proverbe. Avec nous, ce conseil n'était pas tombé dans l'oreille de sourds. Quand il s'agissait de se battre, d'insulter, de taillader, de découper, de transpercer ou encore d'éventrer, nous suivions en tout l'exemple de ces turbulents indigènes.

Les truands de Subure n'étaient pas tout à fait des

123

ingrats. Lorsqu'ils affrontaient leurs rivaux, ils appréciaient l'aide que nous pouvions leur apporter et, parfois, saluaient même avec admiration notre adresse au combat. Peu à peu, à force de rixes et d'empoignades, nous finîmes par gagner leur respect. Certaines de ces crapules, quand elles nous croisaient dans la rue, nous interpellaient gaiement, comme si nous avions vécu là depuis l'enfance. On peut même l'affirmer sans se tromper : nous avions réussi à nous faire adopter !

Lani n'était pas la dernière à participer à ces rudes combats. Ses méthodes n'étaient pas des plus orthodoxes mais se révélaient superbement efficaces. La demoiselle, outre le couteau, maniait la sarbacane avec une dextérité confondante, si bien que ses pointes empoisonnées éclaircissaient régulièrement les rangs de nos adversaires. Cette fille avait vraiment de la ressource !

Dans la furie de ces cruelles mêlées, il arrivait parfois que nous nous retrouvions côte à côte. Quand cela se produisait, je ne pouvais m'empêcher de la surveiller du coin de l'œil et d'observer sa technique si particulière. De son côté, elle suivait avec attention mon comportement dans la bataille. Par exemple, quand je décapitais net quelque vaurien de l'autre bord, je voyais avec joie son regard briller et un sourire se dessiner sur ses lèvres pincées. À l'inverse, si je manquais mon coup, une grimace de mépris apparaissait inévitablement sur son déplaisant visage et j'avais le sentiment d'être la plus minable des brutes.

Ce genre d'exercices n'était naturellement pas sans danger. Lors de telles échauffourées, il n'était pas toujours aisé de défendre ses arrières et l'on n'était pas à l'abri d'une méchante blessure. J'en fis la douloureuse expérience quand, par traîtrise, on m'infligea une vilaine estafilade le long du dos. Mes écailles ne couvrant encore qu'une petite partie de mon corps, elles ne me protégèrent que très superficiellement. En réalité, le coup était sévère et, pour m'en remettre, je dus garder la chambre deux ou trois jours.

Pendant cette brève période de convalescence, je restai seul à l'auberge tandis que Mange-Burnasse poursuivait ses investigations. Cette situation m'inspirait un vague sentiment de culpabilité. Notre projet d'assassinat n'avait en effet pas avancé d'un pouce et j'ignorais encore comment je pourrais m'approcher suffisamment de Charlemagne pour lui enfoncer mon épée dans les tripes ! Pire encore, cloué au lit comme je l'étais, je laissais à mon camarade le soin de faire tout le travail !

Un après-midi, alors que Mange-Burnasse s'était à nouveau absenté et que je ressassais encore une fois de bien tristes pensées, j'entendis un très léger bruit de pas dans le couloir puis un frôlement derrière la porte de la chambre. Je me levai aussitôt, l'épée à la main, prêt à égorger l'imprudent qui venait me chercher des noises. Néanmoins, lorsque j'ouvris la porte à toute volée, mon regard se heurta au vide : personne sur qui passer ma colère !

En revanche, je m'aperçus que l'on avait déposé sur le seuil un petit paquet. Celui-ci était agrémenté d'un billet de quelques lignes :

L'onguent que contient cette bourse accélérera de manière prodigieuse votre rétablissement, bougre de crétin ! Cette recette familiale a déjà fait ses preuves et je ne conçois donc aucun doute sur son efficacité : d'ici quelques heures, elle remettra sur pied le stupide bouffon que vous êtes ! Cependant, la prochaine fois

que vous vous battrez, vous tâcherez, triple buse, de
vous montrer un peu moins tête en l'air !

Quelle charmante attention ! Même si le message n'était pas signé, tout indiquait qu'il émanait de Lani. En effet, je reconnaissais là sa manière et sa sensibilité.

Sans perdre une seconde, j'appliquai la pommade offerte par ma généreuse admiratrice. Ses bienfaits ne tardèrent pas à se faire sentir à tel point qu'à son retour, moins de trois heures plus tard, Mange-Burnasse me trouva en pleine forme. Devant sa surprise, je lui expliquai en quelques mots le pourquoi de cette fulgurante guérison.

— Cette Lani, elle t'a vraiment à la bonne !

— Disons qu'elle s'intéresse à ma santé.

— En tout cas, son traitement est fichtrement efficace. Je vois que tu as retrouvé tous tes moyens ! Tant mieux ! Je m'ennuyais ferme à parcourir seul les rues de Rome !

— À ce propos, as-tu du nouveau ?

— J'ai peut-être une piste intéressante… Mais si tu n'y vois pas d'inconvénient, je préférerais que nous en parlions autour d'un verre. Que dirais-tu de descendre à la taverne ?

— Volontiers ! Par la même occasion, j'en profiterai pour remercier ma bienfaitrice.

Lani était installée à son comptoir, attendant patiemment les clients qui chercheraient un asile pour la nuit. Toutefois, malgré la proximité des fêtes de Noël, la clientèle se faisait rare. Les pèlerins qui venaient à Rome se recueillir sur la tombe de saint Pierre ne descendaient évidemment pas dans des établissements comme celui que nous avions choisi. Comme vous l'avez compris, l'auberge du Bourreau maudit ne s'adressait qu'aux voyageurs les plus malhonnêtes. Or cette engeance vivait par définition une existence périlleuse et il n'était pas rare que les gens d'armes privent l'auberge de certains de ses habitués, ou qu'en chemin ceux-ci soient retardés par une pendaison ou un écartèlement.

Pour tuer le temps, Lani se coupait les ongles des pieds à l'aide de son poignard de poche. À ses moments perdus, elle savait être coquette ! Cependant, à mon approche, elle ne daigna pas s'interrompre ou même lever les yeux de sa tâche.

– Lani, je tenais à vous remercier. Votre onguent s'est avéré proprement miraculeux ! Mes blessures ne sont plus qu'un lointain souvenir et c'est à vous que je le dois ! Encore une fois, mille mercis, chère Lani…

– Arrêtez ça tout de suite !

– Euh… Arrêter quoi ?

– Je ne suis pas votre chère Lani !

– Ah ? Et comment faut-il que je vous appelle ?

– Vous n'avez pas à m'appeler puisque je suis là. Parfois, vous dites de ces absurdités !

– Mais ce n'est guère pratique, ce que vous me proposez là ! Comment pourrais-je m'adresser à vous si je ne prononce pas votre nom ?

– Eh bien, il faudra vous en accommoder ! Vous vous débrouillerez ! Et puis, cessez de me parler comme à une débile !

Malgré tous mes efforts pour me montrer aimable, la drôlesse ne semblait pas bien disposée à mon égard. Dans ces conditions, je préférai mettre un terme à cet échange et j'allai m'asseoir à une table auprès de Mange-Burnasse. Alors qu'il n'avait rien perdu de la scène, il eut l'élégance de ne s'autoriser aucun commentaire mais en vint directement à notre affaire.

– J'ai appris que, demain soir, le pape doit recevoir Charlemagne pour un souper dans son palais du Latran. Ils en profiteront, paraît-il, pour écluser un verre ou deux et régler les derniers détails du couronnement…

– Grand bien leur fasse! Mais en quoi cela peut-il nous intéresser?

– Pourrais-tu me laisser finir, je te prie? Tu me ferais presque regretter de m'être démené pour toi toute la journée! Je t'apporte des renseignements de première main et tu commences déjà à chipoter.

– Allez, ne le prends pas mal! Je t'écoute…

– Bon… Aujourd'hui, alors que je traversais l'un des nombreux marchés de la ville, j'ai surpris une conversation tout à fait instructive entre un jeune homme et un marchand des quatre-saisons qui, en hurlant, lui vantait les mérites de ses légumes…

– Tu t'intéresses aux légumes maintenant?

– Mais non, idiot! Si tu me laissais continuer… À certains détails, je n'ai pas tardé à apprendre que le jeune freluquet était au service du pape. En fait, il travaille dans ses cuisines comme marmiton. Il se charge notamment de confectionner des terrines à la carotte et des purées de navet…

– Quel odieux criminel!

– Tu n'as pas tort mais ce n'est pas précisément là où je voulais en venir… J'ai réussi à lier connaissance avec ce petit cuistot et nous avons très vite sympathisé. Je lui ai expliqué qu'avec mon cher ami Wilmuth, un enfant au cœur pur mais à la santé chancelante, je brûlais de rencontrer Léon III mais que nous désespérions d'arriver jamais à nos fins. C'est alors que, sans même que je le lui demande, il m'a proposé de nous faire entrer tous les deux dans le palais du Latran…

– Par quel moyen?

– Demain en fin d'après-midi, nous aurions rendez-vous avec lui à l'arrière du bâtiment. Il viendrait nous y chercher et nous introduirait dans la place. Sa présence à nos côtés nous permettrait de ne pas être inquiétés par les gardes et de rejoindre les cuisines. Ce petit blanc-bec a même ajouté que, si nous étions prêts à faire les larbins, nous pourrions servir à table Léon III et Charlemagne! Je nous y vois déjà : l'un apportant un lourd plateau de boudins, l'autre trimbalant une gigantesque soupière emplie de pot-au-feu!

– Cela en imposerait!

– Nous ne pouvions rêver mieux! Nous pourrions ainsi nous glisser à quelques pas du vieux Charlot et lui offrir l'un de ces desserts à notre façon dont il ne se remettrait pas! Mais…

– Aïe! Je me doutais que c'était trop beau pour être vrai : il y a un « mais »!

– Le jeune marmiton est parfaitement désireux de nous être agréable mais il attend également que nous le récompensions de ses efforts…

– Quel prix demande-t-il?

– Cela ne va pas te plaire… Il réclame mille deniers.

– Mille deniers? Ma parole, avec tout cet argent, ce type pourra ouvrir un restaurant! Quand je pense que trente deniers ont suffi à Judas pour vendre Jésus!

– Il faut croire que tout augmente.

– Mais nous ne pourrons jamais réunir une telle somme en si peu de temps!

Pendant quelques secondes, j'avais cru tenir une solution à nos difficultés mais celle-ci s'était évanouie en un instant. Quelle tuile! La vie n'était-elle donc qu'une suite de désillusions ? Nous ne demandions pas grand-chose : nous voulions simplement commettre un petit meurtre. Juste un. Mais ce rien du tout nous était refusé. Pourtant, au même moment, de vastes massacres s'organisaient à travers le monde sans que personne ne s'en offusque. Quelle injustice !

Mange-Burnasse se voulait réconfortant. Il m'incitait à garder courage et se creusait les méninges pour échafauder des plans qui nous permettraient de rassembler les mille deniers demandés par l'avide marmiton. En vain. J'avoue que je lui en voulais un peu de m'avoir fait miroiter une perspective qui, en définitive, se révélait aussi décevante !

Nous en étions là, lorsque, tout à coup, derrière mon dos, j'entendis une voix rauque s'adresser à nous en affectant un ton légèrement méprisant.

– Ah, si l'on m'avait dit que deux crétins comme vous souhaitaient rencontrer le pape ! Ne vous tourmentez pas davantage : je peux vous arranger ça sans aucun problème. Tout de même, quand on n'est pas dégourdi, il ne faut pas hésiter à demander aux gens ! On ne vous a donc rien appris ?

Vous l'avez deviné : c'était Lani qui, les ongles désormais joliment coupés, nous interpellait de la sorte. Elle avait perçu quelques bribes de notre conversation et s'immisçait à présent dans la discussion. En revanche, elle n'avait rien entendu de nos projets à l'égard de Charlemagne. J'en étais soulagé. Certes, je soupçonnais qu'elle ne devait pas porter ce dernier dans son cœur. Pour autant, il me semblait préférable de ne prendre aucun risque et de dissimuler à tous nos véritables intentions. Pour être mené à bien, ce genre d'entreprise exige de la discrétion et je ne connaissais pas suffisamment la jeune fille pour être certain que celle-ci saurait garder un secret de cette importance.

– Si vous tenez vraiment à voir le pape, je peux vous indiquer un moyen d'arriver jusqu'à lui. Ce n'est pas si compliqué !

– Pour être honnête, cela nous aiderait.

– Mon père, avant d'ouvrir cette auberge, possédait une petite affaire de maçonnerie. Malheureusement, de nos jours, c'est un secteur bien sinistré à Rome. Plus aucun client n'a les moyens d'entretenir les villas et les palais que nous ont légués nos ancêtres, de sorte que toutes ces constructions tombent peu à peu en ruine. Mon paternel a donc dû se reconvertir dans l'hôtellerie. Un métier d'avenir, croyez-moi...

– Ne le prenez pas mal, Lani, mais puis-je vous demander d'en venir au fait ?

– Non ! Vous attendrez le temps qu'il faudra ! Parbleu, vous m'agacez... Quand il œuvrait dans le bâtiment, mon père a été conduit à faire quelques travaux dans une aile du palais du Latran. À cette occasion, il a appris l'existence d'un passage dérobé qui débouche directement sur la chapelle privée du pape. À l'époque, on lui a demandé de combler cet accès mais mon père s'est bien gardé de le faire. C'est un homme prévoyant et il a pensé que cette entrée secrète pourrait lui être utile un jour. Celle-ci existe encore aujourd'hui et je puis donc vous dresser sur-le-champ un plan qui vous permettra d'emprunter ce passage et de faire ensuite là-bas ce que bon vous semble.

– Magnifique ! Une nouvelle fois, vous me tirez d'embarras. Sachez que nous ne nous montrerons pas ingrats et que nous sommes prêts à vous payer un bon prix pour une telle information !

– Pour vous, cela sera gratuit.

– Tout de même, j'insiste…

– J'ai dit que, pour vous, cela serait gratuit. Vous êtes sourd ou quoi?

– Quoi qu'il en soit, une telle générosité est extrêmement noble de votre part. Je ne sais comment vous exprimer ma gratitude.

– Eh bien, ne l'exprimez pas! Cette manie que vous avez de toujours remercier!

Je dois reconnaître qu'à ce stade, je me laissai gagner par une certaine forme de lassitude. Me montrer aimable avec elle ne me réussissait pas. Je n'en avais guère l'habitude et j'étais plus à mon aise dans la brutalité et l'insolence. Quelle que fût mon attitude à son égard, Lani me rabrouait et faisait pleuvoir sur moi un torrent d'insultes ou de remarques blessantes. Vous me direz, c'était peut-être le signe que je ne la laissais pas de glace.

Toujours est-il qu'elle griffonna sur un vieux bout de parchemin le plan dont elle venait de nous parler. Ses indications semblaient extrêmement claires et nous ne doutions pas d'en tirer le meilleur parti. Dès le lendemain soir, nous rejoindrions la grande salle à manger où Léon III tenait ses fastueux banquets et, entre la poire et le fromage, nous truciderions Charlemagne : ma mission serait accomplie et les écoliers du monde entier seraient enfin vengés!

Les heures qui nous séparaient de cet instant fatidique me parurent interminables. J'eus le plus grand mal à trouver le sommeil, tant mon excitation était forte. Mange-Burnasse était dans le même état et je l'entendais se retourner sans cesse dans son lit. Ainsi, notre nuit, à l'un comme à l'autre, fut courte et agitée. Nous faisions grise mine à notre réveil et arborions sous les paupières des cernes noirâtres qui en disaient long sur notre état de fatigue.

Nous prîmes heureusement un petit-déjeuner revigorant. Mange-Burnasse jeta son dévolu sur une soupe de haricots, du lard fumé à la confiture de myrtilles, une brochette de sanglier, de la crème de marrons, de la cervelle d'agneau, de la langue de bœuf et quelques sardines. Je me contentai plus sobrement de fèves, de pois, d'une hanche de cerf légèrement caramélisée, de châtaignes et d'une omelette aux tripes. Une journée chargée nous attendait et nous devions prendre des forces !

À ma grande surprise, Lani demanda à nous accompagner. Elle brûlait d'entrevoir le pape, ne serait-ce qu'un instant. Cette fille, qui présentait toutes les caractéristiques du mécréant le plus achevé et avait déjà sur la conscience une longue liste de crimes, éprouvait pour le bonhomme une sorte d'admiration que je jugeais incongrue. Je m'abstins néanmoins de lui faire part de mes réserves car elle m'aurait certainement lancé à la figure quelque pièce de vaisselle.

Le cœur sur la main, nous fîmes à Lani la promesse solennelle de l'emmener avec nous. À la dernière heure de l'après-midi, nous reviendrions à l'auberge et, de là, nous nous mettrions directement en chemin vers le palais papal. Naturellement, nous n'avions aucune intention de tenir parole. Les assassinats politiques sont des affaires trop sérieuses pour qu'on y mêle des jeunes filles. Lani ne serait pour nous qu'un encombrement. Elle serait même capable de tout faire capoter !

J'imaginais déjà sa réaction quand elle s'apercevrait que nous l'avions trompée. Pour sûr, elle serait en rage ! J'espérais qu'il ne lui viendrait pas l'idée saugrenue de filer au palais du Latran nous expliquer sa façon de penser. Cependant, pour connaître un peu la psychologie de notre hôte, je devinais qu'elle nous enverrait plutôt à tous les diables (une bonne adresse) et que, vexée, elle se désintéresserait de notre sort.

Le soir venu, lorsque nous fûmes aux abords de la résidence du pape, nous découvrîmes rapidement le passage secret que le père de Lani avait omis de refermer. Le camouflage qui dissimulait cette entrée était assez habile mais, grâce au plan que nous avait fourni la petite boiteuse, il nous fut facile de la repérer.

Nous pénétrâmes bientôt dans un sombre et étroit couloir. Pour nous éclairer dans notre expédition, Mange-Burnasse avait dérobé sa torche à un passant qui avait eu le malheur de croiser notre route.

Le chemin que nous empruntions à présent multipliait les détours, descendait de quelques marches puis remontait, avant de reprendre à droite puis de tourner encore à gauche. J'entendais mon compagnon soupirer derrière moi.

– Que c'est long ! Nous n'en verrons donc jamais le bout !

– Il est vrai que Lani aurait pu faire figurer l'échelle sur son plan. Elle a un mauvais fond mais elle manque un peu de sens pratique.

À ce régime, la torche qui orientait nos pas dans l'obscurité finit par s'éteindre. Pour ajouter à nos ennuis, Mange-Burnasse n'avait pas songé à emporter des allumettes. Je ne pus réprimer une grimace d'agacement.

– Je suis désolé, Wilmuth ! On ne peut pas penser à tout.

– J'espère au moins que tu as pris ton épée avec toi, espèce d'étourdi !

– Rassure-toi : il n'y a pas de risque que je l'oublie !

Dès lors, nous dûmes progresser à tâtons, en longeant tant bien que mal les parois humides du goulot dans lequel nous nous étions engagés. Parfois, un frôlement nous avertissait de la présence d'un rat ou d'une araignée. De temps à autre, lorsque le plafond s'abaissait, nous nous heurtions violemment la tête, ce qui nous arrachait un juron de mécontentement. Nous aurions été bien inspirés de nous munir de casques ! Là encore, nous nous étions montrés imprévoyants.

Soudain, alors que nous n'avions plus aucune idée de l'endroit où nous nous trouvions, le chemin se mit à descendre selon une pente extrêmement forte. Qui plus est, les marches sur lesquelles nous posions à présent un pied mal assuré étaient si glissantes que nous pouvions trébucher à tout moment.

– Attention, Mange-Burnasse, ne pousse pas trop derrière !

À peine avais-je proféré ces quelques mots que mon compagnon partit à la renverse et ne trouva rien de mieux que de m'entraîner avec lui. Accrochés l'un à l'autre, nous fîmes une violente culbute. Malgré nos efforts désespérés, nous ne parvenions pas à ralentir notre chute et encore moins à l'interrompre.

J'ignore combien de temps se poursuivit cette maudite dégringolade. J'avais le sentiment qu'elle ne s'achèverait jamais. Nous n'étions plus que plaies et bosses ; nos vêtements étaient en lambeaux. La tête me tournait et je n'avais plus aucune notion du haut et du bas ou de la gauche et de la droite.

Brusquement, la pente s'infléchit et, lancés à pleine vitesse, nous percutâmes de plein fouet un mur qui venait de surgir stupidement devant nous. Celui-ci ne nous opposa qu'une résistance symbolique et, avec un nuage de poussière, céda sous la violence du choc. Notre élan nous propulsa alors dans une vaste salle richement décorée où quelques militaires et hommes d'Église étaient occupés à entonner de bien charmants cantiques. Nous ne fûmes pas longs à comprendre que nous venions de débouler dans la chapelle privée du pape.

Il me fut facile d'identifier l'homme en blanc qui officiait : Léon III me dévisageait avec un regard plein de perplexité et, à ce qu'il me semblait, dépourvu de toute compassion. Le maître des lieux ne devait guère apprécier de nous voir interrompre ainsi la cérémonie qu'il présidait. À ce que je pouvais en juger, le pape était court sur pattes, plutôt rondouillard, affichait un teint pâle et n'avait pas un poil sur le caillou.

Cependant, mon attention se porta immédiatement sur un autre personnage. Ma chute m'avait en effet jeté aux pieds d'un individu de belle taille, d'une cinquantaine d'années, vêtu de splendides soieries et portant au côté une magnifique épée qui, à ce que l'on m'a dit par la suite, s'appelait Joyeuse.

Là encore, il ne fut pas nécessaire de faire les présentations : par sa longue barbe, j'avais déjà reconnu Charlemagne. Certains ont affirmé que le roi des Francs ne portait que de simples moustaches. On les a mal renseignés. Pour ma part, c'est en expert et en témoin que je peux parler de la pilosité impériale.

Il faut avouer qu'il avait de l'allure. Il demeurait parfaitement calme comme si tous ces événements ne le concernaient pas. Je suppose que la proximité de son escorte lui permettait d'envisager avec sérénité notre confrontation.

Je m'efforçai vaille que vaille de me relever et de me faire le plus terrifiant possible. Malheureusement, je restai sous le contrecoup de mes multiples cabrioles et, encore à la recherche de mon équilibre, titubai comme le dernier des ivrognes. Ainsi, j'offrais un spectacle consternant et, pour tout dire, peu effrayant à celui-là même que je devais terroriser et occire.

Je ne me laissai pas démonter pour autant et, tout en vacillant, je tâchai de sortir mon épée de son fourreau. Néanmoins, un violent coup de massue sur le sommet du crâne me persuada de renoncer à ce projet.

Avant de sombrer dans l'inconscience, j'eus à peine le temps de percevoir les protestations de Mange-Burnasse et de comprendre que notre tentative d'assassinat s'était transformée en un irrémédiable fiasco. Charlemagne était sain et sauf. Pire, à aucun moment, il n'avait craint pour sa vie. Pas un de ses cheveux ni un de ses poils qui ne fût resté en place. Voilà qui n'allait certainement pas plaire à Triple-Mort !

UN DÉMON POUR LE PRIX DE DEUX

Bien que ma blessure m'eût jeté dans un profond coma, je ne demeurai pas en repos. En effet, aussi longtemps que se prolongea ma léthargie, il me revint d'épuisantes images du passé. Je revoyais ma mère en train de se consumer sur son bûcher ou Triple-Mort qui m'infligeait des coups de fouet par dizaines. Lani figurait également dans ces visions et, comme par un fait exprès, je ne pouvais m'empêcher de la remercier à tout-va, ce qui avait évidemment le don de la mettre en furie.

Je me demandai si ces étranges cauchemars étaient le prélude à la mort. Peut-être allaient-ils bientôt s'arrêter et faire place à une obscurité totale où, jusqu'à la fin des temps, il me faudrait errer comme une âme maudite. Heureusement, il faut croire que mon instinct de survie fut le plus fort car, pour cette fois, j'émergeai peu à peu de ma torpeur.

Ma situation n'était cependant guère brillante. J'étais solidement ligoté sur une table, sans espoir de pouvoir me dégager. Je devinais également que mes poches étaient vides des précieux objets que ma mère m'avait légués. Qui avait eu le toupet de s'en emparer?

Je m'efforçai tant bien que mal d'observer ce qui se passait autour de moi. Nulle trace de Mange-Burnasse. Le seul fait d'imaginer qu'il avait pu lui arriver malheur m'était intolérable. Pourquoi l'avais-je convaincu de se joindre à moi ? Si j'avais davantage songé à sa sécurité, je lui aurais interdit de m'accompagner. Cependant, je me doutais que ce triple idiot n'aurait rien voulu entendre et que couler avec moi dans ce naufrage obéissait à sa conception de l'amitié.

Au bout d'un moment, l'écho étouffé d'une conversation finit par me parvenir. À quelques pas de là se tenait un invisible conciliabule. Sans que j'en fusse certain, il me semblait être le sujet de cette discussion. Le ton utilisé, les phrases courtes ou les termes un peu vifs que je réussissais parfois à reconnaître m'informaient que le débat était tendu et que les opinions devaient sans doute diverger.

Je pressentais qu'il ne pouvait rien sortir de bon de tout ça. Au contraire, il y avait fort à parier que, d'un instant à l'autre, on me soumettrait à la torture. D'ailleurs, je m'étonnais de ne pas apercevoir déjà les instruments auxquels on avait d'ordinaire recours pour cette besogne, comme les fers brûlants ou les rouleaux à épines. Qu'attendaient donc ces gens pour se mettre au travail ? Quelle bande de traînards !

Au bout de quelques minutes, les chuchotements finirent par s'interrompre. Lorsque, l'instant d'après, je vis apparaître au-dessus de moi la face blanchâtre de Léon III, quelques-unes des questions que je me posais trouvèrent un début de réponse.

Le vieil homme me toisa avec mépris et, s'autorisant une forme de familiarité que j'estimai parfaitement déplacée, passa la main dans mes cheveux afin de mieux examiner la blessure que je portais à la tête.

À en juger par sa réaction, la plaie ne devait pas être des plus ragoûtantes !

L'impression que m'inspira Léon à ce moment-là me fut aussi désagréable que celle qu'il m'avait faite quelques heures plus tôt. D'emblée, il me parut froid et arrogant. Son regard témoignait d'une méfiance qui ne se relâchait jamais, comme si chaque être qui l'approchait ne pouvait porter en lui que d'horribles crimes ou d'inavouables fautes. Ses manières affectées achevaient de me le rendre antipathique et, pour ne rien arranger, son haleine n'avait rien à envier à celle du Rangeur ! Peut-être était-ce cela la torture que l'on me réservait !

L'homme demeurant silencieux, je décidai d'évoquer avec lui le seul sujet qui me préoccupait réellement à cet instant.

– Qu'avez-vous fait de Mange-Burnasse ?

– Mange-Burnasse ? Voilà un nom qui ne me paraît guère chrétien ! Celui qui le porte n'a certainement jamais reçu le baptême…

– Je vous le confirme ! Mais peu importe… Où est-il à présent ?

– Je suppose que tu parles du vagabond qui t'accompagnait… Tu ferais mieux de l'oublier, mon garçon. Tu devrais également mieux choisir tes fréquentations… Ce jeune freluquet a manqué de peu d'arracher sa barbe au futur empereur d'Occident ! Je me demande encore quelle mouche l'a piqué !

À cette évocation, je fus submergé d'un élan de tendresse pour mon ami. Par cette tentative désespérée pour grappiller quelques poils au menton de Charlemagne, il avait osé un baroud d'honneur qui m'emplissait de fierté. Notre humiliation n'était pas aussi totale que je le craignais.

– Qu'est-ce que vous faisiez, ton camarade et toi, à rôder ainsi dans les couloirs secrets de mon palais ?

– Du tourisme. C'est interdit ?

S'il pensait que j'allais lui révéler tout de go le but de ma mission, il était bien crédule ! Une telle naïveté m'étonnait de la part d'un homme qui était censé maîtriser toutes les finesses de la diplomatie et avoir suivi des études extrêmement complètes (moins longues que les miennes, cela va de soi).

Léon continuait à me dévisager d'un air railleur, qui m'irritait au plus haut point. Il se croyait manifestement plus intelligent que tout le monde, ce qui avait le don de m'exaspérer.

– Tu ne veux pas me répondre ? Après tout, ce n'est pas grave. J'en sais déjà beaucoup sur toi, mon cher Wilmuth…

Ainsi, le pape connaissait mon prénom. Comment avait-il pu l'apprendre ? Je ne pouvais m'expliquer ce mystère. Il était exclu qu'il tînt ce renseignement de Mange-Burnasse. Même sous la pire des tortures, mon compagnon n'aurait jamais concédé la moindre information. Il eut préféré mourir qu'accorder ce plaisir à ses tourmenteurs. C'était précisément ce qui m'inquiétait.

– Comment savez-vous qui je suis ?

– Un homme dans ma position est au courant de bien des choses. Ne me sous-estime pas… Dès que je t'ai aperçu, je t'ai trouvé un air de ressemblance avec l'une de mes lointaines connaissances… Ensuite, le contenu de tes poches m'a confirmé ce que je supposais déjà… Même si l'on m'avait dit que, dans son jeune temps, il avait eu un fils, j'hésitais encore à le croire…

– De qui parlez-vous donc ?

– De ton père, idiot!

Je ne pus dissimuler ma surprise. En quoi ma famille et ma personne pouvaient-elles intéresser les plus hauts dignitaires de l'Église? Quel rôle mon père jouait-il dans toute cette histoire? Dans quelles circonstances avait-il croisé la route de Léon III? Mais une question me taraudait plus que tout: qui était l'auteur de mes jours, ce vaurien qui nous avait honteusement abandonnés, ma mère et moi? Où se cachait-il, ce poltron à qui je devais d'être venu au monde et d'avoir enduré ensuite tant de calamités?

À mon air étonné, le pape pressentit que j'ignorais tout de mon père et qu'en moi se bousculaient une foule d'émotions contradictoires: le dégoût et la curiosité, la colère et la joie, la folle envie d'en apprendre davantage et l'ardent désir de me venger d'un inconnu.

– Si je ne m'abuse, tu ne sais pas qui est ton père...

– C'est exact. Ma mère a omis de me le révéler.

– Ah, cette Valkiria, une femme de caractère à ce que l'on m'a raconté! À ce propos, est-elle toujours en vie?

– Elle est morte sur le bûcher il y a bien longtemps...

– Quelle fin magnifique! Quel dommage que je n'aie pas pu assister à ses derniers instants! Le spectacle a certainement dû être très instructif. En tout cas, nous ne la regretterons pas. Les êtres de son espèce encombrent depuis trop longtemps l'humanité. Bon débarras!

Je lui aurais volontiers fait rentrer ces mots dans la gorge.

– Me direz-vous qui est mon père, vieux crétin?

– Je te conseille de me parler sur un autre ton,

jeune insolent ! Tu as de la chance que ton existence ait quelque prix à mes yeux. Sinon, je me serais débarrassé de toi depuis longtemps…

– Ne comptez pas sur moi pour vous remercier. Je suis et je reste un ingrat… Mais ne détournez pas la conversation : qui est mon père ?

– Ainsi, tu ne sais même pas que tu es le fils de… Mais non, je ne te dirai pas son nom. Le prononcer suffit à me faire horreur et souillerait la sainteté de ces lieux… Ce traître, cet hypocrite toujours changeant, ce sournois, ce dissimulateur ne mérite pas qu'on lui fasse tant d'honneur ! Sa duplicité sans bornes le rend plus haïssable encore que le pire des criminels !

Mon père devait être un homme des plus remarquables pour susciter la haine de deux êtres aussi opposés que le pape et Triple-Mort ! Aussi ma curiosité à son propos était-elle piquée à vif. Mais, malgré toutes mes menaces, Léon refusa de m'en révéler davantage. Au contraire, il semblait prendre plaisir à me voir quémander les renseignements que j'espérais de lui. Par dignité et parce que j'étais convaincu qu'il ne me répondrait pas, je cessai bientôt de lui donner ce divertissement et me murai dans le silence.

– Tu peux te taire, Wilmuth ; cela m'est bien égal. D'ailleurs, tu n'as pas besoin de parler pour m'être utile. Vois-tu, j'ai d'autres projets pour toi. Bien évidemment, je sais que tu ne fais pas ton âge et que, derrière l'enfant, se cache un homme qui a déjà dépassé la soixantaine. Je veux découvrir comment ce prodige est possible et bénéficier à mon tour de ce formidable privilège : arrêter de vieillir, vivre encore et encore ! Grâce à toi, le pape Léon III va connaître un long, très long règne ! Je vais donc te confier sans délai à mes médecins personnels et, après quelques examens, ils ne tarderont pas à percer ton secret à jour.

Ce monsieur se trompait du tout au tout : je n'avais aucune intention d'offrir mon corps à la science. J'étais également surpris de son refus de vieillir. Ne voulait-il pas, tôt ou tard, trépasser et rejoindre ainsi le paradis où il estimait sans doute avoir sa place ? Je considérais qu'en renonçant à un tel destin, il manquait singulièrement de logique. Pour ma part, j'étais disposé à lui offrir cet aller simple pour l'au-delà ou, en d'autres termes, à l'envoyer *ad patres* (ces gens-là ne comprennent que la violence et le latin).

À cet instant, un des hommes du pape s'approcha et chuchota quelques phrases à l'oreille de son maître. Jusqu'alors, il était resté à l'écart et je n'avais qu'entrevu sa laideur, ses yeux de fouine, ses manières serviles et cette détestable façon qu'il avait de se frotter sans cesse les mains en m'observant.

Hochant la tête par intermittence, Léon écoutait avec attention ce que son assistant lui confiait. Soudain, son regard s'éclaira, comme si on venait de lui soumettre une suggestion de la plus grande intelligence. Tout cela n'était guère rassurant. J'en eus bientôt la confirmation.

– Wilmuth, je te présente Crofulus, mon exorciste personnel.

J'avais naturellement entendu parler de ces étranges coutumes qu'étaient les rituels d'exorcisme. Ce que j'en avais appris me faisait entrevoir le pire pour ma personne.

– Comme je suis en veine de générosité, je consens à ce que tu bénéficies de ses services. Tu verras : après son intervention, tu ne seras plus le même.

C'était précisément ce que je redoutais.

– Mais je ne veux pas de votre générosité ! Je suis très bien comme je suis !

– Allons, sois raisonnable, cela sera juste un mauvais moment à passer. Lorsque Crofulus aura chassé le Démon de ton esprit, tu te sentiras beaucoup mieux.

Comme chacun sait, le mieux est l'ennemi du Mal. Si mes hôtes s'étaient souvenus de cette vérité, ils se seraient épargné bien des désagréments. Ah, s'ils avaient été plus prudents !

Sur ces entrefaites, le vieil homme en blanc quitta la pièce, m'abandonnant aux mains de son abominable assistant. Avec l'aide de plusieurs acolytes, celui-ci se mit aussitôt à l'ouvrage.

Le rituel débuta par la lecture d'une fastidieuse litanie à laquelle je ne saisis strictement rien, ma maîtrise du latin étant loin d'être parfaite. Puis on m'aspergea abondamment d'eau bénite. Peine perdue : celle-ci ne me fit aucun effet. Ensuite, Crofulus récita un psaume et se mit à interroger le démon qui était censé se cacher en moi, lui ordonnant avec véhémence de lui révéler son nom. Pour être en mesure de l'expulser de mon corps, il devait en effet adapter son traitement à la nature exacte de la créature.

Pour ma part, je tentai de dissiper ce stupide malentendu. J'assurai à l'exorciste que je n'abritais aucun démon. Pour me comporter de manière diabolique, je me passais parfaitement de ce genre d'aide. Je n'avais besoin de personne pour commettre le mal à tour de bras. Et puis, toute cette histoire n'avait ni queue ni tête : personne ne me possédait. J'aurais voulu voir ça !

Comme ces gens étaient mal renseignés !

Crofulus se lança par la suite dans une longue exhortation qui, si je l'en croyais, devait convaincre le

Malin et toute sa clique de déguerpir de mon corps sans demander leur reste.

– Démons, par les saints sacrements, je vous l'ordonne : quittez cette enveloppe corporelle. Par les pouvoirs qui me sont conférés par notre sainte mère l'Église, je vous bannis à jamais de cet enfant et vous relègue en enfer pour les siècles et les siècles. Seigneur tout-puissant, délivre cette créature et accepte-la à nouveau dans ton infini troupeau !

À ce stade, une légère démangeaison commença de me parcourir le dos. Cette sensation n'était pas foncièrement désagréable, mais je soupçonnais qu'un processus pour le moins inhabituel était en train de s'opérer au plus profond de moi. Pour mon malheur, ce diagnostic s'avéra rapidement exact.

– De la même façon que l'Antique Serpent, le Dragon et le Griffon furent vaincus, incline-toi, Satan ! Reconnais ton maître et fais pénitence !

Les quelques poils que je portais sur les bras se hérissaient comme jamais. Mes écailles semblaient en furie. On eut dit qu'elles étaient animées par une volonté propre et qu'elles cherchaient délibérément à me déchirer la peau. Alors que je les avais connues si fidèles, toujours prêtes à me servir, elles paraissaient me rejeter ou, pire, se retourner contre moi, comme si j'avais été leur ennemi.

La douleur était atroce. Je me débattais (comme un beau diable), mais les liens qui me retenaient étaient encore les plus forts et je ne pouvais échapper au supplice qui me fouaillait les entrailles. Je ne m'obéissais plus. J'en arrivais à pousser des hurlements de loup-garou, alors que de telles vociférations n'avaient jamais fait partie de mon registre naturel. La bave coagulait à ma bouche en une mousse blanchâtre et épaisse, comme il en vient parfois à la gueule du chien le plus enragé. Mon cœur battait à tout rompre, mes cheveux se dressaient sur ma tête.

À présent, mes écailles s'étaient rassemblées en une boule compacte qui courait, comme affolée, d'un point à l'autre de mon corps, tantôt le long de mes jambes, tantôt sur mon ventre ou jusque dans mes poumons. Au comble du désespoir et de la déraison, j'implorai que la mort me délivre enfin de cet enfer. N'y avait-il pas en ces lieux quelqu'un d'assez généreux pour me trancher la gorge ?

Au plus fort de ce supplice, je sentis ma poitrine éclater, comme si on m'avait arraché le cœur à mains nues. Et la douleur, la féroce douleur, s'arrêta aussitôt. L'instant d'après, je compris que, par la faute de l'ignoble rituel, je venais de perdre mes écailles bienaimées.

Toutefois, je les retrouvai instantanément sur une étrange créature, pas plus grande qu'un porc-épic, dotée de quatre courtes pattes palmées et d'une trompe qui furetait partout. Au fond de ses grands yeux noirs, la même intelligence que dans le regard d'un mouton. Pour apporter une ultime touche de ridicule, une queue aux reflets bleutés à laquelle s'accrochaient, en une sorte de chardon, quelques piquants argentés.

Sur son dos, comme une carapace : mes écailles ! Sous son ventre et jusqu'au bout de ses griffes : encore mes écailles ! De part et d'autre de sa gueule et pour composer chacune de ses dents : toujours mes écailles !

Mais là n'était pas le seul vice de cet ignoble voleur !

Comme l'eut fait le chat le plus servile, la créature

se glissait en ronronnant entre les jambes de l'immonde exorciste. Pire encore, oubliant toute dignité, elle gratifiait de généreux coups de langue les mollets poilus de l'homme d'Église.

Crofulus semblait désorienté par la tournure que prenait cette séance d'exorcisme. Assurément, il ne s'attendait pas à ce qu'il pût sortir de ma personne un être aussi doux et docile que cette chose qui, jouant à ses pieds, mendiait maintenant ses caresses. Il se tourna, interrogateur, vers ses aides, mais tous étaient dans la même confusion. Tous devinaient obscurément qu'à un moment donné, ils avaient dû faire une erreur.

Je ne tardai pas à le leur prouver.

En moi, telle une lame de fond, monta un flot de haine comme la vie ne m'en avait jamais inspiré. J'étais métamorphosé. J'obéissais à une sorte de transe qui me conférait une force prodigieuse. Sans le moindre effort, je brisai les entraves par lesquelles on m'avait ligoté. Je bondis sur celui à qui je devais la perte de mes écailles et, le saisissant par le cou, je lui éclatai la tête contre un mur. Crofulus avait vécu. J'empalai ensuite quelques-uns de ses compagnons sur les chandeliers qui éclairaient la pièce et, pour la première fois de ma vie, je ressentis le vif désir de manger de la chair humaine.

C'était la panique. Chacun cherchait à s'enfuir mais tous périssaient sous mes coups. Seule l'affreuse créature qui avait jailli de moi parvint à s'échapper. À sa recherche, j'inspectai en vain la vaste salle et les divers débris qui la jonchaient.

Furieux de ne point trouver ma proie, je me résolus à quitter les lieux. N'apercevant aucune autre issue, je me précipitai vers la seule fenêtre que comptait la pièce. Sous l'impact, la vitre explosa en une myriade de minuscules diamants. J'attcrris lourdement quelques mètres plus bas puis, me relevant, m'enfonçai tête baissée dans les ruelles de Rome, avide d'y tuer le plus grand nombre de gens…

Toutefois, au risque de vous décevoir, il me faut vous avouer que je ne conserve pas d'autre souvenir de cette sombre période pendant laquelle je ne fus plus tout à fait moi-même. J'étais dans un état second, comme un malade atteint d'une crise de délire. Aussi ne pourrai-je vous relater les événements qui ponctuèrent ces quelques semaines. Mais, rassurez-vous, il y a bien quelqu'un qui pourra vous les raconter. C'est un témoin direct des faits et sa parole ne peut être mise en doute. De surcroît, il ne vous est pas tout à fait inconnu.

Je vous laisse pour un temps en sa compagnie, en espérant que vous ne perdrez pas trop au change.

DANS LES OUBLIETTES DU PAPE

E t voilà : il fallait que ça tombe sur moi ! Comme si je n'avais rien de mieux à faire ! Je vous jure !

Comme Wilmuth vient de vous l'annoncer, il me revient la lourde tâche de poursuivre le récit de nos aventures romaines. Je tâcherai donc d'être digne de la confiance que mon détestable ami me témoigne en m'imposant cette corvée. Ah là là… Tout de même, pourquoi me faire ça à moi ? Il sait bien que la littérature n'est pas mon fort ! Et puis le passé est le passé : à quoi bon le remuer ?

Si vous ne m'avez pas encore reconnu, sachez que l'on m'appelle Mange-Burnasse. Attention, si certains d'entre vous ne se sont pas encore habitués à mon nom et continuent à y trouver motif à plaisanter, je les préviens : le premier qui rigole, je l'étripe ! Non mais ! Il faudrait voir à ne pas me manquer de respect. Les personnages secondaires ont droit, eux aussi, à la considération du lecteur !

Mais, trêve de bavardages, reprenons plutôt le fil de l'histoire…

Depuis que notre projet d'attentat avait été si facilement déjoué, je me morfondais dans la cellule sombre et sinistre où les gardes du pape m'avaient jeté. Comme on s'en doute, la geôle où j'étais confiné n'offrait que peu de divertissement. Deux mètres sur trois, un peu de paille souillée dans un coin, un plafond suffisamment bas pour vous interdire de vous tenir debout : on avait rapidement fait le tour d'un tel royaume. Les prisons sont vraiment des endroits déprimants !

Je tenais encore à la main quelques poils que j'étais parvenu, par une manœuvre désespérée mais habile, à ôter du menton de Charlemagne. Je n'étais pas peu fier de moi. Pour sa part, le monarque avait affreusement mal pris mon geste. Ces têtes couronnées sont d'un susceptible ! Quelle grande affaire pour une poignée de poils !

Malheureusement, avec une moisson aussi maigre, j'étais loin de pouvoir me doter enfin de l'épaisse moustache dont je rêvais depuis ma plus tendre enfance. Mais n'allez pas croire que je me laissais abattre par cette pensée. Pas mon genre. En réalité, je chassai vite ma déception. Ce n'était que partie remise : d'autres occasions et d'autres barbes se présenteraient !

Non, depuis que l'on m'avait enfermé, je ne cessais de ressasser l'échec de l'expédition que Wilmuth et moi avions si obstinément menée en dépit du bon sens. Pourtant, comme il m'aurait plu d'aider mon ami à exécuter sa mission ! Au lieu de cela, je n'avais su empêcher notre lamentable défaite. Au contraire, je n'avais fait que la précipiter. En particulier, j'avais bêtement laissé à l'auberge du Bourreau maudit ma fidèle boîte d'allumettes. Je me serais roué de coups tant je m'en voulais ! Quel manche j'étais ! Si j'avais disposé de cet accessoire, nous n'aurions fait qu'une bouchée du roi des Francs, de Léon III et de toute leur cour ! Une bonne mèche, deux ou trois bombinettes tirées de ma collection personnelle et rien de vivant ne serait resté de tous ces snobinards.

Rien ne s'était décidément passé comme nous le souhaitions. Quand, par ses nombreux espions, le Maître apprendrait notre déconfiture, il entrerait dans une colère qui vaudrait certainement à mon camarade les pires embêtements (pour rester poli). Un professeur aussi exigeant que Triple-Mort n'était pas de ceux qui pouvaient se satisfaire de vous infliger quelques lignes d'écriture en guise de punition :

Je n'échouerai plus jamais dans mes travaux pratiques d'assassinat,
Je n'échouerai plus jamais dans mes travaux pratiques d'assassinat,
Je n'échouerai plus jamais dans mes travaux pratiques d'assassinat,
Je n'échouerai plus jamais dans mes travaux pratiques d'assassinat…

La vengeance du Maître serait à la mesure des espoirs qu'il avait placés en Wilmuth : froide et implacable, sale et sanglante, dans la plus pure tradition du séminaire Inferno.

En revanche, j'ignorais tout du sort que, dans l'immédiat, on avait prévu pour moi. Sans pouvoir m'y opposer, j'avais vu les gardes de Léon III emporter le corps inconscient de Wilmuth. Certes, mon ami avait reçu un mauvais coup sur le crâne, mais j'étais bien placé pour savoir qu'il avait la tête dure et qu'il se remettrait de sa blessure. Cependant, j'avais remarqué avec surprise que le pape semblait mûrir des projets précis à son sujet. On eût dit qu'il le connaissait et qu'il se réjouissait déjà du parti qu'il pourrait tirer de cette prise inattendue. Entrevoir une telle joie sur le visage de ce type n'était pas pour me rassurer.

Je devais donc coûte que coûte me porter au secours de mon compagnon, mais j'avais beau examiner ma situation sous tous les angles, j'en arrivais à une seule et unique conclusion : j'étais fait comme un rat.

Dès lors, abattu, épuisé et affamé, je finis lâchement par m'assoupir. Cependant, même dans mon sommeil, la faim ne me laissait aucun répit. Que n'aurais-je point donné pour m'empiffrer à nouveau d'un chapelet de saucisses ! Malheureusement, mes rêves ne me permirent jamais de croiser toute cette boustifaille dont j'avais si envie. Aussi passai-je une bien triste nuit, emplie de frugales visions et de médiocres maux d'estomac.

Alors que j'avais dû m'endormir depuis deux ou trois heures, je fus soudain tiré de mon sommeil par de stridentes clameurs, des cris de bête qui paraissaient provenir des étages supérieurs. De toute évidence, la mêlée était gigantesque. Néanmoins, contre toute attente, le tumulte cessa aussi brusquement qu'il s'était manifesté et un lourd silence retomba sur le palais du Latran.

Un instant, un espoir un peu fou me saisit : peutêtre Wilmuth s'était-il déjà remis de ses blessures et était-il à l'origine de tout ce raffut ! Pendant quelques minutes, je guettai le signal qui m'apprendrait que mon camarade, par l'un de ces tours qui n'appartenaient qu'à lui, était parvenu à se jouer de ses gardiens. D'un moment à l'autre, je l'entendrais éventrer les hommes à qui l'on avait confié ma surveillance. Puis, avec un grand sourire, un air de triomphe et un trousseau de clés ensanglanté, il ouvrirait la porte de ma cellule. Hélas, ce fut en vain que je scrutai l'obscurité : pas de Wilmuth à la rescousse !

Déçu, je sombrai à nouveau dans un triste sommeil et dormis d'une traite jusqu'au petit matin. J'aurais même pu m'offrir une grasse matinée si une bestiole biscornue n'avait cru bon de précipiter mon réveil.

J'entendis d'abord des couinements étouffés, comme si un animal pris au piège se débattait avec l'énergie du désespoir. Ensuite, je perçus un voluptueux soupir de soulagement et, quelques secondes plus tard, une masse sombre tomba pesamment d'une mince ouverture qui venait de se dessiner sur le plafond de mon cachot. Si je n'avais réussi à m'écarter *in extremis*, nul doute que la chose m'aurait fendu la caboche ou donné une énorme bosse !

Ce qui venait de faire irruption ressemblait à une boule entièrement sertie d'écailles et d'un diamètre qui rappelait celui d'une courge de bonne taille. Aussitôt, une trompe surgit de ce surprenant légume. Elle se mit à inspecter fébrilement les alentours jusqu'à découvrir, non sans une certaine inquiétude, que la pièce s'encombrait déjà de ma présence. Puis deux yeux d'un noir parfait apparurent à la surface de la sphère. Croisant bientôt mon regard, la créature me fit un clin d'œil un peu coquin auquel je répondis fort aimablement. On peut dire que cette marque de familiarité dérida l'atmosphère qui, jusqu'alors, était restée légèrement tendue. Ainsi mis en confiance, mon invité consentit à se déplier de tout son long et se montra sous sa véritable nature. Et quelle nature !

Mon nouveau compagnon de captivité me faisait penser à une sorte de gros hérisson qui aurait remplacé ses piquants par de solides écailles. Mais sa trompe et sa queue à la fois touffue et bleutée le distinguaient de tous les animaux que j'avais rencontrés. Le Rangeur lui-même ne comptait pas un tel spécimen dans sa collection !

Nous ne tardâmes pas à sympathiser. Derrière ses abords rugueux, la bestiole était tout à fait affectueuse. Elle se laissait gentiment caresser et sa langue râpeuse m'accordait en contrepartie d'abondantes preuves de tendresse. Je dois dire que, dans ma situation, un peu de compagnie ne me déplaisait pas. Cependant, je ne pouvais me défaire d'une impression troublante : j'avais le sentiment d'avoir déjà vu ses écailles quelque part.

Cette intuition se vérifia de la manière la plus incroyable qui soit. Tandis que la créature batifolait gaiement d'un coin à l'autre de ma cellule, j'entendis tout à coup, surgie de nulle part, la voix de mon cher Wilmuth prononcer ces quelques mots qui, aujour- d'hui encore, restent gravés dans ma mémoire.

– Quand est-ce qu'on mange ?

Je bondis, frappé de stupeur mais le cœur trans- porté de joie. Wilmuth était revenu ! Je n'en croyais pas mes oreilles : nous allions bientôt être réunis et, dès les jours qui suivraient, nous pourrions songer à prendre notre revanche sur Charlemagne et tous les empereurs qui oseraient nous défier ! Toutefois, quelque chose me chiffonnait : j'étais surpris qu'en des circonstances aussi dramatiques, il se montre si préoccupé par l'heure de notre prochain repas.

– Quand est-ce qu'on mange ?

Voilà que ça le reprenait !

– Mais où es-tu donc ? Je ne te vois pas !

– Je suis là, juste devant toi.

– Où ça ?

– Là, je te dis !

– Mais ne raconte pas n'importe quoi! Devant moi, il y a juste cette créature bizarre qui n'arrête pas de sautiller bêtement…

Je réalisai alors, avec horreur, à quel point je m'étais fourvoyé. La voix qui s'adressait à moi émanait bel et bien de cet animal qui ne tenait plus en place. J'étais abasourdi. Comment cet être qui n'avait rien d'humain pouvait-il imiter mon ami jusque dans la moindre de ses intonations? Quelle magie ou quelle entourloupe était ici à l'œuvre?

Puisque cette chose était douée de parole, je la pressai de questions. Ainsi, je pus mieux comprendre ce qu'il était advenu de mon camarade et comment je me retrouvai maintenant en cette étonnante compagnie.

– Puisque tu me le demandes, je vais tout t'expliquer en quelques phrases. Je n'ai pas toujours été tel que tu me vois. En réalité, avant de recouvrer mon apparence normale, j'ai longtemps connu une existence malheureuse. Figure-toi que, pendant des années, il m'a fallu vivre dans le corps d'une affreuse créature, violente, cruelle, sans foi ni loi et sans la moindre once d'hygiène! Un fou dangereux, un tueur insatiable! Menteur, voleur, exterminateur! Un massacreur d'enfants, un pillard avide, un incendiaire forcené…

– Je crois que tu veux parler de Wilmuth…

– C'est effectivement ainsi qu'il se fait appeler. Je peux t'assurer que, bien caché dans les replis intimes de son organisme, je n'ai rien perdu des multiples crimes qu'il a pu commettre. Sais-tu qu'à lui seul, il a anéanti toute une ville alors qu'il allait à peine sur ses dix ans? Dire que, ce jour-là, il a utilisé mes gentilles écailles pour égorger tous ces braves gens!

156

– Je connais déjà cette histoire depuis longtemps… Wilmuth est mon meilleur ami, vois-tu…

– Ah? Tu es sûr? Après tout, les goûts et les couleurs, ça ne se discute pas… Je ne voulais pas t'offenser.

– Passons. Nous réglerons ça plus tard… Si je te suis bien, tu as vécu toutes ces années bien au chaud à l'intérieur de Wilmuth. Les écailles qui affleuraient à la surface de son corps, c'était donc toi…

– Parfaitement. Mais ne va pas croire que l'endroit était confortable. J'étais sans cesse ballotté, bousculé, réveillé en sursaut. Des meurtres en veux-tu, en voilà, du sang, comme s'il en pleuvait! Jamais à l'abri d'une mauvaise blessure, toujours sur les routes, toujours à se battre ou à gaspiller son temps en d'interminables exercices physiques. Et, comme si cela ne suffisait pas, une alimentation déplorable!

En voilà un qui, lui aussi, conservait un douloureux souvenir des haricots à la mode Inferno!

– Mais comment es-tu parvenu à quitter le corps de mon ami? Je doute qu'une telle séparation ait pu se passer à l'amiable!

– Je dois ma délivrance à un être admirable. Un exorciste nommé Crofulus, à ce que j'ai compris. En suivant le rituel adéquat, ce brave homme a pu m'arracher à l'emprise de ce démon… Hum, excuse-moi, je voulais dire que, par sa stupide magie, ce fâcheux individu m'a soustrait à la compagnie de ce garçon si attachant…

Un exorcisme! Quelle ignominie! Le traitement que l'on avait appliqué à Wilmuth était le plus haïssable de tous ceux que nous pouvions redouter. Après ce genre de séances, vous étiez méconnaissable. Envolés, les instincts meurtriers et l'amour du sang!

Disparues, la haine et la rage! Vous n'étiez plus que l'ombre de vous-même, prêt à vous transformer en quelqu'un de bien alors que, toute votre vie durant, vous aviez fait de votre pire pour servir dignement la cause du Mal. Quelle fin ignoble!

– Je pressens que les choses ont dû mal tourner…

– Tu as raison. Ce fut horrible. Alors que je me précipitai vers ce cher Crofulus auquel je devais mon bonheur, Wilmuth est entré dans une fureur incontrôlable. Il s'est défait de ses liens, a bondi sur mon bienfaiteur et l'a aussitôt fait passer de vie à trépas. Puis il a massacré tous ceux qui se trouvaient là. Je ne l'avais jamais vu dans un tel état et, pourtant, je connais par cœur toutes les atrocités dont il s'est rendu coupable. Heureusement, j'ai pu m'enfuir en me faufilant par une cheminée. J'ai ensuite accompli un long voyage dans diverses canalisations et j'ai finalement abouti ici, où j'ai eu la joie et le privilège de te rencontrer…

– Voilà donc l'explication du vacarme qui m'a réveillé cette nuit… Mais si Wilmuth a été la proie d'une crise de rage aussi forte que tu le dis, il a dû s'échapper depuis longtemps de ce palais. Qui sait où il peut se trouver à cette heure et à quel carnage il peut se livrer? Il n'y a pas à hésiter: nous devons partir sans retard à sa recherche!

– Pour ma part, je ne suis pas certain d'avoir très envie de revoir ce monsieur…

– Tu m'accompagneras, je te dis! Ou cela pourrait chauffer pour ton matricule…

– D'accord, d'accord… Ne nous fâchons pas… Cependant, je crains que nous soyons bloqués ici pour un bon bout de temps.

La bête n'avait pas totalement tort: notre enfermement menaçait de durer. Je me mis donc à réfléchir au moyen d'assurer notre évasion. Pendant un temps, mes efforts n'aboutirent qu'à des conclusions désespérantes puis, avisant d'un regard las mon compagnon de cellule, je réalisai que je tenais avec lui la solution à tous nos problèmes. Dire que, depuis un bon moment déjà, j'avais sous les yeux notre sésame pour la liberté !

– Je sais comment nous pouvons sortir d'ici ! Toutefois, pour parvenir à mes fins, je vais devoir emprunter une de tes écailles.

– Mais c'est que j'y suis très attaché !

– Ne t'inquiète pas : je te la rendrai dès que je n'en aurai plus l'utilité.

– Dans ces conditions… Mais je compte sur toi pour me la restituer en parfait état.

– Tu peux me croire : tu la retrouveras intacte.

J'inspectai rapidement le dos de l'animal et repérai une écaille particulièrement acérée qui se présentait sous la forme d'un V. J'allais faire des merveilles avec un tel outil. Aussi soigneusement qu'il m'était possible, je prélevai donc ce fragment.

– Que vas-tu en faire ?

– Tu le comprendras bien assez tôt. On ne va sans doute pas tarder à nous apporter notre pâture de la journée et tu me verras alors à l'œuvre ! Ça va être sanglant !

– Arrête, tu me fais peur ! Pourquoi faut-il toujours en passer par la violence et le meurtre ?

– Parce que c'est beaucoup plus pratique ! Allons, ne pose donc pas de questions stupides !

Bientôt, comme je l'avais prévu, un garde au regard méfiant entrouvrit la porte de la cellule et me jeta au visage le quignon de pain et le morceau de fromage pestilentiel qui auraient dû constituer mon repas. Sans lui laisser le temps de refermer le lourd battant, je tirai de ma manche l'écaille que j'y avais dissimulée et la lançai si adroitement en direction du gardien qu'elle se logea droit entre ses deux yeux. Inutile de préciser qu'il ne s'en releva point.

Sans traîner davantage, la créature sur mes talons, je me penchai sur le corps qui se tordait en d'ultimes convulsions et récupérai la pointe qui s'était enfoncée de quelques centimètres dans son crâne.

– Tiens, je te la rends.

– Hum… C'est qu'elle est terriblement sale maintenant !

– Allons, ne fais pas ta mijaurée !

Je m'emparai de l'épée du garde et, toujours suivi par mon nouveau compagnon, me ruai dans les escaliers, à la recherche de la sortie. Je dois dire que je me montrai assez habile dans cette quête puisque, après avoir occis quelques soldats, je pus à la fois remettre la main sur mes armes, mes bombes et mon exemplaire du *Guide du Bâtard*, et arriver sans encombre jusqu'à l'air libre.

La boule d'écailles et moi déboulâmes enfin hors du palais et, dans la foulée, nous nous évanouîmes dans les rues avoisinantes. Conscient que sa seule vue en eût terrorisé plus d'un, je jugeai plus prudent de cacher mon compagnon sous ma chemise.

Je pris la direction du quartier de Subure et de l'auberge du Bourreau maudit, là où nous attendait peut-être la seule personne qui, en ces moments difficiles, pourrait nous apporter son aide : la si laide et si délicieuse Lani !

En chemin, j'échangeai quelques mots avec mon petit camarade.

– Eh toi, l'animal, je ne sais même pas comment tu t'appelles…

– On ne m'a jamais donné de nom…

– Il va falloir y remédier.

– J'ai ma petite idée sur la question…

– Ah oui?

– Laisse-moi t'expliquer. Tu as bien compris que je n'étais qu'une moitié de Wilmuth. Aussi la logique voudrait que je porte également la moitié de son nom. Que dirais-tu de Wilou ou de Mumuth?

– Ça ne me plaît pas trop… Je suggère plutôt «Caille-Caille». Rapport à tes écailles. Qu'en penses-tu? Cela en impose, non?

– C'est parfait! Je ne pouvais rêver patronyme plus flatteur… Et toi, comment t'appelles-tu?

– Mange-Burnasse…

– C'est vraiment ravissant!

Ce compliment prononcé avec tous les accents de la sincérité m'alla droit au cœur. Indubitablement, cet animal était un homme de goût.

À LA CHASSE AU WILMUTH !

Lorsque nous arrivâmes à l'auberge, j'aperçus Lani en train de verser du poison dans la soupe d'un client. C'était ainsi que, d'ordinaire, elle se débarrassait des mauvais payeurs ou de tous ceux qui osaient se montrer impolis avec elle.

Au regard qu'elle me jeta en me voyant, je compris qu'elle n'avait guère apprécié le tour que nous lui avions joué la veille. Les propos qu'elle me lança peu après à la figure m'en fournirent la preuve.

– Ah, vous voilà, vous ! Vous ne manquez pas d'air pour venir à nouveau exhiber votre grosse face d'abruti ! Vous et votre satané ami, vous avez eu une bien étrange façon de me remercier de mon aide. Comme j'ai été sotte de vous faire confiance ! Vous m'aviez pourtant promis de m'emmener voir le pape ! Vous n'avez donc aucune parole ?

– Ben non.

– J'aurais dû m'en douter. Quand j'ai fini par admettre que vous vous étiez moqués de moi, je suis entrée dans une rage folle. Je crois que, dans la foulée, j'ai dû tuer deux ou trois clients. Si j'avais retrouvé votre trace, croyez bien que je vous aurais hachés menu…

– Cette envie vous est-elle passée?

– On peut dire que vous avez de la chance: après une bonne nuit de sommeil, je me suis réveillée de meilleure humeur et je n'ai plus le désir de vous supprimer, vous et ce goujat de Wilmuth!

– J'en suis heureux…

– Ne vous réjouissez pas pour autant! Si je m'abstiens de vous massacrer, c'est uniquement parce que vous n'en valez pas la peine. J'ai d'autres chats à fouetter et vous tuer ne serait pour moi qu'une perte de temps.

– Ah bon?

– Oui, comme je vous le dis… Mais, au fait, où se cache l'ahuri qui vous sert d'acolyte?

– Son sort vous intéresse-t-il vraiment? Je pourrais vous apprendre bien des choses à son sujet. Des choses proprement incroyables et effrayantes. Cependant, je ne voudrais pas vous imposer une « perte de temps ».

– Monsieur Mange-Burnasse, je me rends bien compte que vous me taquinez. Mettons que, par curiosité et afin de me tenir au courant de l'actualité, je consens à écouter votre récit.

Tandis que Caille-Caille se débattait de plus en plus sous ma chemise, je racontai donc à Lani les épreuves que Wilmuth et moi avions traversées au cours des dernières heures. Naturellement, j'omis d'évoquer le moindre élément qui pût l'amener à penser que nous étions en mauvais termes avec ce pape auquel elle vouait une admiration inattendue.

Je la vis imperceptiblement frémir lorsque je mentionnai le coup de massue qu'un guerrier franc avait infligé à mon ami. Puis ce fut sans retenue qu'elle écarquilla les yeux quand je fis allusion à l'exorcisme dont il avait ensuite été la victime. Toutefois, l'ébahissement de la jeune fille atteignit un nouveau sommet quand j'abordai ma rencontre avec Caille-Caille.

– Où est cette créature ? Je veux absolument la voir !

Il me sembla préférable de l'attirer à l'écart avant de la mettre en présence de la seule partie de Wilmuth où, à cette heure, on pouvait encore trouver un peu de gentillesse et de douceur. Je m'exécutai avec réticence car je craignais que le choc s'avérât trop violent, y compris pour une personne aux nerfs aussi solides que Lani.

La suite prouva que je me trompais.

– Oh, comme il est mignon... Viens ici, mon petit, je vais bien m'occuper de toi... Quelles magnifiques écailles ! Quels beaux piquants ! Quelle créature adorable ! Et ce regard ! Comme il a l'air gentil ! Il ne lui manque que la parole...

– Vous allez rire : il sait aussi parler.

– Formidable ! Il a décidément tout pour plaire ! Approche, petit Caille-Caille, ne sois donc pas timide ! Avec Lani, on n'est jamais malheureux !

Il va de soi que Caille-Caille ne se fit pas prier. Lissant ses écailles jusqu'à les faire devenir douces comme de la soie, il se lova bien au chaud contre la poitrine de sa nouvelle amie.

– Mademoiselle, je ne saurais refuser une aussi aimable invitation. Vous pouvez me considérer à présent comme votre éternel obligé.

– En voilà un qui sait parler aux filles !

Je n'avais jamais vu Lani sous un tel jour : si enjouée, si gaie, si affectueuse et, à vrai dire, si jolie.

Elle en devenait même presque supportable pour les yeux.

Tout en berçant Caille-Caille comme elle l'eut fait d'un nourrisson, la jeune aubergiste se tourna à nouveau vers moi :

— Ainsi, c'est tout ce qu'il nous reste de Wilmuth ?

— Pas tout à fait… Je crains que l'autre moitié du bonhomme ne soit en train de perpétrer quelque carnage en ville… Manifestement, il ne se contrôle plus et il est capable du pire. Enfin, encore plus que d'habitude, si vous voyez le tableau…

— Il ne faudrait pas non plus qu'il lui arrive malheur !

— Je suis bien d'accord. Nous devons à tout prix le retrouver, avant que les hommes du pape ne s'occupent de lui !

Pour quelqu'un qui « n'en valait pas la peine », Wilmuth me paraissait revêtir une certaine importance aux yeux de cette fille d'ordinaire si revêche. Aussi, je ne fus pas long à comprendre qu'elle m'aiderait de son mieux dans mes recherches et qu'elle me ferait profiter de ses nombreuses relations parmi les tenanciers de tripots, les assassins professionnels, les mendiants à la petite semaine ou les matrones poilues qui travaillaient dans les bas quartiers.

Avant la fin de la matinée, elle fit savoir à tous ses contacts qu'ils devaient lui rapporter le moindre renseignement sur le dénommé Wilmuth. Avec ses instructions, elle leur transmit également un portrait de ce dernier qu'elle avait crayonné de mémoire et qui rendait assez fidèlement son air buté, son allure de va-nu-pieds et son sourire légèrement démoniaque. Ne lui manquait que l'odeur !

Rapidement, le réseau de Lani se révéla d'une

indéniable efficacité. En effet, au fil des jours, nous eûmes régulièrement des nouvelles fraîches (et sanglantes) de mon camarade. On le vit successivement anéantir toute une procession de pèlerins en route vers la tombe de saint Pierre, créer de vastes étendues de ruines romaines (des traces évidentes en subsistent encore de nos jours) et égorger diverses personnalités locales.

Sans vouloir faire passer mon condisciple pour un fainéant, il me faut reconnaître que je ne lui avais jamais connu une activité aussi intense. Celle-ci finit bientôt par lui valoir une solide réputation chez les gens normaux : le soir, le Romain honnête rechignait à sortir de chez lui de peur de le rencontrer et claquait furieusement des dents quand il entendait les plaintes suraiguës que le Monstre arrachait à ses nouvelles victimes.

Je me joignis bien évidemment aux recherches. Ainsi, j'entraperçus plusieurs fois mon camarade tandis qu'il se livrait à quelque ravage ou prenait la fuite une fois son forfait accompli. Il était méconnaissable. Non pas que son visage ou son corps eussent changé. En réalité, il était devenu une bête enragée qui, sans but ni raison, sans besoin et sans joie, passait le plus clair de son temps à tuer et à détruire. Quand je l'interpellais, il restait sourd à mes appels. Il ne se souvenait plus de moi et avait oublié que nous étions amis, ce qui me rendait triste.

Si j'étais tombé entre ses mains, il ne se fut point privé de me supprimer. Cette pensée aussi m'attristait.

Je voulais revoir Wilmuth tel que je l'avais toujours connu. Avec ses qualités et ses défauts, son caractère de cochon, sa langue bien pendue, ses idées tordues, son goût pour l'aventure, son sens déplorable de l'hygiène et ses pieds malodorants ! Je me languissais de ses manières brutales, de ses plaisanteries usées jusqu'à la corde ou de ses crocs-en-jambe stupides. Comme il me manquait, cet imbécile !

Malheureusement, de longues semaines s'écoulèrent avant nos retrouvailles. Pendant ce temps, les événements et les intrigues de pouvoir qui animaient la ville suivaient leur cours. En particulier, le jour de Noël, Charlemagne fut sacré empereur d'Occident par le pape.

Les festivités qui entourèrent le couronnement battirent leur plein pendant plusieurs jours et l'émotion suscitée par les atrocités commises par mon compère passa provisoirement au second plan. Parfois, un fêtard quelque peu éméché était happé par une ombre tapie dans le coin d'une ruelle et, le lendemain, on retrouvait non loin de là son cadavre affreusement dépecé. Dans l'obscurité, Wilmuth continuait son œuvre.

Charlemagne résida à Rome jusqu'à la Pâque de l'année 801. Puis il partit inspecter les travaux de son palais d'Aix-la-Chapelle. Pour ma part, je ne me souciais guère de lui. Que m'importait le maître du monde quand l'esprit de mon ami battait la campagne ?

Si mes pensées étaient tournées vers Wilmuth, je n'oubliais pourtant pas que Triple-Mort finirait par apprendre que mon camarade et moi étions à mille lieues d'exécuter les missions qu'il nous avait confiées. Par moments, j'avais même le sentiment que les espions du Maître étaient déjà en action et qu'ils observaient tous mes faits et gestes. Lani m'assurait que nul ne nous surveillait, mais je ne pouvais me départir de cette impression d'être sans cesse épié.

La jeune fille, quant à elle, avait développé une solide affection pour Caille-Caille. En cuisine, elle lui réservait les meilleurs plats et veillait à ce qu'il ne manque jamais de rien. Elle perdait rarement une occasion de gratifier l'animal de quelques caresses, quitte à courir le risque de s'écorcher la main sur l'une de ses écailles. Pendant de longues heures, elle évoquait aussi avec la bête les années que celle-ci avait vécues dans le corps de sa méchante moitié et découvrait ainsi la face cachée de Wilmuth. Elle apprenait à connaître de sa personnalité la part la plus douce et la plus aimable, celle-là même qu'il aurait mis un point d'honneur à dissimuler s'il était resté dans son état normal. C'est que c'est un pudique, l'animal !

Pour sûr, mon camarade n'aurait guère apprécié ce genre de confidences. Cependant, à voir l'étrange sourire qui naissait sur le visage de Lani, je ne pouvais me résoudre à interdire ces conversations entre la laide et la bête. J'imaginais qu'en discutant avec Caille-Caille, elle tâchait d'oublier l'absence de l'autre affreux et qu'elle se consolait peut-être de s'être parfois montrée renfrognée ou indifférente à son égard.

De temps en temps, Lani venait aussi me trouver. Alors que je l'avais toujours vue bougonne et réservée, elle me faisait désormais part sans la moindre pudeur de ses sentiments les plus intimes à tel point que j'en étais gêné et ne savais comment réagir ! Au séminaire Inferno, on ne nous avait en effet inculqué que les rudiments de la psychologie féminine.

— Mange-Burnasse, je me sens coupable…

— Pour des criminels comme nous, cela fait partie des petits plaisirs de la vie…

– Ne dites pas n'importe quoi! Si vous saviez comme je me méprise! En vérité, je suis une moins que rien!

– Tout de même, vous y allez un peu fort!

– Je sais encore ce que je dis, bougre de crétin! Si vous saviez les pensées qui me viennent à l'esprit! Mais je n'y tiens plus: il faut que je vous en parle. Par instants, je souhaite que, jamais, nous ne parvenions à capturer Wilmuth vivant. Parfois, je me prends à rêver qu'il est mort et que je ne conserverai plus de lui que sa meilleure moitié, celle qui se laisse caresser et sait trouver des mots qui me plaisent. Oui, s'il me fallait choisir entre sauver Caille-Caille ou épargner cette brute qui court les rues de Rome en quête de massacres, je prendrais peut-être une décision qui vous scandaliserait!

– Oh, je vois... Depuis l'arrivée de Caille-Caille, votre situation n'est évidemment pas confortable: il n'est pas toujours plaisant de connaître aussi précisément les bons et les mauvais côtés de la personne que l'on aime...

– Parce que vous pensez que j'aime cet imbécile de Wilmuth?

– Oui.

Lani m'adressa alors toutes les grimaces que son minois si élastique était en mesure de produire. Son teint passa par diverses couleurs qui, pour l'essentiel, étaient dominées par le rouge. Les mains la démangeaient au plus haut point et il ne faisait pas de doute que m'étrangler les aurait sans doute apaisées. Toutefois, le sang finit par refluer de son visage, signe qu'elle avait réussi à dominer ses nerfs.

– Mettons que je ne déteste pas cet abruti.

– Je veux bien vous croire...

– Mais ne trouvez-vous pas que je manque de loyauté envers cet idiot ? Si j'étais une amie digne de ce nom, j'apprécierais en lui le bon au même titre que le mauvais. J'accepterais tout, je ne ferais pas le tri…

– Allons, ne vous faites pas du mauvais sang. J'ai le souvenir qu'avant cette triste histoire, quand Caille-Caille et Wilmuth ne formaient qu'une seule et même personne, mon camarade ne vous laissait pas insensible. S'il nous est permis de les rassembler une nouvelle fois, vos élans vous reviendront tout naturellement. Je suis même certain que, désormais, vous ne comprendrez que mieux sa personnalité embrouillée !

Pour quelqu'un dont l'éducation se résumait aux mille et une manières de liquider son prochain, il me semblait que j'assumais avec un certain brio mon nouveau rôle de conseiller sentimental.

– Oui, eh bien, le temps me semble long ! J'espère que nous ne tarderons pas à remettre la main sur cette teigne.

– Ne perdez pas espoir, Lani ! Nous finirons bien par le capturer.

Malheureusement, je n'entrevoyais en réalité aucun moyen d'y parvenir. Lorsque nous étions à ses trousses et sur le point de nous emparer de sa personne, Wilmuth s'en tirait toujours par un tour de passe-passe à sa façon. Il nous échappait sans manquer de nous narguer et de nous abreuver d'insultes et de divers gestes de défi avec les doigts. S'il n'avait pas été mon ami, je l'aurais maudit !

La liste déjà affolante de ses victimes continuait donc de s'allonger et notre impuissance à interrompre ses raids meurtriers nous plongeait dans un amer découragement. En revanche, s'il en était un qui ne partageait pas notre abattement, c'était bien cette bonne pâte de Caille-Caille ! Celui-ci s'accommodait en effet fort bien de l'éloignement de Wilmuth et s'efforçait de profiter au mieux de sa liberté. Pour lui, cette situation n'avait que des avantages : elle marquait la fin d'une vie emplie de périls et de scènes violentes, en même temps que le début d'une existence oisive aux côtés de la charmante Lani. Et le bougre savait en profiter !

Néanmoins, il commit un soir l'erreur de me faire part un peu trop précisément de sa joie.

– Je n'ai jamais été aussi heureux ! Je peux enfin goûter au repos, à la compagnie d'une tendre amie et à une alimentation riche et variée. Mais il s'en est fallu d'un rien que je ne connaisse jamais tant de plaisirs. S'il en avait eu la possibilité, Wilmuth m'aurait certainement transformé en descente de lit...

– Allons, s'il s'en était pris à toi, c'est à lui-même qu'il aurait fait du mal !

– Ne croyez pas cela ! Lors de cette fameuse séance d'exorcisme, j'ai clairement perçu qu'il en avait après moi. S'il avait pu me voler toutes mes écailles, il ne s'en serait pas privé ! Si vous aviez vu comme il les regardait avec envie !

– Ah oui ? Mais c'est très intéressant ce que tu me racontes là !

Quand il vit un éclair de triomphe illuminer ma sombre face, Caille-Caille regretta instantanément ses paroles. Il pressentait qu'elles m'avaient soufflé une idée qui lui vaudrait bientôt les pires ennuis. Bien vu ! Ses révélations m'avaient effectivement inspiré un plan dans lequel il allait prendre une part décisive.

Sitôt mon projet mûri, je consultai Lani qui accueillit avec enthousiasme mes suggestions. Aussi associai-je étroitement la jeune Romaine à mes préparatifs. Si je m'appuyais sur une auxiliaire aussi zélée, le piège que j'imaginais ne serait peut-être pas dressé en vain.

Les jours précédents, on avait aperçu Wilmuth non loin des ruines des thermes de Dioclétien. Il semblait ne quitter ces décombres que pour chaparder les immenses quantités de barbaque nécessaires à son alimentation ou pour massacrer jusqu'au dernier les habitants de quelque immeuble que l'envie lui prenait de visiter.

J'étais tout de même atterré que quelqu'un d'aussi franchement opposé au bain et au savon ait décidé de se cacher dans les vestiges d'un monument où, pendant plus de deux siècles, les habitants de la ville avaient voué un culte à la propreté et aux parfums. Sans conteste, mon ami n'était plus lui-même. Il était grand temps de mettre un terme à cette affaire !

Le soir où le sort de mon camarade devait se décider arriva enfin. À pas feutrés, je gagnai tout d'abord l'entrée des ruines. Puis je déposai là, bien en évidence, une des écailles qu'après bien des négociations, j'avais arrachées au gentil Caille-Caille. Si le destin nous était favorable, Wilmuth en remarquerait bientôt la présence et suivrait la piste que j'avais créée pour lui. Car après ce premier fragment de carapace, j'avais disposé, séparées les unes des autres par quelques pas, d'autres écailles qui, lorsque mon ami céderait à la tentation de reconstituer son armure d'autrefois, le conduiraient droit sur les lieux de sa capture.

Lani et moi nous postâmes derrière une colonne et restâmes longtemps à guetter jusqu'au mouvement le plus insignifiant. Alors que nous commencions à désespérer de ne jamais voir surgir le fils de Valkiria, nous entendîmes soudain à quelques mètres un rugissement de satisfaction puis de sordides ricanements : Wilmuth venait de découvrir le petit présent que je lui destinais.

Le pauvre, il faisait peine à voir ! Son corps était parcouru de tics nerveux et il dodelinait de la tête comme si celle-ci représentait pour ses épaules un insupportable poids. Ses mains rougies et sales étaient la proie d'irrépressibles tremblements. Son regard injecté de sang n'était plus celui d'un être humain mais était vide de toute expression, comme s'il n'avait plus été qu'une simple machine à tuer.

Tout cela ne me plaisait pas trop.

Je pus voir sur le visage de Lani qu'elle passait par les mêmes sentiments que moi. Elle était abasourdie par la transformation qui, en quelques semaines, s'était opérée chez notre ami mais, loin de la décourager, cette triste vision ne fit que renforcer sa détermination. Sur un signe de ma part, elle déplia sa fidèle sarbacane et fit glisser dans son arme l'un des projectiles que j'avais préparés pour l'occasion. Les pointes de ces flèches avaient baigné plusieurs nuits dans un mélange de mon invention où, selon des proportions connues de moi seul, entraient des racines de valériane, des pétales de passiflore, les moustaches de plusieurs souris, de la poudre de varan et quelques feuilles de menthe (pour adoucir la piqûre). Si je ne m'étais pas trompé dans mon dosage, cette savante décoction constituait un imparable remède contre les plus féroces crises d'hystérie et devrait donc ramener Wilmuth à de meilleures dispositions.

Ce dernier se comportait exactement comme je l'avais espéré. Tenant à la main la première écaille, il ne tarda pas à apercevoir les autres plaques d'armure que j'avais posées sur le sol. Ainsi, sans se douter de ce qui l'attendait, il emprunta docilement le chemin que je voulais lui voir suivre et aboutit à l'endroit même où nous avions résolu de nous saisir de lui.

Nous avions choisi de tendre notre piège à proximité d'une minuscule colline qui avait pour nom l'Anquetin. Certes, celle-ci était moins célèbre que le Capitole ou l'Aventin mais, avec ses pentes fleuries et son léger galbe, le paysage qu'elle composait n'était pas déplaisant…

Au pied de cette colline, nous avions enfermé dans une petite cage l'ami Caille-Caille. On ne pouvait pas dire que l'animal prenait sa situation avec philosophie.

– C'est scandaleux! On ne m'a jamais traité ainsi! Vous allez me faire le plaisir de me libérer tout de suite! Et puis, que l'on me rende illico mes écailles! Personne n'aura donc pitié de moi?

La grosse boule était consciente de son statut d'appât et ne taisait ni sa peur ni sa colère. Brusquement, il se mit néanmoins à redoubler de panique et les cris suraigus qu'il poussait devinrent plus déchirants que jamais.

– Il arrive, il arrive! Le voilà! Il m'a vu! Il court, il se rue sur moi! Oh là là, il n'a pas l'air commode du tout! Au secours! À l'aide! Mais faites quelque chose! Au fou, à l'assassin!

Wilmuth secouait maintenant la cage avec violence, cherchant à en forcer la serrure ou à en déterminer le point faible. D'un moment à l'autre, l'objet allait céder sous ses assauts et les instants du pauvre Caille-Caille seraient alors comptés.

Tout à la joie de dépecer bientôt sa moitié, Wilmuth avait abandonné toute vigilance et nous pûmes suffisamment nous approcher de lui pour qu'il fût enfin à portée de Lani et de sa sarbacane. L'intrépide Romaine porta son arme à la bouche et, par deux fois, fit mouche.

Deux fléchettes purent ainsi atteindre coup sur coup Wilmuth à la gorge. Malheureusement, celles-ci ne lui firent pas plus d'effet que deux piqûres de moustique. Mon sédatif n'était pas assez puissant pour agir immédiatement et il fallait sans tarder augmenter les doses. Caille-Caille, lui aussi, était de cet avis.

– Qu'est-ce que vous attendez? Ce type va me trucider! Je peux vous assurer qu'il ne plaisante pas!

Trois nouvelles pointes imbibées de valériane frappèrent Wilmuth en divers points sensibles. Cette fois, il accusa comme un coup de fatigue. Il vacilla, tituba, battit l'air des mains et, pendant un instant, nous nous mîmes à espérer qu'il allait enfin s'effondrer. Mais il n'en fut rien : s'il avait perdu une partie de ses forces, il n'était pas à terre et son hystérie était loin d'être apaisée. Pire encore, il avait désormais remarqué notre présence, comme nous le confirma la lueur de rage qui s'alluma dans son regard.

Ignorant Lani, la cage et son pensionnaire, il se précipita à ma rencontre. Toutefois, d'un coup de rein désespéré, je parvins à éviter cette première attaque. Ma situation restait néanmoins inconfortable. Je ne pouvais utiliser mon épée contre mon camarade mais, si loyal que je sois, je pouvais difficilement me laisser étriper. Mon sens du sacrifice a des limites! Cependant, Wilmuth ne me permit pas d'hésiter plus longtemps car il se jeta de nouveau sur moi. Cette fois, il ne manqua pas sa cible et, me serrant furieusement la gorge, se fit un devoir de m'étrangler.

Je me débattais de mon mieux mais ma résistance était vaine. La pression qui s'exerçait sur mon cou s'accentuait sans discontinuer et ma vue s'était voilée de rouge. J'avais la sensation que mes yeux allaient jaillir de leurs orbites. L'air commençait de me manquer cruellement.

Pourtant, contre toute attente, je sentis soudain les mains de mon assaillant relâcher leur étreinte. L'instant suivant, il s'abattit sur moi, sans connaissance. Une fois que je me fus dégagé, je pus observer le corps inanimé de Wilmuth : celui-ci se hérissait d'une multitude de courts piquants, preuve que, pour m'arracher aux griffes de mon agresseur, Lani avait épuisé la quasi-totalité de ses flèches. Je constatai aussi que, dans son désir de bien faire, la jeune fille avait également eu recours à un anesthésiant plus traditionnel puisqu'elle avait infligé à Wilmuth une impressionnante collection de bosses.

– Sans vous, j'y passais ! Quand je pense à tout ce que j'ai fait pour ce type ! Il a quand même une drôle de façon de me montrer sa gratitude.

– J'ai bien cru que je n'allais jamais en venir à bout. Si vous m'aviez vue, Mange-Burnasse ! Flèche après flèche, je soufflais sans relâche dans ma sarbacane et lui, imperturbable, continuait à vous garrotter, comme si de rien n'était. J'en serais devenue folle !

– Par chance, vos efforts ont fini par payer… Même s'il m'en coûte, je vais devoir passer de solides chaînes à Wilmuth. Je ne veux pas courir le risque d'un nouvel étranglement ! Pendant ce temps, pouvez-vous vous enquérir de la santé de Caille-Caille ?

Lani m'annonça bientôt que le bougre se remettait peu à peu de ses émotions. En effet, libéré de sa cage, encore tremblant et secoué de soubresauts, il se consolait déjà dans les bras de la jeune fille. Voilà un animal qui ne perdait pas le nord !

– J'ai bien failli mourir ! Je ne te remercie pas,

Mange-Burnasse. Si Lani n'avait pas été là, ce gredin n'aurait fait qu'une bouchée de moi ! En ce moment, je serais peut-être au fond de son estomac. Ce garçon est capable du pire !

– C'est normal : il a été entraîné pour ça ! Mais rassure-toi : Wilmuth est désormais enchaîné et ne te fera plus aucun mal. J'ai aussi récupéré les écailles que je t'avais prises. Tiens, je te les rends.

– Venez ici, mes petites. Comme vous m'avez manqué ! Plus jamais je ne me séparerai de vous ! Rassurez-vous, mes mignonnes, chacune d'entre vous va retrouver sa place !

Sur cette scène touchante, nous nous mîmes en route vers l'auberge du Bourreau maudit et, avant la fin de la nuit, Wilmuth fut de nouveau installé dans la chambre qu'il avait quittée quatre mois plus tôt. Lani et moi étions aux petits soins pour notre malade et nous montrions attentifs à renouveler régulièrement le traitement que je lui avais prescrit contre l'hystérie. Je constatais cependant avec une certaine appréhension que mes réserves de passiflore et de valériane diminuaient à vue d'œil et que je ne serais pas éternellement en mesure de produire mon remède. Paradoxalement, je n'étais pas certain de le regretter. En effet, je craignais qu'à la longue, celui-ci ne finît par transformer mon compagnon en une sorte de légume, un être débile et inoffensif que nous aurions artificiellement maintenu en vie. Si Wilmuth avait été à même d'en décider, il n'aurait certainement pas voulu terminer son existence de cette façon.

Je fis part à Lani de mes scrupules et de mon inquiétude.

– Vous avez raison, Mange-Burnasse : nous ne pouvons lui imposer cela trop longtemps. Il doit absolument redevenir celui que nous avons connu… Je ne

suis pas sûre d'y gagner au change mais tant pis !
Même s'il doit m'agacer ou m'indisposer, je le suppor-
terai comme il est, ce gros imbécile !

– Mais comment faire ? Il faudrait que, d'une façon
ou d'une autre, Caille-Caille réintègre le corps de Wilmuth. Cependant, j'ignore comment nous pourrions
nous y prendre.

Caille-Caille ne perdait rien de notre conversation
et son angoisse était clairement perceptible. Lui qui
pensait que la capture de Wilmuth avait marqué la fin
de ses tourments, il tombait de haut et se montrait bien
amer !

– Je refuse de revenir dans ce type ! C'est trop dangereux ! Il a le mal dans la peau !

– Allons, si tu reprenais ta place, Wilmuth cesserait
d'être la brute qui terrorise Rome depuis de trop
longues semaines. Je ne veux évidemment pas dire
qu'il deviendrait du jour au lendemain un être doux et
pacifique mais tu le ferais profiter de tes bons côtés et,
ainsi, il lui arriverait de penser parfois à autre chose
qu'à tuer. Songe aux vies que ton sacrifice permettrait
de sauver !

– Mais je ne veux pas me sacrifier, moi ! Je veux
rester comme je suis. Je m'aime beaucoup comme ça !

– Ne m'énerve pas, Caille-Caille. Tu retourneras
dans ce corps, que cela te plaise ou non !

– J'aimerais t'y voir !

– On ne va pas passer des heures à en discuter.
Fais-toi une raison…

– Pas question ! Et puis, tu n'as pas la moindre idée
de la méthode à suivre ! Par exemple, par où veux-tu
que je rentre dans cet horrible Wilmuth ? Dis-le-moi,
toi qui es si malin !

– J'aurais bien une suggestion mais…

À ces paroles, le visage de Lani s'empourpra violemment et un silence gêné s'instaura entre nous.

Heureusement, la jeune fille oublia bientôt cet épisode et me soumit une solution tout à fait ingénieuse à nos problèmes. J'applaudis des deux mains sa proposition et, dès les jours suivants, nous la mîmes en œuvre.

L'HABIT NE FAIT PAS LE MOINE !

Ce dimanche-là, à la fin du mois d'avril 801, le pape Léon III quitta dans une colère noire l'office qu'il venait de célébrer au Vatican. La faute à ses deux enfants de chœur qui avaient tout fait de travers et manqué de saboter sa messe ! Heureusement, grâce à sa longue pratique, il avait pu dissimuler les grossières erreurs commises par ces idiots, si bien que les nombreux fidèles réunis sous les voûtes de la basilique n'avaient rien remarqué d'inhabituel.

Cependant, ces deux-là allaient passer un mauvais quart d'heure ! Il les avait convoqués séance tenante dans la sacristie et il entendait leur flanquer une correction dont ils se souviendraient. Ah, s'il avait tenu le crétin qui lui avait envoyé ces deux incapables pour remplacer Lucius et Marcellus, les deux adorables enfants qui l'assistaient d'ordinaire !

Quand il entra dans la sacristie, l'air mauvais et les manches déjà retroussées, Léon tendit vers nous un poing vengeur et commença à nous traiter de tous les noms. Quel langage ! Était-ce notre faute, à Lani et à moi, si nous nous étions quelquefois trompés pendant

180

cette interminable messe ? Ni l'un ni l'autre n'avions en effet eu l'occasion de nous familiariser avec ce genre de rituel. La jeune fille consacrait ses dimanches à dépouiller les paroissiens qui sortaient des églises mais n'avait jamais mis le pied à l'intérieur de l'une d'elles. On ne peut pas être au four et au moulin... Pour ma part, le séminaire Inferno ne m'avait nullement entretenu de tels sujets.

Lani, adoptant la voix la plus mâle possible, tenta d'apaiser le bonhomme.

– Très Saint-Père, nous sommes réellement navrés. Nous avons fait de notre mieux et nous ne sommes parvenus qu'à vous décevoir ! Nous accorderez-vous toutefois votre pardon ?

– Mon pardon ? Mais tu plaisantes ! Vous ne pensez tout de même pas que vous allez vous en tirer aussi facilement, bande de vauriens ! Je vais vous apprendre le respect et la dévotion à coups de fouet, moi !

Déjà, il levait la main sur Lani, prêt à lui asséner une gifle retentissante. Néanmoins, je m'interposai assez promptement pour l'empêcher de terminer son geste.

– Qui êtes-vous pour porter outrage à ma personne ? Je vous promets que vous allez le regretter !

Par estime pour Lani, j'étais disposé à faire preuve de patience à l'égard de Léon et à supporter son humeur exécrable. Comme on le sait, elle éprouvait pour cet homme une grande admiration. Dès lors, elle considérait que montrer un peu de tact envers un tel personnage ne gâchait rien et elle m'avait assuré que le pape se rendrait à nos arguments quand nous lui aurions expliqué (calmement) notre demande...

Avant l'office, nous avions enfermé dans le même placard Wilmuth, Caille-Caille et les deux enfants de chœur que nous avions si diligemment remplacés.

Chacun d'entre eux avait tenté de supporter avec dignité cette cohabitation forcée mais, lorsque nous ouvrîmes la porte de l'armoire, Lucius et Marcellus semblaient plus morts que vifs. Par quelques bourrades dans le dos, je leur permis de recouvrer leur respiration. Puis je leur fis comprendre que je leur trancherais la gorge s'ils s'avisaient de crier ou s'ils cherchaient à s'enfuir. De son côté, Wilmuth demeurait dans la lourde léthargie où l'avaient plongé les ultimes doses de ma décoction.

À l'issue de cet affligeant spectacle, Léon III, qui n'avait jamais été très physionomiste, finit par nous reconnaître et fit enfin le rapprochement avec ce fameux jour où nous avions vainement essayé d'attenter à la vie de Charlemagne.

– C'est donc vous ! J'aurais dû me douter que seules les créatures les plus viles pouvaient se comporter de la sorte. Des enfants de Dieu n'agiraient jamais ainsi… Pour autant, sachez que je suis heureux de vous revoir ici, mes petits. En effet, en revenant vers moi, vous facilitez grandement mes plans ! Vous m'avez ramené sur un plateau cet idiot de Wilmuth et vous pouvez croire que je saurai en faire le meilleur usage… Mais à présent, la plaisanterie n'a que trop duré et mes gardes vont se charger de vous. Gardes !

Léon porta son regard sur l'entrée de la sacristie, convaincu que ses fidèles soldats allaient faire leur apparition d'un instant à l'autre. Après quelques secondes d'attente, je perçus chez lui comme de l'exaspération.

– Gardes !

Même les grands hommes peuvent avoir tendance à se répéter.

Lani se chargea de lui expliquer la situation.

182

– Très Saint-Père, je dois vous confesser que vos gardes sont momentanément hors d'usage. Cependant, j'ai personnellement veillé à ce que Mange-Burnasse ne vous les abîme pas trop. Aussi rassurez-vous : moyennant de menues réparations, vous ne tarderez pas à les retrouver comme neufs !

Léon III eut le plus grand mal à maîtriser sa fureur. Celle-ci ne fit d'ailleurs que décupler quand nous lui présentâmes notre requête.

– Très Saint-Père, nous avons un petit service à vous demander. Trois fois rien… Vous n'êtes pas sans savoir que Wilmuth est sorti légèrement bouleversé de sa dernière séance d'exorcisme. Le pauvre garçon massacre désormais à tort et à travers. Ce n'est plus tenable ! Nous voudrions le retrouver tel qu'il était avant : avec ses quelques qualités mais surtout avec tous ses défauts. Nous avons donc pensé que vous auriez connaissance du rituel adéquat pour que Wilmuth et Caille-Caille que voici – une brave bête – ne forment à nouveau qu'une seule personne…

– Autrement dit, vous me demandez un contre-exorcisme ! Vous êtes complètement fous ! Vous imaginez vraiment que je vais me livrer à cette abjection : me vêtir tout de noir, réciter la messe à l'envers, invoquer les démons et agiter des têtes de mort fumantes au-dessus de cet imbécile…

– C'est donc ainsi que l'on doit procéder ? C'est édifiant ! On voit que vous vous y connaissez. Quand commencez-vous, Votre Excellence ? Il ne faut pas nous en vouloir : nous sommes assez pressés…

– Jamais de la vie ! Plutôt mourir !

Après une brève discussion sur laquelle je ne m'étendrai pas, notre hôte consentit toutefois à assouplir sa position. Certes, je n'employai pas exactement le même ton que Lani mais cela n'empêcha pas mon interlocuteur de comprendre le sens général de ma pensée. À mieux y réfléchir, Léon concevait encore un certain attachement pour la vie et n'éprouvait aucunement l'envie de s'engager dans une carrière, fatalement courte, de martyr. Le calendrier était déjà rempli de ces saints et saintes que l'on avait étranglés, étripés, éviscérés, décapités ou dévorés vivants !

Il se plia donc à nos ordres et, sitôt que nous eûmes mis à sa disposition tous les ustensiles nécessaires, il procéda à une messe comme il ne lui avait été jamais donné d'en organiser. Il pouvait compter pour l'occasion sur l'assistance de Lucius et Marcellus qui, malgré les frissons et les spasmes de terreur qui les parcouraient, s'efforçaient d'obéir à ses étranges instructions.

D'abord, Léon III récita laborieusement quelques psaumes en latin inversé. Par la suite, il obligea les deux enfants de chœur à l'accompagner dans une danse survoltée, tournant en rond, écarquillant les yeux, sautillant d'un pied sur l'autre ou bien marchant sur les mains puis imitant la grenouille, le serpent et le dragon. Le spectacle était peu commun mais plaisant à regarder.

Bientôt, Léon traça sur le sol divers signes kabbalistiques. Puis il alluma des bâtonnets d'encens qu'il plaça dans les orbites creuses des quatre crânes que nous lui avions apportés (les catacombes du Vatican en étaient pleines). Il les disposa ensuite aux quatre directions cardinales, non sans avoir marmonné quelques imprécations incompréhensibles où je crus cependant identifier des noms tels qu'Abrasax, Berith, Haborym, Azazel ou Astaroth ainsi que ceux de bien d'autres démons encore.

Le pape transpirait maintenant à grosses gouttes et son visage était congestionné comme si une grosse noix lui était restée en travers de la gorge. De leur côté, Wilmuth et Caille-Caille n'avaient pas meilleure allure : ils se débattaient en tous sens, couinant, hurlant, grognant, claquant des dents et crachant d'épais filets de sang. Lani et moi échangions des regards effarés et nous nous demandions quelle conclusion cet angoissant rituel nous réservait.

Nous fûmes vite fixés : après que Léon eut lâché une dernière bordée d'incantations où il mentionnait Lucifer, Malmoth et Belzebuth, une explosion accompagnée d'un épais nuage de fumée se produisit soudain, avec juste ce qu'il fallait d'éclairs et de pétarades.

Quand le nuage se dissipa, je pus constater, d'une part, que le pape n'avait pas l'air dans son assiette et, d'autre part, que Caille-Caille avait disparu.

Je me précipitai sur Wilmuth qui demeurait encore inanimé. En lui passant la main sur l'épaule, j'eus la joie de sentir la morsure d'une écaille. Un examen plus complet me confirma que Caille-Caille avait rejoint sa moitié et que chaque fragment d'armure avait retrouvé son emplacement initial. De soulagement, Lani pleurait à chaudes larmes et je dois dire que j'en aurais volontiers écrasé une petite, si je n'avais pas été une brute sanguinaire.

– Notre Wilmuth est de retour ! Quel bonheur ! Quelle joie ! Soyez-en remercié, très Saint-Père ! Dans votre catégorie, vous êtes vraiment un as…

Léon III s'efforçait tant bien que mal de conserver le contrôle de lui-même. Le contre-exorcisme avait quelque peu mis à mal sa constitution et il peinait à reprendre ses esprits. Aussi n'était-il pas en mesure d'apprécier à sa juste valeur la gratitude que lui témoignait Lani.

Wilmuth ouvrit alors les yeux et posa un regard étonné sur tous ceux qui l'entouraient. Il était clair qu'il ne comprenait rien à ce qui lui arrivait.

– Que se passe-t-il ? Qu'est-ce que je fais ici ? Pourquoi Lani pleure-t-elle ? Qui sont ces deux enfants ? Pourquoi le vieux Léon se frappe-t-il la tête contre les murs ? Où Charlemagne se cache-t-il ? Quel jour sommes-nous ? Pourquoi ai-je aussi mal à la tête ? Quand est-ce qu'on mange ?

Cela faisait beaucoup de questions mais nous nous relayâmes, Lani et moi, afin de satisfaire la curiosité de notre camarade. Ainsi, nous apprîmes à notre ami les derniers développements de l'histoire. Il fut quelque peu interloqué par le récit que nous lui fîmes de ses crimes et de ses massacres.

– Faire tout ce mal sans aucun but précis et sans même en garder la mémoire : quel dommage !

– Tu peux dire que tu nous as donné du fil à retordre… Si tu savais tout ce que Lani a accompli pour que nous puissions te ramener jusqu'à nous…

– Je suis certain qu'elle a dû se battre comme une lionne !

– Disons que j'ai fait de mon mieux.

– En tout cas, je vous remercie du fond du…

– Ah non ! Ça ne va pas recommencer : vous n'allez pas vous remettre à me dire merci à tout bout de champ !

– Pourquoi pas ? C'est bien la preuve que je suis redevenu le même qu'avant…

– On ne peut pas tout réussir dans la vie. Quelle barbe !

Lani et Wilmuth recommençaient à se disputer, ce qui était le signe incontestable d'un retour à la normale. Bizarrement, à les voir ainsi réunis, je ne pouvais m'interdire de ressentir une joie aussi dégoulinante qu'écœurante…

Pour le reste, Wilmuth sait aussi bien que moi ce qu'il est advenu par la suite. Cette feignasse peut donc reprendre lui-même son récit. Je ne vais tout de même pas lui mâcher tout le travail! Aussi est-ce sans autre forme de procès que je vous le dis : «Adieu!»

MORTS ET VIFS

Comme j'aimerais me souvenir de toutes les atrocités dont je me suis rendu coupable au cours de ces quelques semaines à Rome ! Quel malheur d'avoir à son compte tant de hauts faits et de n'en conserver aucune trace ! Certes, Mange-Burnasse m'a souvent dépeint mes exploits. Hélas, son témoignage, aussi éloquent soit-il, ne saurait remplacer l'émotion que l'on ressent à vivre les événements. Mais, rassurez-vous, j'ai abondamment eu le loisir de me rattraper pendant les siècles qui ont suivi !

Quand je me réveillai dans la sacristie où Léon III venait de procéder à ma réunification, j'aperçus, avec étonnement et avec joie, la bonne grosse tête de mon condisciple, puis je vis apparaître derrière lui un visage à la fois souriant et baigné de pleurs. Derrière ces larmes, je ne tardais pas à reconnaître la délicieuse Lani. Elle semblait sincèrement heureuse de me revoir, ce qui était pour moi une agréable surprise en même temps qu'une situation inhabituelle. D'ordinaire, les gens qui ont le déplaisir de me rencontrer ne souhaitent pas renouveler cette expérience…

Après une rapide inspection, je constatai avec bonheur que mes écailles, tranchantes comme jamais, avaient toutes réintégré leur place originale. À ce propos, Lani et Mange-Burnasse me parlèrent longuement du dénommé Caille-Caille qui, à les en croire, gagnait à être connu. Cependant, pour mon confort, je préférais le savoir confiné dans mon corps et ne plus jamais l'en voir sortir.

Je vis ensuite celui à qui je devais d'avoir recouvré ma véritable nature. J'étais tout à fait prêt à oublier provisoirement les différends qui nous avaient opposés, Léon et moi, et à remettre à plus tard mes projets de le massacrer. Malheureusement, le pauvre homme n'était guère à même de tenir une conversation. Il faut croire que la cérémonie qui venait de s'achever avait mis à mal sa lucidité. Il hoquetait, tremblait, éructait, se mettait brusquement à courir ou s'interrompait pour se rouler sur le sol. Son organisme n'avait pas supporté un tel déchaînement d'imprécations et d'appels aux démons.

Même si je ne me faisais guère d'illusions sur sa capacité à y répondre, je souhaitais cependant poser à Léon III quelques questions sur mon père et mes origines. Toutefois, comme je le craignais, le pape ne m'apporta entre deux bafouillis que des renseignements obscurs et confus que, pour faciliter la lecture, je vous livrerai dans le bon ordre.

Si l'on devait se fier à cet agaçant caquetage, il semblait que mon père vivait aux confins de la Germanie, tout au nord de l'Europe. Mais la nature de ses activités restait peu claire. Certains informateurs affirmaient que mon géniteur avait ouvert une sorte d'hôpital où il prodiguait gratuitement ses soins aux plus miséreux de la région. D'autres soutenaient qu'à la tête de Celtes et de Pictes plus ou moins dégénérés, il commettait pillage sur pillage, incendiant châteaux et villages, massacrant à tout-va. Si certaines de ces hypothèses me paraissaient plus séduisantes que les autres, je ne savais lesquelles croire. En définitive, tous ces récits contradictoires ne m'en apprenaient guère sur mon père puisque, de lui, tout semblait possible. Les bondieuseries comme les sacrilèges ; la bonté à son plus haut degré comme la sauvagerie la plus achevée : autrement dit, le pire comme le meilleur.

Pour se montrer aussi actif, c'est à croire qu'il était plusieurs !

Dès lors, je n'avais d'autre solution que de me rendre sur place afin de constater par moi-même à qui j'avais affaire. Néanmoins, pour mener à bien mon enquête, il me fallait au moins disposer d'une autre information : le nom de ce saint homme ou de ce coquin ! Or Léon s'obstinait à me refuser cette indication.

– Ton père s'appelle… Il se prénomme… Ah oui, ça me revient maintenant, son nom est… Ah non, j'ai oublié… C'est trop bête : je l'avais sur le bout de la langue, hi hi hi !

S'il n'y avait eu Lani, j'aurais depuis belle lurette recouru à la torture et nous aurions été fixés en un rien de temps. Ne pouvant verser dans le brutal, je dus me rabattre sur la diplomatie et, pendant un (trop) long moment, user de douceur avec mon interlocuteur. Au terme d'un épuisant interrogatoire, ce dernier consentit enfin à me fournir non pas un nom mais plusieurs, parmi lesquels se cachait peut-être celui de mon mystérieux père. Je n'avais en réalité que l'embarras du choix : Godefroi, Fourquet, Conrad, Siegfried, Rahoulde, Thor le Belge, Adhémar aux mains pleines, Monchemonche, Knull, Porphilamène ou encore Gywztorkvic le Bègue. À vrai dire, on ne savait lequel choisir.

Je devais l'admettre : on ne pouvait rien en tirer. Cependant, je m'évertuais à demander à Léon une dernière précision. Qu'avait-il fait des objets que j'avais hérités de ma mère et dont il s'était traîtreusement emparé ? Là encore, ce ne fut pas sans peine que j'appris qu'il les avait soigneusement placés sous clé dans le Trésor de la basilique, entre deux encensoirs, une icône et quelques irremplaçables reliques, telles que la clavicule de saint Bertulphe, les sourcils de sainte Callinice ou le gros orteil de saint Collombet, obscur patron des mangeurs de carottes.

Pendant un très bref instant, cependant, Léon III sembla miraculeusement retrouver un semblant de lucidité et crut bon de m'adresser une sévère mise en garde à propos de mon héritage.

– Bien lourde est la responsabilité de celui qui a en sa possession cette étrange collection… Les plus grands érudits prêtent à ces choses d'apparence si anodine une puissance qui défie l'imagination… Quel dommage que ces objets reviennent aujourd'hui à un être aussi vil et vulgaire que toi. Quel usage magnifique nous pourrions en faire si nous savions au moins comment nous y prendre !

– Ces biens sont dans ma famille depuis des générations et ils n'en sortiront pas. Ils sont tout ce qu'il me reste de ma mère et il est hors de question que j'y renonce !

– Pourquoi donc ? Entre tes mains, ce ne sont que les médiocres souvenirs d'une médiocre femme, alors qu'à force d'études, d'expérimentations et de ténacité, nous saurions les mettre au service de nos prodigieux projets ! Pourrais-tu cesser de penser à ta petite personne pendant quelques minuscules secondes ? Sais-tu à quel point ta mesquinerie est désolante !

Finalement, je le préférais quand il n'avait plus toute sa raison. À présent, nous n'avions plus aucune raison de différer notre départ. Aussi suggérai-je à mes deux camarades de nous éclipser.

Lani consentit une ultime révérence au saint homme qui venait de replonger dans son délire et se plaisait désormais à imiter certains animaux mythologiques. Nous fîmes ensuite un léger crochet par le Trésor et, sur la base des indications de Léon, je pus bientôt récupérer mes seules richesses en ce bas monde : mon cher miroir, ma précieuse clé en argent, mon lacet sans égal, ma mirifique noix, mon inestimable touffe de poils de sanglier et ma queue de musaraigne que le monde entier m'enviait !

Nous quittâmes les lieux en bon ordre et, après avoir traversé le Tibre, nous nous dirigeâmes vers le quartier de Subure. Mange-Burnasse n'arrêtait pas de me flanquer de grandes bourrades dans le dos, tandis que Lani, sans jamais abandonner son élégant boitillement, se fendait d'un sourire édenté chaque fois que mon regard se portait sur elle.

– Est-ce que, pendant toutes ces semaines, nous vous avons manqué, Mange-Burnasse et moi ?

– Oh, vous savez, j'étais bien trop occupé à massacrer et je n'ai eu le temps de penser à rien ni à personne.

– C'est dommage… De notre côté, nous avons beaucoup pensé à vous.

– Ah ? Il ne fallait pas.

– Mais, si, il fallait !

– Mais non ! Je me débrouillais très bien tout seul.

– Que vous êtes énervant! Êtes-vous au moins heureux d'être de nouveau en notre compagnie?

Depuis un petit moment, la conversation m'échappait. Mais je ne devinais que trop bien les mots que Lani espérait. Toutefois, une partie de moi se refusait à formuler à haute voix toutes ces phrases qu'elle attendait. Je les trouvais stupides, plates et ridicules. Je n'aurais pas été tout à fait Wilmuth si je les avais dites. Dans le même temps, je n'avais rien contre l'idée de lui faire plaisir. Comme tout cela était compliqué!

Je décidai alors d'opter pour une solution raisonnable : je réserverais à Lani des réponses moyennement aimables, à mi-chemin entre les méchancetés dont je restais capable et les compliments qu'elle souhaitait entendre. Un tel choix était assurément un sage compromis!

– Allons, Wilmuth, vous n'éprouvez pas quelque plaisir à me revoir?

– Modérément.

– Comment ça?

– Je suis modérément heureux de vous retrouver, Lani.

– Mordiable, vous vous moquez de moi! Pourquoi m'insultez-vous ainsi? Vous ne m'aimez donc pas un peu?

– Mieux que ça : je vous aime moyennement!

– Vous êtes décidément irrécupérable! Pourquoi me suis-je mise en danger pour sauver quelqu'un de votre espèce? Un animal se montrerait moins ingrat et plus digne de mon affection! Dire que j'ai renoncé à l'adorable Caille-Caille pour un malotru, un nigaud, un type aussi rebutant et aussi rabougri du cœur! Vous me dégoûtez! Si je m'écoutais, je vous cracherais à la face! Cloporte, vermine, sale punaise, misérable morpion, pauvre type, scélérat, raté, minus…

De toute évidence, Lani était un peu remontée contre moi. S'engageant dans une ruelle qui grimpait vers le Quirinal, elle nous laissa brusquement en plan. Sa réaction me laissait perplexe. Pour une fois que j'avais fait preuve de retenue et de tact! Il me semblait que j'en étais fort mal récompensé. À ma grande surprise, Mange-Burnasse désapprouvait lui aussi ma conduite. Il hochait la tête en faisant la moue, comme si je venais de commettre une grosse bévue.

— Pour une fois, tu aurais quand même pu faire un effort!

— Mais qu'est-ce que j'ai dit de mal? De quoi se plaint-elle? Aimer moyennement quelqu'un, c'est déjà beaucoup pour moi!

— Il faut croire que ce n'est pas assez… D'ailleurs, tu le sais très bien. Ne te fais pas plus bête que tu n'es!

J'avais beau me défendre, nier en bloc, feindre la bonne foi: il ne daignait pas entendre mes arguments. Mange-Burnasse, comme Lani, ne tarda pas à s'éclipser. Si c'était ça, leur amitié, ils pouvaient se la garder! D'ailleurs, j'avais toujours su que ce sentiment dégénéré n'était pas fait pour un caractère aussi trempé que le mien. Seuls les êtres craintifs, les demi-portions et les poltrons éprouvaient le besoin d'avoir des amis afin de pouvoir affronter en groupe les dangers et les épreuves de l'existence.

Un peu de compagnie ne m'aurait pourtant pas déplu. Pour fêter mon retour, nous aurions pu partager tous ensemble une soirée des plus agréables. Hélas, je la passai seul, tristement attablé à l'auberge du Bourreau maudit, attendant en vain que la demoiselle à l'humeur de cochon réapparût enfin.

J'occupais donc tant bien que mal mon esprit à des sujets qui, soudain, me paraissaient futiles : l'empereur Charlemagne, ma mission qui avait tourné à la déconfiture ou la quête de mon père dans laquelle il me faudrait tôt ou tard m'engager…

Triple-Mort lui-même ne semblait plus à mes yeux qu'une très vague connaissance, comme s'il appartenait à un passé qui n'avait jamais existé. Je me souciais comme d'une guigne de sa réaction quand il découvrirait l'ampleur de mes défaillances. Néanmoins, au moment même où je haussais les épaules en repensant au Maître et à ses projets, on apporta à ma table un message qui sonna comme un cinglant rappel à l'ordre.

Il ne devait pas être loin de minuit quand la chose se produisit. Depuis quelques minutes, j'avais remarqué l'intrigant manège d'un gamin qui faisait le pied de grue près de l'entrée de l'auberge et qui, de son poste, m'observait à la dérobée. Il avait à peu près mon âge et aurait pu me ressembler s'il ne lui avait pas manqué un bras.

Le jeune infirme restait sur le pas de la porte, indécis, comme s'il hésitait à entrer ou à décamper. Par chance, après un bon moment, il finit par s'armer de courage et s'acquitta de la tâche pour laquelle ses commanditaires avaient dû le payer. Avec mille précautions, il s'approcha lentement de moi, sortit de l'une de ses poches un étroit rouleau de parchemin, le déposa sur la table et, sans m'adresser la parole, prit ses jambes à son cou.

Le message que l'on venait ainsi de me remettre était signé. Cela tombait bien : j'ai toujours détesté les lettres anonymes. Pourquoi se cacher alors qu'il est tellement plus glorieux et plus réjouissant de commettre le mal à visage découvert ?

Le nom qui figurait en bas de page réveilla immédiatement en moi de vieux souvenirs du séminaire Inferno : il me remettait en mémoire les traits stupides et gras de Fouinard (dit l'Enflure). Une face épaisse et perfide. Un être méprisable, toujours glissant et louvoyant, une vraie vipère.

Au cours de son passage au séminaire, Fouinard était parvenu à se faire détester de tous, ce qui lui avait naturellement valu les plus chaudes félicitations du Maître. L'institution n'avait pas connu depuis des lustres un élève aussi servile et aussi prompt à dénoncer ses camarades. Mange-Burnasse et moi n'avions pas été épargnés par les exceptionnelles dispositions du jeune homme pour la délation. Au contraire, les punitions que nous avions endurées par sa faute étaient sans nombre.

Dès lors, je n'avais aucune envie de savoir ce qu'il était advenu de lui. J'éprouvais encore moins le désir de le revoir et de m'entretenir avec lui de sujets importants. C'était pourtant ce que le message que j'avais sous les yeux m'intimait, usant d'un ton menaçant qui ne souffrait aucune contradiction.

À l'intention de Wilmuth Tout-Court et du félon Mange-Burnasse
Sachez, abominables nullités, que le Maître nous envoie vous chercher. Il est extrêmement mécontent. Il est en fureur et exige immédiatement réparation car vos insignifiantes personnes l'ont affreusement déçu. Il sait désormais qu'avec vous, il tient à la fois un incapable et un traître. Mais peu importe les nuances : vous êtes tous les deux de fieffés minables, des moins que rien qu'un juste châtiment attend au séminaire Inferno.

J'ai précisément pour tâche de vous y reconduire sous bonne escorte.

La route que vous ferez en ma compagnie ne sera sans doute pas agréable. Moi et mes hommes d'armes, nous vous en ferons voir ! Mais ces quelques tortures ne sont rien en comparaison de celles que le Maître vous réserve. Quand il se venge, il aime à faire infiniment souffrir ses victimes. Avec mes compagnons, nous avons déjà lancé des paris sur les supplices que vous subirez. À coup sûr, il vous coupera la langue. Ensuite, les opinions divergent : certains d'entre nous misent sur un écartèlement, d'autres verraient bien Triple-Mort vous arracher le cœur à mains nues.

Peut-être songerez-vous à déguerpir quand vous lirez cette lettre. Réfléchissez-y à deux fois. En effet, nous détenons depuis peu la dénommée Lani. Si, comme nous le supposons, cette drôlesse a quelque valeur à vos yeux, vous apprendrez avec intérêt que nous la ferons brûler à petit feu, dès que nous aurons vent de votre fuite. Cette grillade pourrait sans doute rappeler à Wilmuth le bûcher sur lequel il a jadis laissé mourir sa mère.

Présentez-vous au plus vite dans les profondeurs de la catacombe de Lucine. Rassurez-vous : vous nous trouverez sans peine car les cris et les pleurs de votre amie vous guideront jusqu'à nous. Vous pouvez venir accompagnés si vous le souhaitez. Nous aurons un extrême plaisir à exterminer tous ceux qui seront suffisamment insensés pour vouloir prendre votre défense ou voler au secours de cette méchante boiteuse. Nous n'avons rien contre un peu d'exercice.

À tout à l'heure, les avortons !

Fouinard – Séminaire Inferno Promotion 780

Je pressentais que mes rapports avec Fouinard n'allaient pas s'améliorer. Je grimpai à l'étage où Mange-Burnasse, demeuré dans notre chambre, ressassait sa mauvaise humeur et lui annonçai tout de go la nouvelle. Comme je l'avais prévu, il bondit de son lit et, ni une ni deux, se saisit de ses armes.

– Ah, l'animal! Il ne perd rien pour attendre! Je crois que, d'ici demain, j'aurai de la fourrure de fouine sur les épaules.

– Pour ma part, je me satisferai amplement de transformer ce maudit espion en civet!

Comme la missive nous y invitait, nous décidâmes de nous entourer de quelques renforts. Lorsque nous révélâmes à son père que Lani avait été enlevée, il ne fit aucune difficulté pour nous suivre et leva, parmi les voleurs et les assassins, toute une armée pour venir au secours de sa fille. Celle-ci comptait en effet de nombreux amis dans les rangs de la racaille romaine. Elle en avait aidé des brigands à s'évader de prison ou à détrousser les vicomtes et les barons! Tous lui étaient redevables et brûlaient d'anéantir les gredins qui avaient osé porter atteinte à sa personne.

Ainsi, en pénétrant dans la catacombe de Lucine, nous étions plus de deux cents énergumènes, prêts à en découdre, armés jusqu'aux dents, unis par une même cause : sauver Lani par tous les moyens violents qui se trouvaient à notre disposition.

Les lieux étaient proprement étonnants. Le long de vastes galeries, on avait creusé, sur plusieurs étages, des niches rectangulaires où les premiers chrétiens reposaient à présent, avec leurs martyrs et leurs papes d'autrefois. Certaines de ces tombes, fermées par de lourdes plaques de marbre, étaient embellies de véritables fresques aux riches couleurs d'ocre. D'autres sépultures, plus modestes, n'étaient protégées que par un fragile paravent de tuiles. Souvent, on pouvait deviner quelques lettres d'un nom à moitié effacé.

Je songeais que ces interminables galeries, qui couraient sous la terre depuis des siècles, devaient accueillir des milliers de pensionnaires. Toutefois, depuis plus de trois cents ans, les Romains ne se faisaient plus enterrer dans de telles cryptes mais à proximité de leur église, dans des cimetières à ciel ouvert.

Alertés par les feux qu'ils avaient allumés, nous n'eûmes aucune difficulté à parvenir jusqu'à l'endroit où Fouinard et ses sbires avaient établi leurs quartiers. Contrairement à ce que sous-entendait l'odieux message que j'avais reçu, les plaintes et les larmes de Lani ne nous mirent en aucune manière sur leur voie. En réalité, la jeune fille endurait sa captivité avec une parfaite dignité et demeurait totalement stoïque sous les médiocres tourments que lui infligeaient ses ravisseurs. En particulier, l'un d'entre eux, que je me promettais déjà d'exterminer, prenait un malin plaisir à tirer les poils de sa fine moustache. Chacune des contractions qu'il suscitait ainsi chez sa prisonnière provoquait chez lui des ricanements convulsifs, un sourire hilare et des bordées de jurons qui n'avaient nullement leur place sous les voûtes sacrées d'un cimetière (et n'apparaîtront pas non plus dans cet ouvrage qui se veut d'une certaine tenue).

Fouinard se dressait au milieu de ses troupes : une vingtaine d'hommes qui avaient tout l'air de criminels sans génie et sans imagination. Parmi eux, on reconnaissait les brutes habituelles, le ventre gonflé d'hydromel, la barbe de trois jours, le regard bovin et de grosses mains poilues, plus aptes au maniement de la hache qu'à de patients travaux de couture. Je repérai également l'un de ces blonds Scandinaves que l'on désignait alors sous le nom de Vikings et que l'on voyait souvent accomplir, à la faveur de quelque raid, un stage de perfectionnement à l'étranger. Il y avait aussi le Germain belliqueux, l'Espagnol taciturne et le Bulgare à l'humeur changeante.

Depuis son départ du séminaire Inferno, Fouinard avait évidemment pris quelques années. Des rides étaient apparues au coin de ses yeux perçants et des pincées de sel parsemaient maintenant ses cheveux, qu'il portait selon une austère coupe au bol (qui ne lui allait pas du tout). Mais le temps ne changeait rien à l'affaire : il émanait de lui une telle impression de fausseté et de duplicité qu'il eût fait passer Judas pour le plus fidèle des amis. Tout en lui respirait la vanité, la complaisance pour ses maîtres, la servilité et l'absence de principes.

Un rapide coup d'œil sur les deux camps en présence permettait de comprendre que le rapport de force n'était que trop clairement en notre faveur. Nous n'allions faire qu'une bouchée de ce ramassis de malfaisants ! J'étais tout de même surpris par leur aplomb. Ils montraient une assurance peu commune pour des hommes qui, d'un moment à l'autre, allaient être engloutis par une foule vengeresse ! Ils nous dévisageaient comme si l'issue de la confrontation ne faisait aucun doute, comme s'ils n'avaient rien à craindre de nous.

– Libère Lani, tout de suite ! C'est à cette seule condition que toi et tes hommes vous quitterez ces lieux en vie.

Il va de soi que je n'avais nullement l'intention de

tenir une telle promesse. Quoi qu'il en soit, Fouinard ne se laissa pas émouvoir.

– Idiot, tu n'es pas en mesure de donner des ordres ! Si tu crois que la situation est à ton avantage, tu te trompes lourdement. À ta place, je suggérerais à ceux qui t'accompagnent de rebrousser chemin tant qu'il en est encore temps. S'ils s'entêtent, ils risquent fort de ne plus jamais revoir le soleil.

Cet avertissement ne fit qu'accroître la colère dans nos rangs. Les insultes et les huées fusaient de tous côtés.

– Rendez-nous Lani ou vous le regretterez !

– Lani ou la vie !

– Si vous osez toucher à un seul de ses cheveux…

– Vous allez voir de quel bois on se chauffe ! Ça va faire mal !

Pour toute réponse, Fouinard s'avança vers la jeune fille et, par une seule pression de son pouce qu'il avait doté d'une pointe aussi acérée que les griffes d'un ours, il l'éventra. Elle s'affaissa tout d'un coup, retenant entre ses mains le contenu de ses entrailles. Je la vis me chercher parmi la foule des crapules, articuler à mon intention des mots ensanglantés puis se taire. On ne m'eut pas fait plus de mal si l'on m'avait écorché tout entier.

Toutefois, Fouinard s'était déjà écarté de sa victime et, sans même nous laisser le temps de nous précipiter à l'assaut, lança de sa voix de fausset cette brève imprécation :

– Mort, Mort, Mort ! Par Triple-Mort, debout les morts ! Mort, Mort, Mort !

Ce type avait une fâcheuse tendance à radoter. Mais je n'eus pas le loisir de le lui faire remarquer. En effet, surgissant de toutes parts et obéissant sans doute à la magie du Maître, les morts que venait de convoquer cette vermine de fouine firent une entrée fracassante.

Par dizaines, ils bondissaient de leurs sarcophages ou bien, s'aidant de leurs ongles démesurés, s'extrayaient eux-mêmes de leurs tombes creusées dans le sol. D'autres faisaient voler en éclats la porte de tuiles qui avait protégé l'entrée de leur sépulture puis, quittant sans nostalgie les vers de leur caveau, glissaient de leur niche avec de sinistres craquements. Tous n'étaient que linceul mité, lambeaux de chair retroussés et ivoire rongé. Leurs mâchoires jaunies et édentées laissaient échapper de répugnants claquements tandis que leurs orbites pourtant vides soutenaient votre regard et cherchaient à vous faire détourner les yeux.

Des générations entières de cadavres émergeaient ainsi du néant, rampant, claudiquant et tressautant sans cesse. À force d'obstination, ces spectres se redressaient bientôt et recouvraient peu à peu vigueur et puissance, comme si la vie courait en leurs os. Ils faisaient alors grincer, telles d'antiques outils rouillés, leurs articulations en voie de décomposition et, avec un air de triomphe, nous avertissaient que leurs mains décharnées pouvaient encore étrangler et déchirer ou leurs bouches décaties mordre et manger.

Nous devions l'admettre : ce lieu qui nous avait d'abord paru un désert était encore habité. Et les gens du cru semblaient redoutables !

Je dois reconnaître que la vision de cet immense cortège de squelettes en fit reculer plus d'un et que certains d'entre nous jugèrent préférable de s'éclipser.

Devant nous, les morts en guenilles se rangeaient sagement sous les ordres de Fouinard et, ligne après ligne, formaient peu à peu une armée supérieure à la nôtre, prête à se ruer sur nous dès qu'on le lui intimerait. D'ailleurs, notre ennemi ne se fit pas prier pour beugler cet implacable commandement.

– Massacrez-moi tout ça, mes braves ! Mais, attention, n'allez pas me tuer les deux traîtres que le Maître veut lui voir livrés ! Il me les faut vivants (mais pas trop).

À ces mots, la Mort et ses mille bras se mirent en mouvement et se jetèrent sur nous. S'emparant des imprudents qui s'étaient approchés d'eux pour en découdre, les revenants les débitèrent en de dégoulinantes tranches de viande humaine.

Malgré nos efforts pour les désarticuler patiemment un à un et écraser sous nos masses leurs os à découvert, ils semaient la dévastation et la panique dans nos rangs. Ainsi la pluie de viscères et d'entrailles qui s'abattait sur nos têtes redoublait-elle d'intensité. De même, pouvions-nous parfois apercevoir, volant comme des flocons de neige, de petites pièces de dentelle : quelques éclats de poumons fraîchement percés.

Je ne savais si Lani était tout à fait morte mais je voulais déjà me venger. Je me battais avec furie et faisais une grande moisson de cadavres. Parfois, il m'arrivait de manquer de discernement et d'abattre quelque vivant qui avait le malheur de passer par-là. De fait, ce jour-là, certains de mes alliés ont dû périr sous mes coups. Nul n'est parfait.

S'isolant du tumulte, Mange-Burnasse parvint enfin à allumer plusieurs mèches et balança illico chez nos adversaires quelques-unes de ces bombes qu'il fabriquait en quantité. Elles y firent moult dégâts, éclatant, disloquant, pulvérisant ou vaporisant. Cette initiative nous débarrassa d'un grand nombre d'importuns et la bataille ne nous fut plus autant défavorable.

Dans son utilisation de la poudre et de l'explosif, Mange-Burnasse se montra également assez adroit pour se frayer un passage jusqu'à Lani. Il se pencha alors sur elle, pour déterminer si des soins pouvaient encore lui être prodigués. Il ne m'avait pas échappé qu'elle avait perdu beaucoup de sang, et il n'était pas certain que mon camarade pût faire quoi que ce fût pour elle.

Tandis que je parais les coups que l'on tentait de me porter, j'observais avec anxiété mon ami, guettant la confirmation de mes pires craintes ou le moindre signe encourageant. Quand je vis Mange-Burnasse sortir du gros fil et une aiguille et se mettre à recoudre le ventre fendu de Lani, je compris qu'il y avait encore quelques raisons d'espérer. Je trouvai alors en moi une énergie inédite et distribuai mes coups avec plus d'enthousiasme et de détermination que jamais.

Comme le combat tardait à pencher en sa faveur, Fouinard ordonna à ses hommes de se joindre à la mêlée mais le lâche se garda bien de faire de même. Pour ma part, bien que je n'aie jamais éprouvé de rancœur particulière envers ces peuplades, j'enrichis bientôt mon tableau de chasse de quelques trophées internationaux : ici, le scalp d'un Espagnol et, là, les deux mains d'un Germain maladroit.

Ce fut à ce stade, au plus fort d'une bataille toujours indécise, que se produisit un événement extraordinaire qui, il faut en convenir, arrangea de belle manière nos affaires.

À quelques pas de moi, un immonde macchabée avait jeté à terre l'un des brigands qui s'étaient enflammés pour la noble cause de Lani. Le cadavre était sur le point de lui enfoncer une paire de doigts crochus dans les yeux quand, saisi par le doute, il se ravisa. Si tant est que l'on puisse discerner la moindre expression chez un squelette, on eût dit que le bonhomme était perplexe.

Mon étonnement ne s'arrêta pas là.

L'instant d'après, le mort prit la parole. Il s'exprima dans une langue légèrement désuète (celle de son temps, une époque très ancienne), avec une politesse que l'on n'attendait guère chez une telle créature.

– Dites-moi, mon brave, vous voudrez bien pardonner mon indiscrétion mais il me vient une question qui, si j'en avais, me brûlerait les lèvres. Seriez-vous assez aimable pour m'indiquer si, par le plus grand des hasards, vous ne seriez pas apparenté aux Butazzi qui tenaient autrefois un atelier de cordonnerie dans le quartier de l'Aventin ? Je vous trouve comme un air de parenté avec les gens de cette famille.

– Il est vrai que mon nom est Butazzi et que je compte parmi mes cousins un certain Lucius qui passe la sainte journée à réparer des semelles et à clouter de vieilles galoches… Si je puis à mon tour me permettre une question, ne seriez-vous pas l'ancêtre Paulin qui aurait péri au cours de la persécution de Dioclétien contre les chrétiens ? Si je me souviens bien des récits que l'on m'a racontés enfant, vous auriez été enterré ici, dans la catacombe de Lucine…

– Tu ne te trompes pas, mon petit : c'est bien moi. Dans mes os, mon enfant, que je t'embrasse !

J'assistai éberlué à ces étreintes. Par-delà les siècles qui les séparaient, le mort demandait au vivant des nouvelles de la famille, s'assurant que tout le monde allait bien et menait une honnête existence. Sur ce dernier point, le brigand fut obligé de concéder que son ordinaire était fait de vols à l'étalage et de diverses escroqueries. Toutefois, le cadavre ne prit pas mal la chose.

– Allons, au final, vous serez tous pardonnés pour vos crimes.

– Vous me rassurez, oncle Paulin, je craignais que cette vie dissolue ne me vaille à la fin quelques ennuis…

– Tu vois, il ne fallait pas désespérer de la providence ! En tout cas, je suis heureux de savoir que mes descendants gardent en mémoire le souvenir du pauvre Paulin. Je craignais que vous ne m'ayez complètement oublié.

– Pensez donc ! Toutes les familles ne peuvent s'enorgueillir de compter un martyr dans leur généalogie… À présent, mon cher oncle, que diriez-vous de mettre un terme à ce massacre ?

– Tu as raison ! Où avais-je donc le crâne ? Je manque à tous mes devoirs.

Le squelette qui se prénommait Paulin se tourna alors vers ses congénères et leur tint à peu près ce langage :

– Mes amis, je réclame toute votre attention. J'ai à vous apprendre des faits nouveaux de la plus haute importance. Nous devons, sans plus attendre, cesser le combat. Nous avons été mal renseignés sur nos adversaires et il semble que, bien malgré nous, nous ayons mis nos forces au service d'individus peu recommandables. Nous sommes en train de tailler en pièces de braves gens qui, pour certains, sont aussi nos parents. À ce propos, je vous présente Torello Butazzi, un gentil garçon qui, en dépit des siècles et des changements de régime, n'a pas oublié son cher ancêtre Paulin…

– Messieurs, mesdames, bien le bonsoir.

Les explications que venait de leur servir Paulin firent forte impression sur les macchabées. Ceux-ci cessèrent aussitôt les hostilités et s'empressèrent de rechercher au sein de notre troupe quelques-uns de leurs lointains parents.

– N'y aurait-il point parmi vous quelque représentant de la maison Cacciaforte? Cette famille possédait jadis plusieurs échoppes le long de la Via Appia.

– Mon frère Serafino et moi faisons partie de cette noble lignée. Sachez, grand-père, que votre petite entreprise a joliment prospéré au fil des siècles et que nous sommes désormais à la tête d'un vaste réseau de contrebandiers et de trafiquants. Nous avons maintenant des succursales jusque chez les Numides et les Danois.

– Bravo! Comme je suis fier de vous! Il faut dire que, pour ce qui relève du commerce, vous avez de qui tenir!

– Nous avons simplement appliqué vos méthodes à grande échelle et Dieu sait qu'elles sont efficaces!

– À ce sujet, j'espère que la maison ne fait toujours pas crédit. Il n'y a rien de pire pour les affaires!

– N'ayez crainte : tous nos clients paient comptant, sinon…

Des scènes du même ordre se produisaient çà et là. Ici, un bandit au visage balafré étreignait avec force larmes un paquet d'ossements à peine identifiable. Là, une petite frappe enlaçait amicalement le squelette souriant de son ancêtre. Si je ne m'étais inquiété du sort de Lani, j'aurais certainement pu me laisser toucher par ce spectacle.

Dans l'immédiat, j'avais mieux à faire. Je rejoignis d'abord Mange-Burnasse qui continuait à prodiguer ses soins à la jeune fille. Il ne me cacha rien de son état.

– J'ai réussi à interrompre l'hémorragie mais la pauvre a perdu beaucoup de sang. Je lui ai aussi administré une potion à base de pavot qui me vient de ma mère. Elle devrait la maintenir quelque temps dans une paisible léthargie et Lani ne souffrira pas. Malheureusement, je n'irai pas jusqu'à affirmer qu'elle est sauvée. Mon traitement peut au plus la garder en vie quelques jours, voire quelques semaines. Et puis, il y a cette teinte bleutée qui se dessine maintenant sur ses joues et ne me dit rien qui vaille. Je voudrais tant que ma science nous soit d'un plus grand secours, mais il me faut reconnaître mes limites…

– J'enrage ! Vengeance ! Massacre ! Hécatombe ! Tu m'excuseras : j'ai quelqu'un à exterminer de toute urgence.

Cependant, quand j'avisai l'endroit où aurait dû se tenir Fouinard, mon regard ne rencontra que le vide. En revanche, je l'entrevis au loin, dans le coin le plus obscur de la crypte, en passe de s'échapper avec les quelques hommes qu'il lui restait.

Je m'élançai à sa poursuite. Je fus bientôt sur le Scandinave, qui avait reçu une blessure à la hanche et lambinait lamentablement dans sa fuite. D'un coup net, je le décapitai et, tandis que des flots de sang lui jaillissaient par le col, j'étais déjà sur les talons de ses compagnons. Fouinard n'était plus qu'à quelques mètres devant moi et je pouvais même sentir sa peur. Mais le fourbe ne reculait devant aucune traîtrise, surtout quand il était question d'assurer sa survie. Il sortit de sa manche une petite dague et cisailla les jarrets de deux des sbires qui décampaient à ses côtés. Les deux mercenaires s'abattirent lourdement, me tombant entre les jambes, s'accrochant à moi, et me faisant perdre un temps inestimable. Car Fouinard eut tôt fait de reprendre ses distances.

À présent, nous étions engagés dans un interminable escalier qui nous reconduisait jusqu'à la surface. Insensiblement, je refaisais mon retard sur les fuyards. La chose n'échappa point au triste sire qui menait ces couards. Il se saisit d'une minuscule fiole accrochée à sa ceinture, la brisa entra ses dents et en abandonna le contenu argenté derrière lui. Je ne tardais pas à subir les conséquences de cette nouvelle ruse et à comprendre que Fouinard avait décidé d'œuvrer dans le glissant et le savonneux. Sitôt que j'atteignis la première marche sur laquelle il avait versé ce liquide déloyal, je sentis le sol s'escamoter sous mes pieds, demeurai un bref instant en suspension puis repris brutalement contact avec la terre, en rebondissant d'un degré à l'autre de l'escalier et en dévalant la pente avec perte (de dignité) et fracas.

Je me relevai légèrement estourbi mais, après avoir repris mes esprits, je me remis en chasse. J'aboutis enfin à la sortie de la catacombe mais cela ne fut que pour apercevoir, dans la lumière encore hésitante de l'aube, la fuite de Fouinard, cravachant son cheval jusqu'au sang. Il était déjà loin et hors de portée. Il me fallait donc différer ma vengeance. Mais j'en étais certain : un jour ou l'autre, je lui ferais payer son geste !

Je rebroussai chemin, descendis l'escalier et retrouvai les voûtes de la crypte où morts et vivants échangeaient d'ultimes messages de sympathie. La magie qui les avait fait surgir de leurs caveaux était en passe de se dissiper et, parmi les revenants, chacun pressentait à regret que l'heure était venue de se coucher à nouveau dans la tombe.

– Portez-vous bien, les vivants ! Et si vous devez nous rejoindre dans la mort, sachez que vous recevrez toujours un bon accueil chez nous.

– Nous n'en doutons pas ! Nous vous souhaitons un excellent repos éternel et nous transmettrons vos meilleures salutations à nos familles ! Adieu, chers morts, adieu !

– Au revoir, plutôt !

– Oui, vous avez raison : au revoir, au revoir !

Sur ces entrefaites, les macchabées ramassèrent ceux des leurs que nous avions transformés en débris et ceux des nôtres qu'ils avaient abattus puis regagnèrent en silence leurs appartements insalubres.

À son tour, notre troupe quitta les lieux. Nous avions confectionné un brancard de fortune sur lequel nous avions installé Lani pour la ramener jusqu'à l'auberge. Tous prenaient des nouvelles de la jeune fille et hochaient tristement la tête en écoutant nos réponses. Tout espoir n'était pas perdu mais la vie de notre amie ne tenait qu'à un fil.

Mange-Burnasse m'apprit en effet qu'en lui ouvrant le ventre, Fouinard avait également empoisonné Lani.

– C'est cette couleur étrangement bleutée qui m'a alerté. Pour que le visage de Lani ait pris cette teinte, c'est sans doute que le traître a dû enduire ses griffes de quelque maudite substance.

Je fis part de cette nouvelle infortune au père de Lani qui marchait aux côtés du brancard, chuchotant de tendres encouragements à sa fille, toujours inconsciente. Le brave homme, comme on s'en doute, était accablé de chagrin mais, en dépit de sa peine, il sut prendre à ce moment une heureuse initiative.

– Un poison, me dites-vous ? Dans ce cas, nous devons faire appel à Calliope, la vieille apothicaire.

Elle saura nous renseigner sur l'antidote qui pourrait soulager ma fille. Nous la ferons mander dès notre retour.

Quand elle sut les malheurs qui frappaient cette maison, Calliope accourut sans tarder à l'auberge du Bourreau maudit. On avait installé Lani dans sa chambre. Allongée, elle semblait comme une défunte à l'étroit sur son lit de mort et, si l'on m'avait demandé mon avis, j'aurais affirmé haut et fort qu'elle n'y était pas à sa place. Quand on rencontrait Calliope pour la première fois, elle faisait toujours impression. Même si, avec le temps, son dos s'était légèrement courbé, cette femme d'un grand âge et d'une extrême maigreur continuait d'approcher les deux mètres, ce qui lui valait généralement un certain respect. Toutefois, si on avait de l'estime pour elle, c'était d'abord pour sa science des drogues et des médicaments. À plus d'un, elle avait épargné une mort certaine ou d'atroces douleurs.

Elle passa avec accablement la main dans les cheveux de la jeune fille, qu'elle connaissait depuis la naissance. On voyait bien que Lani n'était pas à ses yeux une simple patiente. Calliope examina ensuite la blessure qu'elle avait reçue au flanc et, après avoir inspecté les travaux de couture que Mange-Burnasse avait effectués, elle lui adressa un signe de tête approbateur, preuve que mon ami s'était montré efficace.

– Lani se remettra du coup, pourtant sévère, qui lui a été porté au ventre. Cette petite a de la volonté et je crois qu'il y a ici quelqu'un à qui elle tient tout particulièrement. M'est avis qu'elle fera tout son possible pour revenir vers lui et continuer à lui pourrir la vie !

Bizarrement, elle prononça ces mots sans jamais

me quitter des yeux. Puis, s'adressant à Mange-Burnasse, elle aborda malheureusement des nouvelles moins réjouissantes.

– Vous aviez bien apprécié la situation, mon garçon. Celui qui a infligé à cette enfant sa vilaine blessure a aussi instillé en elle un poison extrêmement nocif. L'un de ces poisons vicieux qui ne tuent pas leur victime dès ses premières attaques mais lui infligent de longues souffrances avant de la délivrer...

– Avez-vous un remède à proposer?

– J'allais y venir... Je dispose dans ma boutique de tous les ingrédients nécessaires à la préparation de cet antidote. Tous à l'exception d'un seul, le plus difficile sans doute à se procurer...

– Quel est-il? S'il le faut, nous remuerons ciel et terre pour vous le ramener!

– C'est simple : j'aurais besoin de la main qui a commis ce crime abject... Si possible dans un bon état de conservation.

Je consultai sans un mot Mange-Burnasse qui se tenait tout près de moi. Un regard suffit pour vérifier que nous étions déjà d'accord sur la marche à suivre. Nous allions retrouver le scélérat qui avait attenté aux jours de Lani et nous honorerions la commande de l'apothicaire.

– Tu peux commencer à préparer ta potion, Calliope. Nous allons partir dès demain à la recherche de cette vermine de Fouinard et, qu'il le veuille ou non, il nous offrira ce que nous attendons de lui!

L'apothicaire esquissa un sourire, amusée par la confiance dont nous faisions preuve.

– J'en suis convaincue! Je me réjouis que Lani puisse compter sur des amis tels que vous. Ils ne courent pas les rues de nos jours!

Je n'avais encore aucune idée de la manière dont nous pourrions mettre la main sur Fouinard. Mais je ne voulais dévoiler à quiconque ni mes doutes ni mon inquiétude. D'une façon ou d'une autre, nous tiendrions notre promesse et nous sauverions Lani. C'était tout ce qui importait.

Calliope prit congé et, bientôt, chacun regagna sa chambre pour y chercher un hypothétique repos. Pour Mange-Burnasse et moi, cependant, dormir était hors de question. Je songeais à nouveau à ce qui venait de se passer, tentant de comprendre comment les choses avaient pu si mal tourner. Si je ne m'étais pas stupidement querellé avec Lani, elle serait restée avec moi et nul n'aurait pu l'enlever et lui nuire. La prochaine fois, peut-être, serais-je plus inspiré. Mais voilà, il n'était pas certain qu'il y aurait une prochaine fois.

Je craignais donc de perdre Lani alors que l'idée qu'elle fût à moi ne m'était jamais venue à l'esprit. Quand je confiai à mon ami ce paradoxe, Mange-Burnasse énonça, en soupirant, une conclusion qui ajouta encore à mon trouble :

– En réalité, si tu as peur de la perdre, c'est certainement la preuve que c'est toi qui lui appartiens.

Quand on y réfléchit, la vie est effrayante.

JUSTE UN MOT

Nous ne pouvions plus tergiverser : il nous fallait nous lancer sans attendre à la poursuite de Fouinard. Cependant, les indices qui auraient pu nous aider dans notre chasse se résumaient à presque rien.

J'avais toutefois remarqué que, dans sa fuite échevelée, notre ennemi chevauchait une monture peu commune. Son cheval était en effet de la race des frisons. Noir, avec une tête fuselée que surmontaient de petites oreilles pointues. J'avais aussi noté qu'il n'obéissait à son cavalier qu'avec une extrême réticence, preuve qu'il était encore jeune et que son dressage n'était achevé que depuis peu. On pouvait ainsi supposer que Fouinard n'avait fait l'acquisition de ce cheval que très récemment, dans un élevage sans doute proche de Rome.

Le père de Lani, après s'être renseigné, nous transmit l'adresse d'un éleveur qui, de l'avis de ses informateurs, était un spécialiste de cette race si particulière. Son haras était situé à quelques lieues au nord de la capitale. Nous débuterions donc par là nos investigations. Nous n'ignorions pas, bien sûr, que cette piste était extrêmement mince mais nous ne voulions pas renoncer à cet espoir, si ténu fût-il.

Avant de quitter l'auberge du Bourreau maudit, je me rendis au chevet de Lani. Elle avait repris connaissance mais demeurait extrêmement faible et le moindre mot lui coûtait un tel effort que tous lui défendaient de parler. Le poison commençait aussi de produire ses effets. Comme si on lui eut enfoncé une pointe dans le ventre, il lui arrachait soudain des hurlements suraigus, qui faisaient frémir de rage chacune de mes écailles. Peut-être était-ce la seule façon pour Caille-Caille d'exprimer, de là où il se trouvait, sa compassion et sa tristesse.

J'expliquai brièvement à Lani nos projets. Je lui assurai en riant qu'elle ne tarderait pas à nous revoir et qu'alors, il lui faudrait bien avaler l'infect médicament que lui préparerait Calliope.

– Et il ne faudra pas venir se plaindre du goût !

J'aurais voulu voir un petit sourire se dessiner sur les lèvres de la jeune Romaine mais la chose n'était pas dans ses moyens. Cependant, elle fit mieux que cela. Elle soutint mon regard de longues secondes et m'adressa un seul mot. Un mot banal. À peine un souffle.

– Merci…

Je n'ai pas pour habitude de fuir le danger, quel qu'il soit, mais ce fut pourtant ce que je fis ce jour-là. Ne sachant plus où me mettre, je me levai brusquement, la saluai et m'en allai. Dans la cour, Mange-Burnasse m'attendait. On nous avait fait seller deux chevaux et mon camarade était déjà en croupe. Je l'imitai et nous partîmes sans autre forme de cérémonie.

Nul besoin de me retourner pour me rappeler qui je laissais derrière moi.

TROISIÈME PARTIE
LA SUITE DES OPÉRATIONS
(DIVISIONS ET MULTIPLICATIONS)

SUR LES TALONS DE FOUINARD !

S itôt dépassés les faubourgs de Rome, nous avions fait route en direction du haras des frisons. Nul doute qu'au même moment, pour mieux nous distancer, Fouinard devait accabler sa monture de furieux coups de cravache.

L'idée qu'il avait peut-être pris sur nous une avance définitive me taraudait, ce qui n'échappait point à Mange-Burnasse. Il me prodiguait sans relâche ses encouragements, énumérant par le menu les raisons de ne pas nous avouer vaincus. À ce régime, notre trajet me parut un peu moins pénible et, plus rapidement encore que je me l'étais figuré, nous arrivâmes en vue de ce fameux haras.

L'élevage était situé dans le creux d'une vallée ombragée où serpentait un ruisseau bordé de joncs et de nymphéas. On entendait de temps en temps des poules d'eau ou des rainettes s'interpeller avec insistance. À l'ombre d'un saule, deux gamins avaient jeté leurs lignes dans le courant et, avec de bons gros rires, se taquinaient sur leurs prises respectives.

En d'autres circonstances, nous n'aurions certainement pas toléré une incarnation aussi parfaite de l'enfance. Nous aurions déchiqueté les poissons qu'ils avaient capturés et transformé en appâts ces bambins trop heureux pour ne pas nous insupporter. Mais, pour cette fois, nous fîmes une exception et laissâmes les deux gamins jouir de leur insouciance.

À quelques mètres de là, les premiers enclos dressaient déjà leurs barrières de bois. Un poulain frêle et hésitant trottinait maladroitement aux côtés de sa mère, tout étonné que ses quatre pattes, pourtant aussi fines que des allumettes, consentent à le porter et lui autorisent de brefs galops. De manière étrange, cette scène qui n'avait vraiment rien d'extraordinaire sembla toucher Mange-Burnasse. Incrédule, je vis son regard s'attarder sur les arabesques que décrivaient la jument et son petit. Je crus même entendre un soupir d'admiration ! Quel insupportable sentimental !

Non loin, un jeune homme torse nu, ruisselant de sueur, apprenait la contrainte du manège à un étalon. La bête résistait mais, plus sûrement que le claquement du fouet, la voix ferme du dresseur la ramenait dans le droit chemin. À nouveau, mon compagnon ne put dissimuler sa fascination pour ce spectacle. La technique du jeune homme l'impressionnait. Il eut peut-être aimé avoir le même don pour l'apprivoisement. Mais on ne nous avait jamais appris à nous attirer les bonnes grâces d'un animal et moins encore celles d'un être humain : tout ce que nous avions obtenu, nous l'avions gagné par la violence, la contrainte ou, au mieux, la traîtrise.

– Quel endroit formidable ! Je crois que je pourrais y passer toute mon existence sans jamais me lasser. Je vivrais en toute simplicité parmi les chevaux, je leur apprendrais à se montrer loyaux et fidèles, soignerais leurs blessures, veillerais sur les poulains…

– Mon vieux Mange-Burnasse, tu rêves !

– Une fois de temps en temps, cela ne peut pas me faire de mal !

– Allons, n'y pense plus. Tôt ou tard, tu t'ennuierais ici. Tu finirais même par dépérir car notre destin n'est pas de demeurer au calme et de mener une vie saine. Notre destin est dans les mêlées furieuses, les cavalcades, les dangers incessants, le crime et les mauvaises fréquentations… Et puis, franchement, je te vois mal en garçon d'écurie !

– C'est pourtant le genre de sales boulots que j'exerçais quand nous étions au séminaire.

– Raison de plus pour ne pas persévérer dans cette voie ! Tu mérites mieux. Mais assez discuté. Pour l'instant, nous ne devons songer qu'à Lani et trouver sans délai le propriétaire des lieux… Je peux te garantir qu'il nous dira tout ce qu'il sait de Fouinard, que cela lui plaise ou non…

Pour seule réponse, Mange-Burnasse m'adressa une moue sceptique. Pour mon compte, l'affaire ne faisait pas de doute : deux ou trois questions, une rebuffade peut-être, une pluie de gifles certainement et, si la victime protestait, l'extraction à la main de quelques solides molaires.

Notre soif d'apprendre serait rapidement étanchée.

Avec un sourire amical, le jeune dresseur nous indiqua où nous pourrions trouver celui qui administrait le domaine. Il désigna ainsi une bâtisse au toit de chaume et aux murs blanchis à la chaux. Devant l'entrée, une table et quelques chaises, comme si l'on nous attendait déjà…

Dès que nous nous trouvâmes à portée de voix

221

de la petite ferme, nous fûmes apostrophés par un vieillard affable qui s'étirait paresseusement au soleil. Sur ses traits encore ensommeillés, on pouvait lire la joie et la surprise qu'il éprouvait à rencontrer deux inconnus sur le pas de sa porte.

Notre hôte arborait pour chevelure un mince duvet et son front hâlé s'ornait de profondes rides que seules les années, et non la tristesse ou les soucis, avaient creusées. Il ressemblait à ces gens naïfs et béats qui paraissent immunisés contre toute contrariété et qui voient dans chaque journée la preuve éclatante du bonheur qu'il y aurait à vivre. Les crétins !

Je m'apprêtais à lui présenter en deux ou trois phrases la raison de notre venue lorsque, sans s'embarrasser de manières, il mit le holà à mes tentatives d'explication :

– Allons, mes gaillards, quel que soit le motif qui vous conduit jusqu'ici, je suis certain que cela peut attendre un peu ! Si nous devons parler de choses sérieuses, nous ne le ferons pas le ventre vide. J'ai ici quelques pommes dont vous me direz des nouvelles ! Un vrai régal ! Suivez-moi, les enfants, ne soyez pas si timides !

J'allais lui répliquer sur un ton menaçant qu'il n'en était pas question et que nous étions pressés, quand Mange-Burnasse me coupa la parole. Il me fit comprendre que nous devions nous conformer aux instructions du bonhomme, rentrer docilement dans son jeu et respecter les lois de l'hospitalité.

Je me demandais si cet endroit doucereux n'était pas en train de déteindre sur mon camarade. Depuis que nous avions franchi les limites du haras, il était tout chose et s'extasiait pour un rien. Tout cela pour un maigre ruisseau, quelques canassons et leurs monticules de crottins! Je contins toutefois mon agacement et obéis à Mange-Burnasse.

Chose promise, chose due : quelques pommes bien juteuses nous furent bientôt apportées. Tout en nous servant, le vieillard économisait ses gestes. De la même façon, il parlait peu, ne prenant la parole que pour s'assurer que nous étions agréablement installés et que les fruits convenaient à notre goût. Je dois avouer que ses pommes n'étaient pas mauvaises mais l'entendre à tout bout de champ nous demander si tout allait bien me mettait au supplice !

Plutôt que d'abréger cette comédie, Mange-Burnasse interrogea longuement le vieil homme sur son élevage, les prairies où les troupeaux semi-sauvages trouvaient refuge ou encore sur les qualités qu'il préférait chez ses chevaux. Quelles questions sans intérêt! Pire encore, mon pauvre camarade paraissait se prendre d'une sincère passion pour les détails sans fin dont le gratifiait l'éleveur.

Jamais les noms de Lani ou de Fouinard n'affleurèrent dans cette pitoyable conversation. Pas une fois il ne fut fait allusion au poison et au sentiment d'urgence qui me fouaillait les entrailles ! J'en venais à penser que Mange-Burnasse avait tout à fait oublié ce qui nous avait menés jusque-là.

Pour couronner le tout, dès qu'il me voyait m'impatienter, mon ami me prenait à part et, en chuchotant, me suppliait de conserver mon calme. Selon lui, nous devions d'abord «apprivoiser» notre interlocuteur pour l'amener ensuite à s'ouvrir à nous. À la longue, toutes ces histoires d'apprivoisement commençaient sérieusement à me courir !

Mon camarade faisait fausse route et je ne pouvais m'empêcher de penser que de son erreur dépendrait peut-être la survie de Lani. Cette perspective me rendait fou, et j'avoue avoir alors conçu d'hypothétiques plans de vengeance contre mon acolyte.

Par chance, alors que j'avais quasiment perdu tout espoir de voir la discussion se terminer autrement que par un affreux bain de sang, Mange-Burnasse se souvint enfin qu'il existait en ce monde des choses fichtrement plus essentielles que ces histoires de licol, d'éperons ou de sellerie !

– Brave homme, il faut à présent que je vous dise ce qui nous a conduits jusqu'à vous. Voilà : il se peut que, malgré vous, vous ayez confié l'un de vos magnifiques chevaux à un être qui ne méritait pas un si grand honneur. Et le bougre – un criminel des plus méprisables – en a fait un bien déplorable usage…

– J'en suis navré. Mais, si ma faute est avérée, je puis peut-être réparer le mal que j'ai causé.

– Allons, nous ne saurions vous faire le moindre reproche. Toutefois, il est vrai que vous pouvez nous venir en aide. Nous savons de source sûre que le criminel que nous pourchassons monte un frison comme ceux que vous élevez. Aussi cet homme a-t-il peut-être fait ici l'acquisition de son cheval. Si vous parveniez à vous souvenir de lui, certains détails pourraient vous revenir qui orienteraient notre chasse dans la bonne direction…

– Décrivez-le-moi et je vous dirai si ce gredin a abusé de mon hospitalité.

En quelques mots, Mange-Burnasse sut dresser de Fouinard un portrait si éloquent qu'une légère grimace de dégoût vint ternir les traits jusque-là imperturbables du vieillard.

– Votre supposition était exacte : je me rappelle parfaitement cet homme. C'est bien chez moi qu'il a acheté sa monture. Je ne vous cacherai pas que j'ai hésité à traiter avec cet individu car il m'a fait tout de suite la pire impression qui soit : pressé, arrogant, imbu de sa personne… Je me doutais qu'il ne sortirait rien de bon de cette transaction. Mais il m'a proposé une somme respectable et les hommes d'armes qui l'accompagnaient m'ont fait comprendre que c'était une offre qui ne se refusait pas…

– Ce sont bien là ses manières…

Et aussi les nôtres, fus-je tenté de remarquer, bien que, pour ma part, si je m'étais trouvé à la place de Fouinard, je me serais abstenu d'ajouter le moindre sou à mes menaces.

– C'est dommage. Vous l'avez manqué de peu : il est passé ici en début de matinée…

Je manquai de m'étouffer. Par réflexe, ma main s'était emparée de mon couteau et ne demandait plus qu'à s'en servir. Heureusement pour lui, notre hôte nous divulgua ensuite quelques informations qui augmentèrent, comme par enchantement, ses chances de survie.

– Quand je l'ai revu ce matin, le bonhomme avait perdu de sa superbe. À ses vêtements, j'ai vite compris qu'il avait été mêlé à quelque échauffourée et que le combat avait tourné en sa défaveur. Néanmoins, je n'ai pas cherché à en apprendre davantage. Je me suis plutôt enquis de la pauvre bête qu'il me ramenait. Quel spectacle désolant en vérité ! Celle-ci était en plus mauvaise condition encore que son cavalier. Ce Fouinard lui avait sauvagement labouré les flancs à coups de fouet et ne lui avait pas accordé une seule minute de repos. Le cheval était exténué et il aurait péri de la main de ce lâche s'ils avaient poursuivi ensemble leur course. Mais attendez : à peine arrivé, ce triste sire a eu le toupet de me demander une autre monture pour remplacer celle que, d'un rien, il avait failli me tuer. Cependant, cette fois, il ne pouvait plus se reposer sur ses compagnons pour m'intimider et il a eu beau me proposer des écus par centaines, je n'ai rien voulu entendre. Je ne suis pas homme à approvisionner les bouchers! Aussi est-il reparti à pied, me promettant vengeance et représailles…

Mange-Burnasse exultait. S'il avait été dans ma nature d'exprimer ma joie, j'aurais moi-même serré le vieil homme dans mes bras. Toutefois, cette embrassade, associée à mes écailles, eut déchiqueté le porteur de ces excellentes nouvelles. Reste que, grâce à lui, nous étions sans doute plus proches de notre proie que nous ne l'avions jamais pensé! À cette idée, j'étais comme un fauve qui aurait soudain humé l'odeur de la chair!

– Fouinard a-t-il laissé échapper devant vous quelque indication sur la route qu'il avait l'intention de prendre?

– Il est reparti en empruntant à nouveau le chemin par lequel il était arrivé. Pour la suite, je ne saurais vous dire…

– Quelle pitié! Si, au moins, nous avions ne serait-ce qu'un début d'indice! Savoir cette vermine si près de nous et ne pouvoir lui mettre la main dessus! J'enrage!

– Oh, vous savez, ce n'est pas vraiment la peine d'enrager!

– Cela vous va bien de dire ça! J'aimerais vous y voir!

– Mon garçon, vous vous méprenez sur mes propos. Je voulais simplement dire que je connais un moyen de guider peut-être vos recherches sur la bonne voie… Cela m'oblige à vous divulguer un secret d'importance, mais j'ai confiance en vous. Certes, vous me faites l'effet de deux fieffés hurluberlus. Pourtant, pour aimer aussi sincèrement les chevaux, vous ne devez certainement pas avoir un mauvais fond…

Pour nous prêter un tel caractère, cet homme n'était pas des plus perspicaces mais, après tout, il avait le droit de se faire des illusions. Pour sa part, Mange-Burnasse triomphait : la patience qu'il avait montrée au cours des dernières heures avait su amadouer le vieillard et nous attirer ses grâces.

Ravalant ma fierté, j'emboîtai le pas du vieil homme qui, sans nous fournir plus d'explications, nous avait ordonné de le suivre. Contournant la fermette, il nous conduisit jusqu'à un enclos à l'écart du haras. Derrière la barrière, nous attendait le frison sur lequel s'était juché Fouinard la dernière fois que je l'avais entraperçu. L'animal, tête basse et respiration lourde, nous adressa un regard las et atterré, comme s'il couvrait du même mépris les hommes les plus honnêtes et ceux qui avaient osé prendre place sur son dos.

– Je vous présente Patchouli !

Je ne comprenais pas en quoi la vue de cette bête pouvait nous être utile. Notre guide voulait-il nous émouvoir en nous décrivant les sévices que l'on avait infligés à son protégé ? En tout cas, il était vain de chercher à me «sensibiliser» à ce genre de souffrances. La cause des animaux ne m'a jamais davantage intéressé que celle des hommes.

– Tout cela, c'est bien joli mais cela ne nous avance à rien !

Le vieil homme, imité immédiatement par Mange-Burnasse, me foudroya du regard. J'en serais presque venu à penser que j'avais commis une bourde. Mais il se détourna de moi et pénétra bientôt dans l'enclos. Prenant une voix si douce qu'elle eut consolé le plus pleurnicheur des enfants, il s'approcha du cheval et, avec patience, s'efforça d'en reconquérir l'amitié. Néanmoins, l'animal éprouvait désormais une telle aversion pour le genre humain que son maître lui-même était pour lui un sujet de crainte et de méfiance. Pourtant, à force de caresses, ce dernier sut lentement rétablir leurs relations d'autrefois, lui chuchotant de tendres encouragements, lui glissant sous les naseaux quelques friandises ou compatissant à voix haute à ses récentes douleurs.

Peu à peu, le charme s'opéra et, chose incroyable, le Frison posa délicatement la tête sur l'épaule de son maître… Dire que cet idiot de Mange-Burnasse en avait les larmes aux yeux! Quelle mauviette!

Le cheval nous dévisageait à présent avec étonnement et douceur. Ne lui épargnant aucun compliment sur notre compte, notre hôte lui glissa à l'oreille quelques mots afin de lui expliquer notre situation. Comme si l'autre pouvait entendre ce langage!

– Mes enfants, cela n'a pas été simple, mais Patchouli a bien voulu me confier quelques renseignements qui, je le pense, vous seront d'une aide précieuse dans votre chasse…

– Comment ça? Vous n'allez tout de même pas me dire que cet animal a su vous livrer la moindre information!

– C'est précisément le secret que je souhaitais vous révéler : je sais parler à ces êtres charmants que sont mes frisons. Si l'on s'en donne la peine, on peut aisément apprendre leur langue. La grammaire en est un peu compliquée et il y a quelques verbes irréguliers, mais rien d'insurmontable. L'important, c'est de pratiquer…

– Vous vous moquez de moi ! Seuls les hommes sont doués de parole et c'est bien assez ! La vie d'une jeune fille est en jeu et, si nous voulons la sauver, nous ne pouvons nous autoriser ce genre de divagations. Reprenez-vous !

– Allons, pourquoi refusez-vous de me croire ? Je suis sûr que vous n'avez jamais tenté d'engager la conversation avec votre cheval. Dès lors, comment pouvez-vous affirmer que la chose est impossible ?

Même Mange-Burnasse se mit de la partie :

– Le problème avec toi, Wilmuth, c'est que tu ne crois pas au merveilleux !

– C'est simplement parce que je sais comment marche le monde ! Je ne suis quand même pas né de la dernière pluie !

Mon camarade étant d'avis de prendre pour argent comptant les informations que pourrait nous fournir le vieillard, je dus cependant me résoudre à subir ses élucubrations. Si, dans toute cette histoire, il n'en était allé de la vie d'une idiote, j'aurais pu en rire…

– Mon Patchouli est formel : il a clairement entendu votre Fouinard mentionner un certain Triple-Mort qu'il devait rejoindre au plus vite pour lui faire son rapport. Patchouli a d'ailleurs noté que votre ennemi ne faisait allusion à cet étrange commanditaire qu'avec terreur. Fouinard a également parlé d'un endroit dont le nom est, lui aussi, surprenant… Peut-être vous rappellera-t-il quelques souvenirs : il s'agirait du séminaire Inferno…

Pour sûr, cela nous disait quelque chose !

Je devais en convenir : l'éleveur avait bel et bien eu une riche conversation avec ce cheval pour le moins déroutant. Comment expliquer, sinon, qu'il fût en mesure de citer les noms honnis de Triple-Mort et d'Inferno ? Devant lui, nous n'avions jamais fait allusion ni à l'un ni à l'autre.

Nous savions à présent sur quelle route nous devions nous lancer. Déjà, Mange-Burnasse avait compris ma pensée : nous devions prendre congé. Avec respect, il inclina la tête devant le vieil homme et, pour nous deux, présenta des remerciements.

Nous étions déjà remontés en selle quand mon compagnon posa une ultime question au vieillard, qui avait observé avec tristesse nos préparatifs de départ :

– Pourquoi nous avoir fait confiance ? Nous ne vous avons pourtant rien expliqué des raisons qui nous poussent à pourchasser Fouinard. Qui vous dit que nous n'obéissons pas, nous aussi, à des visées bassement criminelles ?

– Mon petit, il y a belle lurette que je connais les gens et j'ai tout de suite compris que, ton ami et toi, vous avez déjà commis le mal plus souvent qu'à votre tour. Je ne saurais expliquer exactement ce qui m'a mis sur la voie : les armes que vous portez, la dureté de votre regard, votre façon de vous exprimer comme des adultes ou encore votre absence de fantaisie…

– Eh, nous sommes ainsi… Je regrette tout de même que nous n'ayons pas su mieux vous cacher nos mauvais côtés.

– Je ne suis pas triste de les avoir vus. Pendant quelques instants au moins, je vous aurai connus sous votre vrai visage. Et puis, j'ai un pressentiment à ton sujet : je suis certain qu'avec le temps, ces mauvais côtés s'atténueront et il se peut même que, chez toi, le bon finisse par l'emporter…

Pour un peu, ce type m'aurait effrayé avec ce

sombre pronostic! Néanmoins, Mange-Burnasse ne semblait pas s'en formaliser. Il recevait ces prédictions en affectant un air aimable et indulgent, comme si, après tout, elles pouvaient comporter une part de vérité. Pour ma part, j'étais heureux que le vieil homme ne m'eût pas inclus dans le lot. Peut-être supposait-il que j'étais irrécupérable, ce qui représentait à mes yeux le plus beau des compliments !

Nous saluâmes une dernière fois et nous donnâmes à nos chevaux l'ordre de reprendre leur galop. Alors que nous nous éloignions du haras, je surpris mon camarade à jeter à plusieurs reprises des regards derrière lui. S'apercevant que son petit manège n'était pas passé inaperçu, il me lança d'un ton de défi cette phrase définitive :

– Je reviendrai !

Il en était bien capable, le bougre ! Lui qui était féru de langues étrangères, il ne verrait certainement que des avantages à ajouter le cheval à son palmarès !

– Allons, Mange-Burnasse, maintenant, il ne nous faut plus penser qu'à Lani !

– Tu as raison, Wilmuth. Sous peu, Fouinard saura ce qu'il en coûte de nous nuire ! Ça va barder !

Nous dûmes toutefois patienter trois longues journées avant de passer à l'acte. De plus, nos retrouvailles avec Fouinard ne se déroulèrent pas exactement comme prévu car, en sus de cette punaise, nous rencontrâmes aussi une autre figure connue.

Nous avions désormais rejoint le Nord de l'Italie et n'allions pas tarder à entrer au pays des Francs. Nous chevauchions par des chemins qui, en surplomb de la mer, serpentaient au milieu de collines cuites et recuites par le soleil.

L'après-midi était déjà bien engagé et il nous faudrait bientôt songer à bivouaquer pour une courte nuit. Nous avisâmes alors un bois qui se situait à une demi-lieue devant nous. Peut-être pourrions-nous y profiter d'un peu de repos et offrir à nos bêtes le réconfort d'une mare ou d'un cours d'eau.

Je ne comprenais pas pourquoi nous n'avions pas encore capturé Fouinard. Si nous ne l'avions pas rattrapé, c'était qu'il avait dû s'emparer de la monture d'un autre voyageur et conserver ainsi un peu d'avance. Voilà qui ne faisait évidemment pas les affaires de Lani !

Alors que je commençais à m'abandonner à un certain abattement, un spectacle inattendu vint contredire mes pensées les plus défaitistes.

Plus de dix tonnes de muscles et de bêtise, un ventre dodu, ruisselant de transpiration et de poils, des pantalons coupés aux genoux et une chemise ridicule, des pustules plein le visage, des cheveux luisant de crasse et une haleine pestilentielle. Chacun de ses pas était un séisme, chacun de ses borborygmes une mini-tornade. Ce type était un cataclysme à lui seul. Toute son existence une catastrophe naturelle.

– Mon cher Mange-Burnasse, je ne suis pas très physionomiste mais j'ai bien l'impression d'avoir déjà croisé ce type quelque part...

Naturellement, nous avions, l'un et l'autre, reconnu l'accumulateur méthodique, le collectionneur maniaque, le monstre converti à tous les classements et à toutes les étiquettes : le seul, l'unique, le Rangeur !

Nous le retrouvions tel que nous l'avions laissé, avec ses dimensions hors du commun et ses stupides marottes. Il avait en effet renoué avec son ancienne passion et, malgré le tour cuisant que nous lui avions joué, s'était lancé dans une nouvelle collection. Celle-ci s'ordonnait piteusement sous ses coups de fouet, craignant à tout moment que, par inadvertance, le géant n'écrase sous sa semelle l'un de ses prisonniers. Autant vous dire que tout ce beau monde filait droit !

Cette fois, néanmoins, sa collection était exclusivement composée d'êtres humains. Le Rangeur avait ratissé large et sa troupe comptait déjà près de deux cents prisonniers. Comme on peut s'en douter, le colosse ne s'était toujours pas départi de sa manie du tri et du rangement. Dans le cas présent, il avait eu la mauvaise idée d'ordonner ses prises par race ou par couleur de peau : ici, les Numides, là, les Barbaresques, ou plus loin les Germains moustachus et les fiers Espagnols.

Je dois vous avouer que ce genre de classement m'a toujours révulsé. À mon sens, ceux qui s'y livrent n'ont rien compris à rien. Selon moi, l'humanité se divise d'une manière assez simple et s'ordonne en deux grandes catégories : les bons et les mauvais. Les premiers sont sans conteste nos ennemis et, si nous pouvons en réduire le nombre, nous ne nous en privons pas. Quant aux seconds, eh bien, nous pouvons nous en accommoder quelque temps, avant de les occire à leur tour…

Comme nous nous tenions en retrait, le Rangeur n'avait pas remarqué notre présence, si bien que nous aurions pu passer notre chemin et le laisser s'adonner à ses plaisirs stupides. Cependant, outre que je brûlais encore de le martyriser, nous avions une bonne raison de nous en prendre de nouveau à lui. Et cette raison s'appelait Fouinard.

Oui, notre Fouinard ! Lui, pourtant si fuyant, si prompt à vous glisser des mains, se trouvait au premier rang de ce pitoyable cortège. Nous n'avions donc pas le choix : nous allions devoir nous porter à son secours. Si l'on m'avait dit que je devrais un jour venir en aide à cette lavette !

Le Rangeur et ses prisonniers ne voyageaient que de nuit, le géant se souciant de ne pas attirer l'attention et d'éviter les mauvaises rencontres. Ainsi, nous pouvions supposer que, dès le soleil couché, la troupe allait se remettre en branle.

Nous devions agir vite. Cette fois encore, ce fut Mange-Burnasse qui, avec son habileté habituelle, conçut ce jour-là un stratagème des plus astucieux. Il me demanda tout d'abord de lui confectionner quelques catapultes et de les disposer en plusieurs endroits stratégiques d'où leurs projectiles pourraient atteindre à coup sûr la foule des captifs. Le procédé me semblait quelque peu radical mais je me doutais que Mange-Burnasse avait une autre idée derrière la tête.

Mon camarade avait, quant à lui, entamé une étrange cueillette. Parmi la garrigue qui nous entourait, il repérait de grandes plantes herbeuses qui s'ornaient de fleurs légèrement jaunâtres et de baies noires. Il en extrayait ensuite les racines, en enlevait la terre puis, après les avoir laissées sécher quelque temps au soleil, se faisait un devoir de les broyer sous une sorte de pilon. Me voyant l'observer avec perplexité, il m'interpella sans plus de façon :

– Les catapultes sont-elles en place ?

– Prêtes à tirer ! Elles ne manqueront pas leur cible… Mais, dis-moi, que fais-tu ?

– Je prépare nos munitions…

– Allons, des cailloux bien choisis conviendront parfaitement !

– Si nous avions un autre ennemi en face de nous, tu aurais peut-être raison. Mais, là, c'est différent. Nous devons réserver au Rangeur un traitement qui tire parti de ses faiblesses. C'est précisément ce à quoi je m'emploie. Crois-moi, les projectiles que nous allons bientôt lui envoyer lui infligeront des blessures plus douloureuses que ne pourrait le faire la plus lourde des pierres !

– Pour ça, je te fais confiance ! Mais, à présent, dis-moi plutôt comment je peux t'être utile.

– C'est simple. Tu vois ces plantes ? Elles répondent au nom de garance. Si tu veux me faciliter la tâche, repère quelques-uns de ces arbustes et rapporte-m'en un bon fagot.

Sans trop comprendre où il voulait en venir, je lui obéis et, quelques minutes plus tard, ma livraison subit le même sort que les précédentes racines. Je m'aperçus alors qu'après diverses opérations, celles-ci produisaient des pigments d'un beau rouge cramoisi.

Malgré tout, je ne parvenais toujours pas à cerner le sens exact des projets que fomentait mon ami. En attendant leur mise en œuvre, je surveillais avec inquiétude le Rangeur et ses captifs, redoutant à tout moment d'entendre le signal du départ. Toutefois, mon camarade vint enfin me trouver pour m'avertir que nous pouvions nous lancer à l'attaque.

Mange-Burnasse avait réparti le fruit de ses décoctions entre quelques dizaines de bourses de cuir qu'il avait grossièrement découpées dans sa garde-robe, puis disposées au pied de chaque catapulte. D'épaisses gouttes rougeâtres s'échappaient de chacune de ces poches, comme si elles eussent conservé un organe fraîchement arraché. C'était parfaitement écœurant et du meilleur effet !

Au signal de mon ami, nous déclenchâmes le tir et pûmes immédiatement apprécier combien notre dispositif était efficace. Chacun de nos projectiles implosait en libérant dans un large rayon son contenu écarlate. De longues traînées de pourpre se répandaient sans pitié sur les pièces de la nouvelle collection du Rangeur. Chacun y perdait sa couleur naturelle. Nul n'était plus reconnaissable. Tous affichaient désormais le même air hagard, le même regard brouillé, tandis que leurs jambes, leurs bras et leur torse se tachaient de ces rouges rigoles que l'on ne voit d'ordinaire que dans les mêlées les plus dévastatrices.

Certaines de nos victimes, gagnées par la panique, s'imaginaient qu'elles avaient été blessées. Ainsi, la confusion était totale et je crois que, dans ce chaos, quelques-uns de ces pauvres hères, se heurtant les uns les autres, finirent par recevoir de véritables blessures.

Le Rangeur n'était pas le moins désorienté. Accourant à droite, se précipitant à gauche, il s'efforçait de sauver ce qui pouvait l'être mais, déjà, certains captifs, à qui il n'avait pas échappé que le colosse n'était plus tout à fait à son affaire, commençaient de prendre la poudre d'escampette. Il fallait les voir décamper deux par deux, unis par les fers qui leur enserraient les chevilles et les poignets !

Ce fut au milieu de cette indescriptible cohue qu'après avoir épuisé nos ultimes munitions, nous pûmes nous emparer de Fouinard. L'idiot ne saisissait qu'une infime partie de ce qui était en train de se produire. Il ne lui venait certainement pas à l'esprit que ce gigantesque ramdam n'avait été déclenché que pour sa médiocre personne.

Son premier geste fut pour refuser de nous suivre.

Plutôt que recevoir de nous son juste châtiment, il eût encore préféré passer le restant de ses jours dans la monotonie d'une cage. Néanmoins, nous n'étions pas d'humeur à entendre ses réticences et j'écourtai le débat en assénant à la face de ce lâche un rugueux coup de poing.

– Au secours, à moi, à l'aide !

Il était pathétique. Cet être dérisoire ne faisait honneur ni au séminaire Inferno ni à cette frange de l'humanité pour laquelle la cruauté, plus qu'une habitude, se veut un art de vivre. Il claquait des dents et ses lèvres violettes frémissaient comme s'il venait de glisser dans un bain glacé. Il était à ce point terrorisé qu'il était incapable d'articuler un mot. Si je m'étais écouté, je l'aurais dépecé sur place. Toutefois, Mange-Burnasse m'en dissuada. Je m'en étonnai mais gardai pour moi ma perplexité. Puisque les intuitions de mon ami nous avaient jusqu'à présent été favorables, je décidai de lui obéir et de reporter mes projets de peine capitale…

Ce fut à ce moment précis qu'une voix tonitruante éclata dans l'air comme un coup de tonnerre.

– Je m'en doutais ! C'est vous, oui, c'est vous à qui je dois ce nouveau malheur ! Qui d'autre que vous pourrait prendre un plaisir aussi vil à détruire l'ordre, la hiérarchie, le classement et l'harmonie ? Punaises, cloportes, charançons, bousiers ! Vous ne l'emporterez pas au paradis !

Sur ce, le titan se rua sur nous, fermement décidé à nous aplatir sous ses sandales. J'avançais alors une proposition, qui fut immédiatement adoptée à la majorité des voix, Fouinard préférant s'abstenir :

– Il serait sans doute préférable de lever le camp. Ce rustre semble peu disposé à nous pardonner.

Chose dite, chose faite : nous emportâmes prestement Fouinard qui, dorénavant, ne nous opposait plus aucune résistance, encore étourdi qu'il était par mon coup de poing. Cependant, comme un bonus dont nous nous serions volontiers passés, nous dûmes aussi nous lester du prisonnier qui partageait ses chaînes.

Compte tenu du gigantesque remue-ménage alentour, cet homme faisait preuve d'une placidité peu ordinaire. J'aurais sans doute pris ce détachement pour une forme supérieure du courage si je n'avais surpris sous ses paupières lourdes un regard vide et bovin qui attestait une intelligence limitée au strict minimum.

Aveuglé par un épais écran de bêtise, il ne percevait rien qui pût l'effrayer. Son trottinement, son ventre replet et la calvitie naissante qui se dessinait sur le sommet de son crâne achevaient de lui conférer un air de ressemblance avec un moine.

– Ravi de faire votre connaissance, mes enfants ! Chaque nouvelle rencontre est pour moi une joie. Quelle magnifique école que le voyage où l'on côtoie toutes sortes de gens qui, du jour au lendemain, deviennent vos amis pour quelques heures ou pour la vie…

– Allons, taisez-vous ! Nous avons mieux à faire… Attention, sur votre droite ! Ce n'est pas passé loin… Sur votre gauche, maintenant !

– Le temps se rafraîchit, ne trouvez-vous pas ? Je crois avoir senti comme un courant d'air…

Il me semblait que l'homme parlait avec un peu trop de légèreté des poings du Rangeur qui, à chacune de ses tentatives pour nous briser comme des noix, passaient au-dessus de nos têtes tels deux énormes blocs de granit…

Néanmoins, malgré le handicap que représentait

notre excès de bagage, nous parvînmes à fausser compagnie au colosse grâce à quelques habiles zig-zags, Mange-Burnasse se chargeant du zig tandis que, par une juste répartition des tâches, je jetais mon dévolu sur le zag. Nous rejoignîmes ensuite nos montures qui nous attendaient à l'écart et installâmes nos deux prises sur l'une d'entre elles.

En jetant un dernier regard derrière moi, j'aperçus le géant accablé de chagrin, les bras ballants, le séant posé sur ce qui devait être une colline. De nouveau, il se retrouvait seul, les mains vides, dépossédé de ses trésors. Cette fois, il paraissait pourtant considérer son échec avec philosophie, presque résigné, plutôt triste qu'en colère.

– Ranger et déranger, c'est toujours, en fin de compte, un nouveau prétexte pour ranger !

Nous ne nous attardâmes pas davantage à contempler ce réjouissant spectacle et nous éloignâmes sans regret. Déjà, le bonhomme qui partageait son cheval avec Fouinard nous accablait de ses remarques et de ses remerciements :

– Comme c'est aimable à vous de m'accepter comme passager ! Je suis fourbu et votre aide ne pouvait tomber à un meilleur moment. La générosité est une vertu qui se fait rare de nos jours. Aussi dois-je vous dire combien je suis heureux de la trouver chez deux petits êtres aussi charmants que vous. Quel ravissement de vous savoir mes compagnons de route ! Nous pourrons ainsi deviser tout notre saoul, ce qui égayera notre voyage de la plus belle des manières…

Accroché malgré lui à ce bavard impénitent, Fouinard offrait un contraste frappant car il demeurait totalement muet, trop occupé à nous observer à la dérobée, redoutant à chaque instant que se décide son châtiment.

Pour ma part, ma décision était prise depuis longtemps. Comme Calliope nous l'avait demandé, j'amputerais ce lâche de la main par laquelle il avait ouvert le ventre de Lani et je rangerais aussitôt ce membre fraîchement coupé dans ma gibecière. Puis, au pas de course, je le ramènerais à l'apothicaire pour, si j'ose dire, qu'elle mette la dernière « main » à son antidote. Pour le reste, le corps de mon prisonnier ne m'intéressait guère. Quelques coups de couteau bien placés et je laisserais le tout aux charognards. Toutefois, Mange-Burnasse s'opposa encore une fois à mes projets expéditifs.

– Mon pauvre Wilmuth, tu te mets le doigt dans l'œil jusqu'au coude ! Quand Calliope nous a priés de lui rapporter la main qui a frappé Lani, elle faisait allusion au criminel qui a osé ce geste insensé. En fait, elle s'exprimait par métaphore…

– Par quoi ?

– Hum… Disons qu'elle a utilisé une image. En réalité, nous devons ramener à Rome notre criminel tout entier…

– Qu'est-ce que tu racontes ? Je n'ai pas rêvé : j'ai distinctement entendu Calliope parler de la main de Fouinard mais elle n'a jamais dit que nous devions nous embarrasser du reste. Voyageons léger, que diable !

– Mais puisque je te dis que c'est une figure de style !

Derrière Mange-Burnasse, j'entrevoyais notre traître préféré en train de hocher vigoureusement la tête pour me signifier comme il approuvait les absurdes conclusions de mon ami. J'étais à bout de patience.

– Et ma main dans ta figure de style, tu la veux, dis ?

Sentant qu'entre mon camarade et moi, le ton

montait dangereusement, Fouinard comprit qu'il était temps de plaider lui-même sa cause. Ce fut à cette occasion que je découvris que, lorsqu'elle était prise de panique, cette chiffe molle se mettait à parler d'une façon bien étrange. Le lecteur attentif ne manquera pas de s'en apercevoir bientôt.

– Wilmuth, votre camarade est dans le vrai. Vous ne devez certainement pas prendre au pied de la lettre les recommandations de la pharmacienne. En outre, qu'avez-vous à perdre à différer vos projets ? Si, une fois à Rome, vous deviez avoir raison, rien ne vous empêcherait de m'y découper comme bon vous semble. En revanche, si Calliope devait avoir besoin de toute ma personne, vous apparaîtriez bien ridicule en ne lui présentant que ma seule main. Et puis, je vous promets que je ne chercherai pas à m'échapper*.

– Tu divagues ! Comment pourrais-je croire un félon de ton espèce ?

– Un homme dans ma situation ne saurait vous mentir**. C'est en effet face à la mort que l'on montre son vrai visage. Les minutes sont comptées et il ne peut plus y avoir de faux-semblant. Quoi qu'il en soit, soyez rassurés : je vous promets de ne pas vous trahir***.

Jamais je n'aurais cru la chose possible. Quand il cédait à l'affolement, Fouinard avait pour particularité

---

* Offre valable jusqu'à ce qu'une bonne occasion se présente.

** À moins qu'il soit mort de frousse !

*** Engagement sans garantie, le ci-devant Fouinard se réservant le droit de redevenir une fripouille en cas de brusque retournement de situation.

de produire d'hypocrites astérisques. Vous savez, ces petites étoiles qui sont censées vous renvoyer à des notes de bas de page rédigées en des caractères si minuscules que vous renoncez à les lire. De nos jours, on en trouve dans de nombreux documents, du mode d'emploi au contrat d'assurance en passant par l'affiche publicitaire. À l'époque dont je vous parle, la chose était heureusement peu répandue. Pour ma part, j'ai toujours détesté cette forme de duplicité, mais, pour sûr, cette façon de procéder était bien dans le style tout en perfidie d'un ancien élève du séminaire Inferno.

Pourtant, contre toute évidence, Mange-Burnasse soutenait toujours la cause de notre prisonnier. Il m'affirmait que je devais accorder à Fouinard quelques jours de sursis et que, pour le bien de Lani, il valait mieux se montrer prudent et éviter tout risque inutile.

Ce fut cet argument qui me fit fléchir et me persuada d'accepter pour quelque temps la présence incommodante de ce rat. Mais comme cela m'était pénible ! Pour ajouter à mon amertume, notre passager supplémentaire jugea opportun de formuler quelques commentaires dénués de bon sens.

– Je ne sais quelle est la nature du différend qui vous opposait mais j'observe avec joie que vous vous êtes engagés sur le chemin de la réconciliation. Quelles bonnes âmes vous êtes ! Fort est l'homme qui sait à l'autre pardonner ses faiblesses ! Laissez-moi, mes amis, me joindre à votre bonheur et chanter notre attachement commun à la paix et à l'harmonie !

– De grâce, taisez-vous ! Vous allez me rendre fou ! J'espère que, demain, dès la première heure, nous trouverons un habile forgeron qui, en un tour de main, saura rompre la chaîne qui vous lie à cette vermine.

Cependant, sans tenir compte le moins du monde de mon agacement et sans que nous n'ayons rien demandé, le compagnon de chaîne de Fouinard nous apprit diverses informations sur sa personne. En réalité, il était intarissable.

– Où avais-je la tête? Je ne me suis même pas présenté! Sous ma forme latine, je me prénomme Antepenultimus Obtus Paternalus Olybrius. Olybrius pour les intimes. Par affection, on me surnomme aussi la Buse, même si j'avoue ne pas comprendre d'où me vient cet aimable sobriquet. Peut-être faut-il y voir une image poétique, une métaphore…

– Ah non! On ne va pas recommencer avec les métaphores!

– Excusez-moi, je ne voulais pas vous importuner… Mais, dites-moi, comment deux enfants de votre âge peuvent-ils en venir à voyager seuls par monts et par vaux? N'avez-vous point de parents pour veiller sur vous tout au long du chemin?

– Nous sommes deux orphelins…

– Cela ne pouvait pas mieux tomber! Magnifique! La veuve et l'orphelin: c'est mon domaine. Figurez-vous que, dans le civil, j'administre un orphelinat en la bonne ville de Béziers. Avec l'aide de quelques compagnons dévoués et de généreux donateurs, je pourvois à l'éducation, à la santé et au ravitaillement d'une petite centaine de chérubins. Je veille ainsi à en faire des hommes honnêtes et droits. Je me charge personnellement des cours de morale et de broderie…

Tout en poursuivant des buts opposés, l'institution qu'il me décrivait n'était pas sans me rappeler le séminaire Inferno. Une nouvelle fois, je constatai que, de par le vaste monde, nombreux étaient les enfants à devoir supporter les affres de l'instruction, que celle-ci cherche à leur apprendre les nuances du Bien ou du Mal. Quelle triste vie on nous fait là !

– Vous ne craignez plus rien désormais : je vais vous protéger, ton camarade et toi. Vous pouvez vous en remettre à moi pour vous conduire sains et saufs jusqu'au terme de votre voyage...

– Nous n'avons aucun besoin de votre aide : nous assurons nous-mêmes notre protection.

– Allons... Vous redoutez d'être pour moi une charge trop lourde et de me créer trop de soucis ? Détrompez-vous : c'est avec joie que je vous prends sous mon aile. Dites-moi plutôt où vous vous rendez.

– Nous retournons à Rome mais...

– Parfait ! C'est aussi là que je vais. Nous allons donc pouvoir accomplir un bon bout de chemin ensemble...

Ce type ne se laissait pas aisément démonter. Par moments, j'en serais presque arrivé à lui préférer Fouinard. Cependant, Olybrius présentait une physionomie qui n'offrait aucune prise à la détestation, y compris pour un être tel que moi. Son visage, qui s'ornait invariablement d'un sourire modeste ainsi que d'un regard stupide mais bienveillant, était des plus anodins. Désespérément normal.

Dans le même ordre d'idée, Olybrius, qui devait aller sur ses trente ans, était de taille moyenne, arborait sur ses joues une pilosité dans la norme, tandis que la taille et le poids de ses différents membres entretenaient entre eux un rapport proche de celui que l'on observe habituellement chez la plupart des individus. Pas une verrue, pas un tic de langage, pas une cicatrice, aucune particularité, aucune anomalie par lesquels on aurait pu le remarquer.

Il y avait toutefois un point à mettre à son crédit : il n'affichait pas cette mine réjouie qu'ont d'ordinaire ceux qui s'enorgueillissent de leurs mérites. Ce fut sans doute cette discrétion qui me détermina à ne pas le tuer séance tenante. D'ailleurs, Mange-Burnasse considérait, lui aussi, le personnage avec une certaine bonhomie. Et puis, il était tellement bête qu'il en devenait distrayant !

Le soleil couchant rougeoyait maintenant à l'horizon et, même si j'étais impatient de retrouver Lani, nous devions songer à bivouaquer. Nous dénichâmes bientôt l'endroit où nous pourrions passer une nuit au calme. Nous nous occupâmes des bêtes, tout en ordonnant à Fouinard et Olybrius de ramasser du bois pour alimenter notre feu. Les deux compères étant solidement enchaînés, le risque de voir le traître se dérober était faible. Du reste, Fouinard paraissait avoir provisoirement renoncé à nous fausser compagnie. Au contraire, il se montrait même extrêmement coopératif.

– Olybrius et moi allons vous ramener dans les meilleurs délais autant de bois qu'il en faudra* !

Pour cette fois, il tint sa promesse et, autour d'un bon feu, nous pûmes ensuite profiter d'un dîner qui permit aux uns et aux autres de se remettre des émotions de la journée. Si l'on nous avait observés de loin, on aurait presque pu supposer entre nous comme de la camaraderie. En particulier, Olybrius prenait beaucoup de plaisir à entretenir la conversation et à nous expliquer comment il dirigeait son orphelinat.

---

* Dans la limite des stocks disponibles.

– La tâche est énorme, le repos est rare mais la joie que cela me procure est inestimable ! Toutefois, il est vrai que certains de nos pensionnaires nous donnent du fil à retordre. Ce sont de véritables « petits monstres », si vous me pardonnez l'expression…

Tandis que, discrètement, je caressais mes écailles, je songeais que ce bavard ignorait absolument ce que pouvait être un véritable petit monstre.

– Dis-moi, Wilmuth, j'ai l'impression de t'avoir déjà vu quelque part mais je ne parviens pas à me rappeler exactement dans quelles circonstances…

– Si nous nous étions rencontrés, je ne crois pas que vous seriez encore là pour en témoigner.

– Ah ? Pourtant, ton visage m'est familier. Tes traits un peu maussades ont pour moi comme un air de déjà-vu… N'aurais-tu point été, il y a un an ou deux, moinillon dans un monastère en Catalogne ? À la coupe de cheveux près, tu me rappelles vraiment un enfant que j'ai croisé là-bas…

– Je n'ai jamais mis les pieds dans cette région. Les couvents, je ne m'y attarde guère et, quand je m'en éloigne, ils sont généralement en flammes ou démolis jusqu'à la dernière pierre !

– Mon pauvre petit, tu as dû assister bien malgré toi à des scènes atroces. Dans quel monde vivons-nous, où même les endroits les plus sacrés sont profanés, où l'innocence des enfants est ainsi mise à mal ?! Quoi qu'il en soit, je suis convaincu que tu ne m'es pas étranger… Allons, cela me reviendra un jour ou l'autre !

– Cela m'étonnerait… Une question : pourquoi devez-vous aller à Rome ?

– Je dois assister là-bas à une réunion un peu particulière mais il m'a été formellement défendu de révéler la chose à quiconque… Cela serait trahir un secret et cela n'est pas dans mes habitudes. Que penseraient les autres membres de ma communauté si je laissais échapper des informations sur nos activités ? Certes, il nous arrive de nous quereller et d'avoir des mots mais, malgré nos différences de sensibilité, nous restons des frères les uns pour les autres…

Olybrius, qui venait pourtant d'éveiller notre curiosité, ne voulut pas nous en apprendre davantage. Nous changeâmes donc de sujet de conversation. Cependant, après une journée aussi éprouvante, tous tombaient de sommeil. Ainsi, quelques minutes plus tard, après avoir solidement arrimé Fouinard et subi les conseils d'Olybrius pour jouir d'une bonne nuit, nous finîmes par goûter un repos réparateur.

Pour l'une des rares fois de ma vie, je m'endormis avec le sentiment du devoir accompli. Bientôt, j'allais être de nouveau au chevet de Lani et ce serait sans honte et sans crainte que je pourrais soutenir son regard.

UNE BONNE ACTION

Lorsque, quelques jours plus tard, nous fîmes notre entrée dans la cour de l'auberge du Bourreau maudit, je me précipitai dans la chambre de Lani, le cœur battant et les tempes moites, redoutant de ne plus y trouver personne. Heureusement, je la découvris telle que je l'avais laissée : hurlant, bavant de rage, faisant les gros yeux et suant à grandes eaux. Son corps, même s'il était entravé par de puissantes sangles, ondulait en tous sens. Sa couche tout entière paraissait tanguer au gré d'un roulis de tempête. Parfois, elle frétillait comme un poisson que l'on eût sorti de l'eau tandis qu'à d'autres moments, il lui venait des rires roucoulants de volaille.

Certes, Lani était toujours de ce monde mais je me demandais si nous n'arrivions pas trop tard. Nous n'avions pourtant pas traîné en route. Nous n'avions accordé à nos chevaux que le repos strictement nécessaire et nos nuits s'étaient réduites à une peau de chagrin. Olybrius s'était d'abord étonné du rythme d'enfer que nous nous imposions mais, sitôt que nous lui avions expliqué ce qui nous reconduisait à Rome, il n'avait pas été le dernier à accélérer l'allure.

Seul Fouinard n'avait témoigné aucun enthousiasme à nous voir enchaîner aussi vite de si longues étapes. Il devait se douter qu'une fois à Rome, il ne tarderait pas à perdre son utilité et que les arguments qui justifiaient sa survie commenceraient à s'épuiser dangereusement...

Veillant sur sa malade, Calliope se tenait silencieusement dans un coin de la pièce.

– Allons, Wilmuth, remets-toi ! M'as-tu ramené ce que je t'ai demandé ?

Au même instant, la réponse à cette question franchit la porte en la personne de Fouinard et de Mange-Burnasse, suivis de près par Olybrius. Non sans audace, celui-ci porta sur Lani un regard plein de tendresse et de compassion. Cette marque d'attention me déplut.

Je n'aimais pas qu'on la regarde.

– Parfait ! Vous m'avez apporté le dernier ingrédient qui manquait à mon antidote. Il n'y a pas de temps à perdre : la vie de cette enfant ne tient plus qu'à un fil.

À présent, Lani s'était mise à entonner des cantiques, preuve que l'apothicaire était dans le vrai... J'avisai alors une des haches ensanglantées qui décoraient avec goût la chambre de la jeune fille et m'en saisis. Puis je m'emparai de Fouinard et le forçai à étendre le bras. Levant bien haut ma hache, je m'apprêtai à faire mon office.

Cette fois, ce fut Calliope qui s'interposa.

– Malheureux, cesse cela tout de suite avant de commettre l'irréparable !

– Quoi ? Encore cette fichue histoire de figure de style !?

– Pardon ?

Mange-Burnasse expliqua alors brièvement à la vieille Romaine la discussion que nous avions eue quant au sens à donner à ses prescriptions. Comme je le craignais, Calliope confirma que l'interprétation de mon camarade était la bonne.

– Idiot! En quoi la main coupée de ce criminel aurait-elle pu m'être utile? Tu me vois vraiment balancer dans un affreux bouillon quelques phalanges ensanglantées? Les antidotes que je conçois sont tout de même d'une autre subtilité. Ne va pas croire que je concocte des remèdes de bonne femme!

Heureusement, Calliope coupa court à ses remontrances et se mit aussitôt à l'œuvre. Elle détacha de sa ceinture une petite gourde et, tant bien que mal, tâcha d'en vider le contenu entre les lèvres de Lani. Cependant, la bougresse se débattait farouchement et nous ne fûmes pas trop de quatre pour la convaincre d'avaler jusqu'à la dernière goutte du médicament.

La chose faite, Calliope héla Fouinard qui, jusqu'à présent, s'était contenté d'observer la scène avec un mélange de mépris et d'étonnement :

– Eh toi! C'est maintenant que nous avons besoin de ton aide. Alors, approche sans rechigner!

Cette larve ne se fit pas prier et, docilement, écouta les instructions de la pharmacienne.

– La potion que Lani vient d'ingurgiter restera sans effet si celui auquel elle doit ses épreuves ne passe pas la main sur la plaie qu'elle porte désormais au ventre. Mais attention, tu devras le faire avec un vrai repentir. Sinon, la guérison de notre amie ne sera pas complète. Or je connais quelqu'un ici qui prendrait mal la chose. Tu vois ce que je veux dire…

– Je vous comprends fort bien, madame… Ce que vous me demandez là est tout à fait inhabituel mais, au vu des circonstances, je veux bien faire un effort.

– Tu m'en vois ravie mais je pense que tu n'as pas vraiment le choix.

– Bien raisonné, madame !

Calliope retroussa légèrement la chemise de Lani et, sans pouvoir esquisser le moindre geste, il me fallut assister à une scène des plus pénibles : Fouinard, l'air penaud, caressant doucement le ventre qu'il avait déchiré quelques jours plus tôt. Diantre, j'aurais bien voulu être à sa place ! Mes écailles (et mes mains) me démangeaient atrocement.

– Je crois que cela suffit maintenant, non ?!

– Patience, Wilmuth ! Il faut laisser au remords le temps d'exercer son effet.

– Quand même, c'est long !

– La chose irait sans doute plus vite si ce monsieur voulait bien exprimer ses regrets à voix haute…

Là encore, Fouinard se prêta sans protester à cette mascarade.

– Sachez, chère Lani, que je suis extrêmement navré de vous avoir valu tant de souffrances. On m'a mal conseillé et j'ai suivi une mauvaise pente. À vous découvrir ainsi dans votre lit de douleur, à vous voir entourée de vos amis qui se sont donné tant de peine pour vous sauver, je me dis que j'ai agi sottement. Comme j'aimerais être ailleurs et que rien de tout ceci ne soit arrivé ! En tout cas, chère Lani, vous pouvez croire en mon repentir le plus sincère*.

À ma grande surprise, Calliope accueillit cette déclaration hypocrite avec satisfaction.

* Dans la mesure où il me permet de sauver ma peau.

251

– Voilà qui devrait faire l'affaire et assurer la guérison de notre Lani! Dommage qu'il y ait eu ce petit astérisque sur la fin. Sinon, c'était parfait!

Comme pour confirmer ses dires, les spasmes qui agitaient ma boiteuse préférée venaient de cesser. Elle considérait maintenant avec étonnement les sangles qu'on lui avait imposées, comme si, soudain, cette précaution paraissait incongrue.

J'accourus à son chevet pour m'enquérir de son état. La réponse ne se fit pas attendre, qui me confirma que le remède de Calliope avait parfaitement opéré :

– Évidemment que je vais bien, triple crétin! Assurément, il vous plairait que je sois un peu souffrante, pour que vous puissiez me tenir à votre merci et me dorloter à votre guise! Espèce de dégoûtant! Pour qui me prenez-vous donc? Je ne suis pas de ces filles-là, moi!

– À vrai dire, je m'en doutais un peu…

– Taisez-vous donc et épargnez-moi votre ironie! Et puis, qui vous a permis d'entrer dans ma chambre? Vous ne manquez pas d'air! Allez-vous-en! Vous reviendrez ici quand je vous l'ordonnerai!

J'exultais. Elle n'avait pas changé : toujours aussi rêche et renfrognée. Comme j'étais heureux de la retrouver aussi désagréable et aussi mal embouchée que naguère! Je réprimai cependant mon sourire. Il n'aurait plus manqué que l'on assistât à mon bonheur!

Histoire d'apporter une dernière touche au tableau, je me proposai de nous débarrasser enfin de Fouinard. Je l'agrippai par le col, décidé à le décapiter proprement dans la cour de l'auberge. Une nouvelle fois, pourtant, je fus interrompu dans mon élan. Jamais je n'avais vu le sort aussi constamment favorable à une crapule de cette espèce!

– Arrêtez! s'exclama Lani. Si quelqu'un a des droits sur cet individu, c'est bien moi! Ce scélérat m'appartient à présent. Si je dois être vengée, nul autre que moi ne peut le décider.

– Allons, Lani, cette vermine ne nous est plus d'aucune utilité et n'a jamais mérité de vivre. Il vaut mieux lui régler son compte. Le monde en sera un peu moins répugnant. Laissez-moi lui trancher le cou!

– Vous n'en ferez rien, je vous dis! J'entends prendre ce renégat à mon service. C'est en travaillant pour nous qu'il paiera la dette qu'il a envers moi.

– Comment pouvez-vous songer à vous encombrer d'un tel serviteur? Il n'y a pas plus félon et plus dissimulateur. À la première occasion, il vous trahira. Croyez-moi : vous regretterez d'avoir accordé votre pardon et votre confiance à cet individu!

– Vous dites cela parce que vous êtes jaloux!

– Moi, jaloux, vous plaisantez! Je ne sais même pas ce que ce mot signifie!

– Cela ne m'étonne pas : vous avez toujours manqué de jugeote et de vocabulaire! Mais peu importe : Fouinard est à moi et j'en ferai ce que je veux. Ne vous en déplaise, c'est tout de même à lui que je dois d'être toujours de ce monde et je n'ai pas envie d'entamer par un meurtre ma nouvelle vie…

– Tout cela ne vous ressemble pas, Lani… En tout cas, je vous aurai prévenue!

– Quelle impudence! Qui êtes-vous pour me dire ce qui est bon pour moi?

– Simplement quelqu'un qui vous…

– Oui?

– Non, rien.

– C'est bien ce qu'il me semblait.

Naturellement, Fouinard était trop heureux de s'en

tirer à si bon compte. Déjà, il s'était écarté de moi et s'était placé à proximité de Lani, comme pour mieux me signifier qu'il sortait dorénavant de ma juridiction.

– Chère Lani, je vous serai éternellement fidèle. Vous n'aurez pas affaire à un ingrat*.

La générosité tout à fait déplacée dont faisait preuve la jeune fille n'était pas sans m'inquiéter. J'étais soulagé de savoir que le poison ne menaçait plus son existence mais, dans le même temps, je redoutais que sa guérison ne fût qu'imparfaite.

Le père de la jeune Romaine, averti de notre retour, fit alors son entrée. Quand il s'aperçut que son enfant avait recouvré la santé, il la couvrit de pleurs et de baisers, toutes choses qu'à mon plus vif étonnement, elle reçut sans réticence. Puis, se tournant vers Calliope, Mange-Burnasse et moi, il s'épancha en de vibrants remerciements.

– Pour célébrer cette heureuse nouvelle, je vous convie à une grande fête en l'honneur de Lani. Vous êtes tous invités, vous y compris, monsieur le traître, ainsi que ce gaillard que je ne connais pas mais qui ne me paraît pas très futé.

– Je ne voudrais pas déranger…

– Pensez donc ! En cette journée de réjouissances, nous n'en sommes pas à un couvert de plus ou de moins !

Notre malade étant encore fatiguée, Calliope nous recommanda bientôt de faire place nette. J'étais sur le point de franchir le seuil de la chambre lorsque Lani m'apostropha encore une fois de son lit.

– Wilmuth, je crois me souvenir qu'avant que vous

---

* Mais à un traître, une fripouille, un parjure.

ne vous mettiez à la poursuite de Fouinard, je vous ai dit merci…

– C'est exact.

– Alors il me semble que j'ai bien fait…

– Oh, vous savez, en mettant la main sur ce vaurien, Mange-Burnasse et moi n'avons fait que notre devoir.

– C'est tout?

– C'est déjà beaucoup, non?

– Dans ce cas, faites-moi le plaisir de déguerpir, sombre idiot! Vous ne comprendrez donc jamais rien aux femmes!

– Attendez, je voudrais bien vous comprendre, mais vous ne cessez jamais de m'insulter: ça n'aide pas.

– Ne cherchez pas de faux prétextes et laissez-moi tranquille maintenant, sale morveux!

En refermant la porte derrière moi, je l'entendis fulminer et faire un sort aux quelques pièces de vaisselle qui étaient sur sa table de nuit. À n'en pas douter, sa convalescence progressait à grands pas.

Tout au long de l'après-midi, le père de Lani ne ménagea pas sa peine pour offrir à sa fille une fête digne d'elle et à la mesure de la peur qu'il avait conçue pour sa vie. Ce fut au milieu de ces préparatifs qu'Olybrius vint me trouver, tout penaud et manifestement mal à l'aise.

– Que se passe-t-il? Vous n'avez pas l'air en forme. Auriez-vous enfin compris au milieu de quelles mauvaises gens vous êtes tombé?

– Des mauvaises gens? Je n'en vois point ici. Non, la cause de mon trouble est tout autre. Je viens de réaliser que j'avais commis une grossière erreur…

– Une seule erreur ? Vous vous sous-estimez !

– Mais cette bévue est énorme, mon garçon ! Tu te souviens que je dois assister ici à une sorte de réunion…

– Oui, ce fameux rassemblement dont vous ne devez surtout pas nous parler…

– Voilà ! Eh bien, il se trouve que je me suis trompé du tout au tout sur la date à laquelle celui-ci doit se tenir. Il n'aura pas lieu avant deux mois ! Comme je suis bête ! Comme je m'en veux ! Que vais-je faire de tout ce temps ?

– Et si, tout simplement, vous alliez au diable ?

Cependant, le père de Lani surprit à cet instant précis notre conversation et résolut illico de tirer de l'embarras ce nigaud d'Olybrius.

– Allons, Wilmuth, tu n'es guère aimable. Monsieur Olybrius peut rester ici autant qu'il lui plaira. Nous lui garderons une chambre aussi longtemps qu'il en aura besoin. Je ne sais quelle part vous avez exactement pris dans le sauvetage de ma fille, mais vous serez toujours le bienvenu ici.

– Comme c'est gentil ! Vous m'enlevez une sacrée épine du pied ! Un grand merci, monsieur !

Si j'avais cru à ce genre de fables, j'aurais affirmé qu'il y avait un Bon Dieu pour les abrutis.

Bientôt, les invités commencèrent à affluer. Toute la lie des bas quartiers de Rome, toute la racaille avait répondu présent. Chacun avait pensé à apporter un petit cadeau, qu'il avait dérobé à un bourgeois terrorisé ou volé dans quelque obscure église.

Dans la salle principale de l'auberge, une table gigantesque était désormais dressée, s'alourdissant d'une masse impressionnante de mets et entremets : soupes et potages, pâtés, volatiles en tout genre, poissons par bancs entiers… Toutefois, les brigands romains qui constituaient l'essentiel des convives se rabattaient sans aucune mesure sur le civet de cerf, l'estouffade de bœuf, l'épaule de mouton ou encore le hérisson aux blettes. Les rares matrones qui affectaient de se soucier de leur poids se contentaient de quelques bouchées de flan aux châtaignes, de purée aux racines ou goûtaient du bout des lèvres aux asperges au safran.

Tous étaient si contents que les jours de Lani ne soient plus menacés ! Moi-même, je me laissai peu à peu gagner par cette atmosphère de gaieté. Exceptionnellement, voir tant de visages ravis ne m'était pas douloureux et, si mes écailles frémissaient, ce n'était pas de colère contre ces débordements de joie mais parce qu'elles ressentaient le besoin animal d'exprimer elles aussi leur bonheur.

Mon émotion était telle que la tête me tournait, que j'en avais les entrailles remuées et l'estomac au bord des lèvres. Pour résumer, j'étais si heureux que j'en avais envie de vomir.

Lani, percevant mon malaise, finit par accourir à la rescousse.

– Que vous arrive-t-il ? Vous semblez encore plus répugnant que d'habitude. N'auriez-vous pas abusé du buffet ou de la boisson ?

Ma réponse se révéla on ne peut plus éloquente. Pris de convulsions et me tenant pitoyablement le ventre, je me cassai en deux et ouvris démesurément la gueule pour en expulser une énorme boule que je ne pensais pas revoir de sitôt. Lani, se désintéressant totalement de moi, se précipita alors à sa rencontre.

– Caille-Caille, mon cher Caille-Caille ! Dans mes bras !

– Vous ne pensiez tout de même pas que vous alliez faire la fête sans moi!

C'était bien lui, avec ses pattes palmées, sa trompe ridicule, ses grands yeux noirs et stupides, sa queue en forme de chardon et, pour couronner le tout, mes chères écailles sur le dos!

Se souvenant de qui j'étais, l'animal ne tarda pas à détaler loin de moi. À sa décharge, il me faut préciser que tous les convives s'étaient eux aussi écartés, prêts à décamper si je devais céder à un accès de rage comme ceux que j'avais connus quelque temps auparavant. Tous songeaient en effet aux crimes que j'avais commis au cours des semaines pendant lesquelles j'avais été séparé de ma moitié.

En réalité, ils se trompaient: je ne ressentais pas davantage de haine que d'ordinaire. Non, je n'avais nulle envie de commettre un massacre de grande ampleur, signe que l'effet apaisant de la fête ne s'était pas dissipé.

Dès lors, je tâchais de tranquilliser la foule des invités et d'assurer à tous que je n'allais trucider personne. Il ne fut pas aisé de les en convaincre mais, dans la mesure où je n'étais pas saisi de tremblements nerveux et que la bave ne me venait pas aux lèvres, tous comprirent que la soirée pouvait se poursuivre sereinement.

Ainsi rassuré, Caille-Caille m'apostropha sans façon:

– Alors, ça aussi, c'est moi?

– Non, c'est moi.

– C'est bien ce que je disais.

– Mais non, moi, c'est moi et toi, c'est moi…

– Quoi? Tout cela me dépasse!

– Ça ne me surprend pas. J'ai peur que nous rencontrions des difficultés à nous comprendre l'un et l'autre.

– Qui ça?

– Eh bien, nous! Enfin, moi… Je ne sais plus, tu m'embrouilles à la fin!

Je ne connaissais cette bestiole que depuis quelques minutes mais elle m'était déjà antipathique. Par chance, Caille-Caille ne s'attarda pas dans les parages mais, bondissant et frétillant, se joignit à la danse endiablée dans laquelle Olybrius, au bord de l'apoplexie, se trouvait engagé.

Lani et moi nous écartâmes alors pour prendre le frais dans le jardin. Sans même me demander mon opinion, la jeune fille posa délicatement sa tête pointue sur mon épaule.

– Voulez-vous, Lani, que je vous apporte une chaise?

– N'y songez même pas!

– Pourtant, il est évident que vous ne vous êtes pas encore parfaitement remise de vos douleurs et que vous semblez bien fatiguée.

– C'est vrai mais c'est vous qui me fatiguez. Aussi est-il normal que je me repose un peu sur vous.

– Si tout cela obéit à des raisons médicales, je suppose que je n'ai pas mon mot à dire.

– Vous avez raison : il vaut mieux que vous vous taisiez.

Ce fut ainsi que s'acheva cette douce soirée. Je dus me résoudre à supporter longtemps le poids de cette petite tête sur mon épaule et, même si j'étais légèrement ankylosé, cette pose inconfortable et inhabituelle n'était pas pour me déplaire…

Dans l'immédiat, je n'en dirai pas davantage. En réalité, pour vous parler des semaines qui suivirent, je vais à nouveau me dérober et m'en remettre aux bons soins d'un autre narrateur. Cette fois, ce sera Lani qui, bien malgré elle, se chargera du récit. Pour ce faire, je m'appuierai sur un document de première main : le journal de la jeune fille.

À l'époque des faits, je découvris en effet que la Romaine confiait ses pensées et ses secrets à un petit cahier parcheminé. Il va de soi qu'aussi discrètement que possible, je consultai régulièrement cet ouvrage. Pour mes archives personnelles, j'en recopiai même de larges passages. Bien sûr, je n'avais pas encore conscience que, des siècles plus tard, ils pourraient intéresser le lecteur. Quand je cédais ainsi à la tentation, je cherchais simplement à mieux la connaître.

LE JOURNAL INTIME D'UNE TEIGNE

Depuis quelque temps, je me demande franchement ce qui m'arrive. Je ne me reconnais plus. Depuis que j'ai rencontré cet imbécile, je n'ai plus le cœur à être aussi détestable et violente qu'autrefois. Et cela me met en rogne ! La douceur, le calme et la gentillesse : très peu pour moi !

Voilà même que je ressens le besoin de me confier à un journal intime. La honte ! Coucher sur le papier ses sentiments, ses joies à deux sous et ses peines à la petite semaine, noircir des pages et des pages, s'examiner sous toutes les coutures, ce n'est vraiment pas dans mes habitudes !

Qu'est-ce qui me prend ? Est-ce que je suis devenue comme toutes ces jeunes filles de bonne famille que je croise parfois dans la rue, avec leurs jolies robes, leurs rubans, leurs nattes, leurs tresses et leurs sourires gnangnan ?

Pour rien au monde je ne voudrais me transformer en l'une de ces stupides créatures. Je préfère encore rester comme je suis : laide et repoussante ! Je veux rester méchante et odieuse, vulgaire et insolente ! Infréquentable, quoi !

Mais voilà : malgré toutes mes mauvaises intentions, j'éprouve, comme toutes ces mijaurées, le besoin de faire le récit de mes pensées secrètes. Quelle tuile ! Je n'ai pourtant rien fait pour mériter ça.

Tant pis ! Je vais en prendre mon parti et t'entretenir, cher journal, du fil de mon existence ! À tes risques et périls !

13 mai 801

Aujourd'hui, je me suis réveillée de mauvais poil. Je crois qu'en dépit des bons soins de Calliope, les effets du poison ne se sont pas encore entièrement dissipés. Je me sens un peu faiblarde et toute molle. Cependant, même si l'on m'a conseillé de me reposer pendant toute la durée de ma convalescence, cela ne me réussit guère de garder le lit. Ma place est plutôt dans les rues mal famées, parmi la racaille, sous les porches, dans le silence des embuscades ou dans le champ de vision des honnêtes gens quand ils montrent du doigt ceux qu'ils méprisent et dont ils ont peur.

J'en ai plus qu'assez de rester cloîtrée dans ma chambre ! Comme il me tarde de reprendre mes habitudes, d'aller écumer Subure et ses coupe-gorge, de sentir à nouveau le danger, de semer partout la consternation et la trouille !

Il faut dire qu'en dehors de mon père et de Calliope, je n'ai pas beaucoup de visites en ce moment. Je m'ennuie ! Cette andouille de Wilmuth pourrait tout de même montrer de temps en temps sa sale bouille ! C'est à croire que je l'effraie ! Un vrai dégonflé !

Il y a des jours où je me demande ce que je lui trouve. Un égoïste comme lui, qui ne comprend rien à rien et qui n'a aucun but dans la vie ! Pas un sou d'imagination. Incapable de vous tourner le moindre compliment. Est-ce que la chose lui écorcherait la gueule ? Pourtant, cela se voit comme mon gros nez au milieu de la figure qu'il tient à moi. Même une fille aussi laide que moi (et je ne dis pas cela pour me vanter) ne peut l'ignorer ! Quel idiot !

De toute manière, il ne me manque pas. Mais pas du tout.

14 mai 801

Ce matin, j'ai pris mon courage à deux mains. Je me suis habillée et suis descendue dans la salle principale de l'auberge. Comme j'en avais donné l'instruction, Fouinard tenait la réception sous l'œil vigilant de Simonetta, notre bonne en chef.

À ma grande surprise, il ne s'en sortait pas mal du tout. Avec ses astérisques, il faisait même merveille.

– Nos tarifs ? Huit à douze deniers la nuit*.

– Laisser vos malles en consigne ? Aucun problème**!

Par une fenêtre, j'ai vu que, dehors, il faisait grand soleil. Je me suis donc décidée à faire un petit tour dans le jardin. Caille-Caille folâtrait parmi les allées, tout en veillant à ne pas s'approcher trop près des plantes carnivores qui font l'orgueil de mon père. En m'apercevant, il a couru à ma rencontre et nous avons passé un bon moment.

Plantés devant nos rangées de légumes, Mange-Burnasse et mon père étaient engagés dans une discussion qui paraissait les passionner. Des débats sans intérêt à propos d'engrais miracle et de traitements

* Petit déjeuner et flagellation non inclus.
** La direction décline toute responsabilité en cas de vol.

263

contre les pucerons… Ils ont toutefois daigné s'interrompre pour m'indiquer que Wilmuth était parti avec Olybrius afin de lui faire visiter notre capitale. C'était bien le moment de faire du tourisme ! Ce type, jamais là quand on a besoin de lui passer un savon !

Après quelques pas, prise de nouveau d'une grande fatigue, je me suis allongée sous l'ombre d'un poirier. Caille-Caille m'a bientôt rejointe et, comme un chat, s'est lové contre moi. Je me suis laissée bercer par les discussions qui, non loin de là, parlaient de fèves et de lentilles, de coccinelles et d'araignées rouges. Moi qui suis pourtant accoutumée aux râles des agonisants et aux grands déluges de sang, je me sentais satanément bien.

17 mai 801

Qu'est-ce que je m'ennuie ! Ici, pour l'ambiance, c'est mort de chez mort ! Pas le moindre massacre à se mettre sous la dent ! Écrasé sous le soleil, le quartier est désespérément calme. Il faut croire qu'il fait trop chaud pour s'étriper !

Toute la matinée, j'ai cherché en vain un prétexte pour en découdre avec quelqu'un : un mot de trop, un regard de travers, un client indélicat. Mais je n'ai trouvé personne pour se mesurer à moi. Comme à son habitude, ce lâche de Wilmuth s'était encore envolé je ne sais où ! Je me demande vraiment ce qu'il fabrique !

En début d'après-midi, j'ai décidé d'aller faire un petit tour en ville pour me changer les idées et éventuellement déclencher une bagarre. Mais, devant ma mine renfrognée, les passants s'écartaient prudemment, si bien que, dans un premier temps, j'ai fait chou blanc. Par chance, j'ai fini par rencontrer deux de ces pimbêches de la bonne société romaine qui se croient plus malignes que tout le monde. Cela n'a pas manqué : dès qu'elles m'ont aperçue, elles m'ont toisée avec mépris et se sont moquées de mes difformités et de la fine moustache sur mes lèvres. Avec écœurement, elles ont désigné mes ongles noirs, me traitant de souillon et de laideron.

Heureusement, j'avais emporté un peu de matériel. Ainsi, avec une paire de ciseaux, leur ai-je fait une coupe de cheveux à ma façon et ai-je redessiné leur robe dans un style différent. Avec du fil et une aiguille, je leur ai aussi cousu les paupières et la bouche. De la sorte, j'ai effacé de leur charmant minois le sourire qui m'insultait.

Sur le coup, cette brève empoignade m'a fait du bien mais, en vérité, j'étais déçue : j'aurais pensé qu'elle me procurerait plus de plaisir. Dès lors, je suis rapidement retombée dans ma morosité et, sans tarder, suis revenue à l'auberge. À mon retour, j'ai eu droit au récit des mésaventures de monsieur Olybrius. Celui-ci n'était pas très heureux de sa journée. Pourtant, Wilmuth lui a montré les curiosités les plus marquantes de notre cité : la foire aux assassins, les oubliettes aux mille squelettes, le marché des voleurs ou le Maxima Cloaca, notre magnifique égout, ses rats gros comme des chats, ses odeurs repoussantes et ses pavés glissants.

— Monsieur Olybrius, vous ne verrez jamais rien de tel ailleurs !

— Dieu merci ! En sillonnant la Ville Éternelle, je m'attendais tout de même à faire d'autres découvertes : les églises, les ruines, les arcs de triomphe, le Colisée…

— Tout ça, c'est d'un convenu ! Vous ne le savez sans doute pas mais le *Guide du Bâtard* ne tarit pas d'éloges sur les attractions que Wilmuth vous a présentées. Il leur attribue même trois têtes de mort, ce qui est très rare…

— Trois têtes de mort? Vous êtes certaine que cela soit bon signe…? Mais vous devez avoir raison; je ne dois pas faire le difficile… Reste que ces visites finissent par me fatiguer. Qu'il me tarde que notre réunion commence!

— Mais de quelle réunion parlez-vous donc?

— Je ne peux vous en apprendre davantage. Les autres ne seraient pas contents…

— Qui ça, les autres?

— Mais les autres incarnations, ma chère enfant… Oups! J'en ai déjà trop dit…

Moi, je n'ai rien compris à toutes ces allusions. J'ai tenté de lui tirer les vers du nez mais il n'a rien voulu lâcher! Si j'y pense, il faudra que j'en touche deux mots à Wilmuth. Cette affaire me semble des plus bizarres et mon intuition me trompe rarement.

18 mai 801

J'ai assisté aujourd'hui à un spectacle peu commun. Wilmuth m'a montré de quelle manière il parvient à réendosser ses écailles. Le procédé est, somme toute, assez simple.

Tout d'abord, Caille-Caille doit accepter de se replier sous sa forme de boule (ce qui nécessite généralement de longues tractations et de brèves menaces). Ensuite, Wilmuth doit ouvrir démesurément la bouche et avaler d'un coup cette généreuse portion de porc-épic. C'est impressionnant à voir et je dois avouer que cette démonstration a aussi titillé ma curiosité.

— Cet exercice n'est-il pas trop douloureux pour vous?

– On s'y habitue. Et puis, en passer par la voie orale, c'est tout de même plus pratique que tous ces exorcismes à la gomme. Mais je dois avouer que l'opération, chaque fois qu'elle se produit, me pèse un peu sur l'estomac.

– Ne vous inquiétez pas ! Si je me fie aux conseils de Calliope, quelques feuilles de potentille ou d'aigremoine sauront vous guérir de vos maux de ventre.

– Vous êtes bien aimable !

– Qu'allez-vous donc inventer, sale buse !

20 mai 801

Ce soir, je suis allée me promener avec Wilmuth sur les rives du Tibre. Nous avons discuté de choses et d'autres. Il m'a parlé de se lancer à la recherche de son père. Bizarrement, je crois qu'il n'a pas trop envie de partir mais cet empaffé n'a pas voulu admettre que c'était peut-être à cause de moi qu'il hésitait.

Il m'a aussi confié qu'il avait commencé à tailler mon profil dans un tibia déniché il y a quelques jours dans une catacombe. Comme quoi, quand il veut, il peut se donner du mal !

Je l'ai pris par le bras et il n'a pas fait son dégoûté. Il avait donné congé à Caille-Caille de sorte que je ne risquais pas de m'écorcher à ses écailles. J'en ai déduit qu'il ne me voulait pas que du mal.

Sur le chemin du retour, nous nous sommes arrêtés un petit moment en surplomb du fleuve. Il s'est alors penché sur moi et a passé sa main calleuse dans mes cheveux… Et bizarrement, cette main, je n'avais pas envie de la mordre. Mais c'est à partir de là que tout est allé de mal en pis.

Au même instant, répondant à l'appel de sa mère, un enfant près de nous s'est mis à courir à grandes enjambées. Soudain, il a lourdement trébuché, s'est étalé de tout son long et a commencé de pleurnicher. Je ne sais pas ce qui m'a prise : je me suis précipitée sur lui, l'ai relevé, épousseté et, pour comble, je l'ai même consolé en prenant une douce voix ! Quelle gourde !

Bien sûr, cela n'a pas manqué : Wilmuth m'a durement réprimandée d'avoir ainsi cédé à la pitié et de m'être montrée si faible.

Comme j'avais honte de moi ! Je ne savais pas où me mettre. C'était la première fois que je faisais une telle crise de gentillesse ! Et il a fallu que ça tombe pile à ce moment ! Comme je m'en veux ! Et en même temps : non. Car je ne peux pas m'empêcher de penser que j'ai (un peu) raison d'avoir agi de la sorte.

Tout ce qu'il me reste maintenant, c'est le souvenir de ses caresses dans mes cheveux gras. Mais sur mes lèvres moustachues : rien ! Que dalle ! C'est vraiment trop bête !

23 mai 801

Quel drôle de type, ce Fouinard, avec son regard par en dessous, ses manières fuyantes et ses phrases tortueuses ! Je sais que Wilmuth et Mange-Burnasse le détestent et que je devrais, moi aussi, le haïr pour les souffrances qu'il m'a infligées. C'est sans doute ce que j'aurais fait autrefois mais, aujourd'hui, je me réjouis d'avoir obtenu sa grâce.

En tout cas, il paraît très dévoué. Il veille à m'épargner la moindre peine et me parle avec respect. De tels égards produisent sur ma personne une drôle d'impression, moi qui suis tellement habituée à me faire houspiller et à houspiller deux fois plus ! Je lui ai clairement fait comprendre que je n'étais pas une jeune fille à se laisser tourner la tête par de beaux discours mais il ne s'est pas départi pour autant de ses flatteries.

Ce matin, il m'a accompagnée sur le grand marché du Capitole. Tandis que nous nous faufilions entre les échoppes, je l'ai un peu asticoté.

– Dites-moi, Fouinard, allez-vous m'ouvrir à nouveau le ventre un de ces quatre matins?

C'est alors qu'il a rougi, le fourbe!

– Suis-je obligé de vous répondre?

– Non, espèce de traître! Cela vous évitera de me mentir ou de m'imposer l'un de vos horribles astérisques.

C'est que je l'ai senti soulagé, l'enflure! Sans doute devrais-je me montrer plus méfiante.

Sinon, aucune nouvelle de Wilmuth. Je sais simplement par Simonetta qu'en compagnie de Mange-Burnasse, il passe toutes ses soirées dans les bas-fonds de la capitale, à faire ripaille et à accumuler les mauvaises fréquentations. Le jour, il dort pour se remettre des excès de la nuit, ce qui nous épargne le déplaisir de nous rencontrer.

Grand bien lui fasse! J'ai décidé de ne plus me soucier de ce qui pourrait arriver à cet abruti!

25 mai 801

Aujourd'hui, alors que j'arrosais les plantes dans le jardin, j'ai entendu des pleurs étouffés, provenant de derrière un buisson. C'était Caille-Caille.

– Qu'est-ce qui te prend de pleurnicher comme ça?

– Oh, tu vas sans doute me juger ridicule…

– Arrête tout de suite les politesses et dis-moi plutôt quelle est la cause de ce grand malheur!

– C'est affreux: je ne trouverai jamais l'âme sœur!

Où se cache le second Wilmuth qui abriterait en son

for intérieur une femelle de mon espèce ? Qui d'autre qu'elle voudrait d'un compagnon comme moi ? Malheureusement, je sais bien qu'il n'y a qu'un seul Wilmuth sur cette terre car Mère nature ne tolérerait certainement pas qu'un tel fléau existe en double ! Tu te rends compte que je suis condamné à une solitude sans fin ! Que je ne verrai jamais grandir mes enfants !

– C'est curieux : je n'avais jamais songé que tu étais un mâle.

– C'est qu'on a sa pudeur !

C'est alors que j'ai senti poindre en moi l'une de ces horribles crises de gentillesse qui n'arrêtent pas de me tomber dessus en ce moment. Sans pouvoir m'en empêcher, je me suis mise en tête de réconforter l'animal. Mais je ne savais pas vraiment comment m'y prendre. Quitte à m'arracher de temps en temps un bout de peau, je me suis donc contentée de bercer tendrement cette boule de poils et d'écailles au cœur fragile. Mais il a tout gâché.

– Toi, au moins, tu peux compter sur Wilmuth !

– Hors de ma vue, hérisson de bas étage ! Déguerpis ou je te transforme en civet ! Tu mériterais que je te dépèce sur place !

Caille-Caille ne se l'est pas fait répéter deux fois et a détalé sans demander son reste. Ce n'est pas parce qu'il m'arrive désormais de me montrer aimable de temps à autre que l'on peut me parler n'importe comment !

26 mai 801

Je me suis réveillée en sursaut en plein milieu de la nuit, comme si mon instinct m'avertissait d'un danger. J'ai tout de suite entendu un léger frôlement en bas de ma fenêtre, qui donne sur la rue.

L'instant d'après, j'ai perçu des chuchotis. Une première voix, cassante, semblait prononcer des ordres sur un ton extrêmement sec. La seconde, soumise, était réduite à n'exprimer que de très brèves approbations, en un souffle.

Désireuse d'élucider ce mystère, j'ai subitement ouvert mes volets. Mais la rue était vide. À peine ai-je cru entrevoir au loin la vague silhouette d'un type monté sur des échasses. Une image ridicule. J'ai dû rêver. Qui s'embarrasserait d'échasses pour circuler dans Rome ?

28 mai 801

Au cours de la soirée, j'ai égorgé sur-le-champ un client que j'avais surpris en train de se servir dans la caisse. Mon premier meurtre depuis une éternité ! J'ai constaté avec soulagement que je n'avais pas perdu la main mais je dois avouer que le contact du sang ne m'a fait ni chaud ni froid. Je n'y ai pris aucun plaisir. Et puis, quelque chose d'autre m'a chiffonnée : où était donc passé cet incapable de Fouinard qui était chargé de veiller sur nos recettes ?

De son côté, Wilmuth m'adresse à nouveau la parole mais nous avons perdu la complicité qui avait commencé d'apparaître entre nous. Pour ne pas le décevoir, j'essaie pourtant de me montrer aussi rude et sèche que par le passé mais, au fond de moi, j'ai envie d'autre chose. Ce qui me plairait en réalité serait de capturer ce grand gaillard et de le serrer dans mes bras. Cependant, cet idiot se tient à bonne distance et ne m'offre jamais un angle d'attaque intéressant.

29 mai 801

Ce matin, j'ai aidé un aveugle à traverser la rue. Quelques instants plus tard, j'ai renseigné un passant qui cherchait son chemin. Enfin, j'ai ramené chez lui un enfant qui s'était perdu. C'était plus fort que moi : je n'arrivais pas à me contrôler ; il fallait que je me montre aimable, polie et prévenante. Pour sûr, je file un mauvais coton, pour renier ainsi tous mes principes.

Je me suis donc rendue discrètement chez Calliope pour lui faire part de mon inquiétude. Je lui ai expliqué les attaques de gentillesse dont je suis de plus en plus souvent la victime et lui ai demandé de m'administrer un traitement pour que je redevienne la personne parfaitement méchante que j'étais. Mais elle m'a simplement répondu en riant qu'elle ne pouvait rien pour moi.

Mon cas doit sûrement être désespéré : je suis atteinte d'une maladie incurable !

30 mai 801

C'est dimanche ! J'ai pris une bonne résolution : je me suis levée tôt, suis sortie sans me faire remarquer et me suis immédiatement dirigée vers l'église la plus proche afin de détrousser les fidèles qui se rendaient à l'office. Dans cette perspective, j'avais aiguisé mon couteau et revêtu mes plus beaux vêtements (on était tout de même dimanche !).

Une fois devant l'église, pourtant, une étrange impulsion m'a saisie. Ma main a lâché la lame qu'elle serrait fiévreusement et, oubliant tous mes projets, je suis entrée dans l'édifice. J'ai remercié le mendiant qui me tenait la porte et me suis installée parmi la foule, sur l'un des bancs situés près de l'entrée.

Je n'ai rien compris à ce que j'ai entendu tout au long de la messe. Après tout, le latin n'est pas ma langue maternelle. Pour autant, la cérémonie ne m'a pas paru désagréable. J'ai beaucoup aimé les chants mais je ne sais pas si j'y retournerai un jour : au bout d'un moment, j'ai quand même fini par m'ennuyer horriblement !

Je suis ensuite revenue à l'auberge où j'ai croisé Wilmuth sur le pas de la porte. Il m'a interpellée sans ménagement, comme si j'étais sa chose.

– Où aviez-vous disparu ?

– Je vais où je veux. Mes apparitions et mes disparitions, c'est mon affaire ! Je peux être là une seconde et absente la suivante. Pendant un instant, vous me voyez puis, soudain, le vide, un grand noir. Je peux même clignoter si l'envie m'en prend !

Il a tout de même insisté et je lui ai servi le premier mensonge qui me passait par la tête. Il a tout gobé, l'idiot ! C'est alors que, me rappelant les cantiques que je venais d'entendre, j'ai eu la faiblesse de lui demander son avis.

– Que penseriez-vous si j'apprenais à chanter ?

– Quelle idée saugrenue ! Vraiment, vous ne savez plus quoi inventer !

– Peuh ! Que vous êtes bas de plafond ! Cela ne vous plairait donc pas que je chante pour vous ?

Wilmuth m'a regardée avec de gros yeux et il a soupiré.

1er juin 801

Ce jour, j'ai pris mon premier et dernier cours de chant. Sur les conseils de monsieur Olybrius, je vais me mettre à la broderie.

3 juin 801

Mon expérience de la broderie n'a pas été plus concluante. Mes doigts, rompus à l'art de la griffure et de l'écorchement, ne se prêtent pas à ces menus travaux de précision. Mais je ne perds pas espoir et il viendra bien un moment où je coudrai mon nom à même la peau de Wilmuth ! Et j'espère alors que ça lui fera sacrément mal !

Ce soir, alors que je vidais les poubelles sur le trottoir, j'ai aperçu une mère et ses deux enfants qui dormaient sous un porche, sans autre protection que leurs pauvres guenilles. Ces gens ont toujours existé mais, jusqu'à présent, je n'y faisais pas attention. Cette fois, je n'en ai pas fermé l'œil de la nuit !

5 juin 801
La mère s'appelle Amandina et ses deux enfants Domenico et Sixte. Ils ont désormais un toit au-dessus de la tête. Je les ai installés dans la suite 666, celle-ci n'étant plus occupée depuis de nombreuses semaines. Il faut reconnaître que rares sont les clients qui peuvent s'offrir un tel luxe !

Naturellement, je les ai mis en garde contre les pièges que cette pièce peut contenir. J'ai, certes, désamorcé la plupart d'entre eux mais on ne peut pas exclure que deux ou trois m'aient échappé. Par prudence, je leur ai recommandé de ne toucher à rien et d'économiser leurs gestes. Il est si facile de déclencher bien malgré soi un mécanisme fatal : on croit tirer les rideaux et voilà que surgit du plancher un gigantesque pal qui vous fait passer à jamais l'envie de dormir à l'hôtel.

Ces braves gens n'avaient pas l'air rassurés mais, à tout prendre, la situation que je leur proposais leur a semblé préférable à la nuit, à son inconfort et à ses rôdeurs. J'ai eu le sentiment qu'ils m'étaient reconnaissants. Pourtant, je n'ai pas fait grand-chose et il n'est même pas certain qu'ils soient encore vivants demain.

6 juin 801

Ils ont survécu ! Je suis bien soulagée. Néanmoins, je crains qu'ils n'aient que peu dormi. Mais je suis confiante : ils s'habitueront à la longue !

Je suis descendue en cuisine pour leur chercher un peu de nourriture. Là, je suis tombé sur Fouinard qui tenait un énorme rat entre les mains. De manière quelque peu étrange, l'animal n'éprouvait manifestement aucune crainte vis-à-vis de lui. On aurait dit qu'il était domestiqué.

À ma vue, l'ancien élève du séminaire Inferno est devenu livide et s'est mis à bafouiller. De toute évidence, il peinait à inventer un prétexte pour justifier l'écœurante présence de l'animal.

– Regardez, chère Lani, comme ces cuisines sont mal tenues ! C'est un scandale ! Quel relâchement ! Comme vous pouvez vous en rendre compte, on croise ici d'infects spécimens de parasites. Heureusement, celui-ci n'a pas trompé ma vigilance et je m'en vais vous en débarrasser sans retard.

Sans me laisser le loisir de faire le moindre commentaire, l'homme a décampé, son insolite chargement sous le bras. Je n'étais pas dupe de ses explications mais n'avais pas le temps de démêler le faux du vrai. J'ai aussitôt ouvert deux ou trois placards et emporté suffisamment de victuailles pour satisfaire l'appétit de tout un régiment.

Comme j'ai eu raison ! Mes invités étaient affamés. Amandina m'a ensuite raconté ses malheurs, comment son mari était mort en chutant du toit qu'il réparait, comment elle avait été chassée de sa maison par un méchant propriétaire. Je lui ai assuré que, chez moi, elle n'aurait pas à se soucier du loyer et qu'elle pourrait rester aussi longtemps qu'elle le souhaiterait.

Eh bien, elle m'a remerciée en me baisant les mains ! J'ai quand même trouvé qu'elle en faisait un peu trop.

Je leur ai conseillé de ne pas quitter la chambre dans les premiers temps. En effet, il vaudrait mieux qu'ils ne croisent pas les autres pensionnaires de notre auberge. Certains d'entre eux pourraient ne pas vouloir cohabiter avec d'honnêtes gens. J'en connais surtout un qui ne verrait pas tout cela d'un bon œil !

7 juin 801
Wilmuth a surpris mes protégés.

La nuit s'était passée pour le mieux et je venais de retrouver toute la famille saine et sauve. C'est alors que cette brute a cru bon de faire une entrée fracassante dans la suite 666.

– Je savais bien que vous maniganciez quelque chose ! Et vous croyiez être capable de me mener en bateau ! Comme vous pouvez être niaise ! Vous n'avez pas plus de cervelle qu'Olybrius !

Son regard brillait de rage. Je me demande même si je n'ai pas distingué un peu de bave à la commissure de ses lèvres. Assurément, il m'en voulait ! Cela m'effrayait un peu mais j'étais contente qu'il se mette dans un état pareil pour moi.

Cependant, il ne s'est pas arrêté aux insultes. Il a voulu mettre mes invités dehors. Sous mon propre toit ! J'ai tenté de lui faire entendre raison mais, sans me laisser le temps de m'interposer, il a saisi par le col les deux enfants tétanisés puis leur mère et, ni une ni deux, les a balancés par la fenêtre.

Juste au moment où je commençais à m'attacher.

Je ne pouvais rester les bras croisés. On m'abîmait mes pauvres ! On me massacrait mes nécessiteux ! J'ai bondi sur lui, bien décidée à me venger. Mais comme cet idiot avait remis ses écailles, j'ai reçu de bien vilaines blessures. À présent, mon bras gauche s'orne tout du long d'une estafilade rougeâtre et l'une de mes épaules est profondément entamée.

Après qu'il m'a projetée au sol, le premier réflexe de Wilmuth a été de me traiter de tous les noms et de me faire la leçon. Il a soutenu que je n'étais plus la Lani d'autrefois, que je m'affadissais pour devenir une sale petite personne normale !

Il a alors fini par s'apercevoir que je saignais en abondance, a balbutié, rougi, fui mon regard, fait mine de se pencher sur mes blessures pour finalement s'écarter, horrifié, sans que je sache vraiment qui, de lui ou de moi, lui répugnait le plus.

S'il pense m'avoir découragée, il se trompe ! Il en faut plus que ça pour me faire reculer !

8 juin 801

Calliope m'a de nouveau administré ses bons soins. Cette fois, elle n'a pas manqué d'ironiser :

— Il ne faudrait pas que cela devienne une habitude !

Elle m'a évidemment demandé à qui je devais mes plaies. Je n'ai pas voulu lui répondre mais je crois qu'elle a tout de même deviné de qui il s'agissait. Peu m'importe ! Je n'ai pas envie d'en parler.

Comme de bien entendu, Wilmuth ne trouve rien de mieux que de m'éviter. Quel lâche ! Qu'il quitte un instant ses écailles et je saurais lui montrer qui de nous deux est le plus fort ! Si je voulais, je pourrais le briser comme du petit bois !

9 juin 801

J'adore les pauvres ! Il y en a partout ; il suffit de se baisser pour en ramasser. Si certains meurent ou disparaissent, d'autres les remplacent aussitôt. On est sûr de ne jamais en manquer. Ce n'est pas comme les riches. Les riches, ça ne court pas les rues. Quand on en a détroussé un, il faut parfois attendre très longtemps avant que le prochain se pointe ! Raison de plus pour en profiter quand on en tient un !

En tout cas, je n'ai pas traîné : je me suis déjà entourée de quelques miséreux qui, depuis des lustres, erraient à la recherche d'un asile. Sans hésiter, je le leur ai offert et, usant de portes dérobées et de couloirs connus de moi seule, je les ai fait entrer dans l'auberge tout en les dissimulant à la vue de qui vous savez. Ah, je voudrais voir que, cette fois, on me prive de mes petits protégés !

10 juin 801

Toujours rien. Où peut-il bien être ? Le couard, le froussard !

11 juin 801

Ce matin, j'ai trouvé un miroir dans une petite boîte que l'on avait déposée devant ma porte. Lorsque je m'y suis regardée, mes yeux rougis ont recouvré leur clarté, mes traits tirés se sont détendus et un large sourire est apparu sur ma face qui, du coup, en est (presque) devenue jolie.

Il ne m'a pas fallu des heures pour deviner qui m'avait offert ce cadeau. Je l'ai cherché partout dans l'auberge, sans jamais le dénicher. Mange-Burnasse m'a alors indiqué que son ami venait de partir pour la colline du Quirinal. Je me suis donc lancée sur ses traces. Le long de la montée, je suis tombée sur pas moins de trois orphelins qui, dans des circonstances obscures mais manifestement violentes, venaient de perdre leurs parents. C'est fou comme ces choses disparaissent vite !

J'ai naturellement pris ces trois enfants sous ma protection et leur ai promis de les accueillir à l'auberge.

Néanmoins, le déluge de violence se poursuivant, nous nous sommes bientôt heurtés à un artisan que l'on avait délesté de son argent puis à un paysan de passage en ville à qui une brute avait coupé une main. J'ai donné à l'un ma bourse et j'ai conduit l'autre chez Calliope qui, sur mes deniers personnels, a doté l'éclopé d'une prothèse.

Avec mes trois orphelins, nous avons enfin repris la direction de la maison. Cependant, sur le chemin du retour, c'est cinq enfants pleurant père et mère que nous avons rencontrés et qu'il a fallu emmener avec nous. Moi qui ai tant de consolation à distribuer, me voilà gâtée !

À un tel rythme, je ne vais pas tarder à devoir aménager toute une aile de l'auberge pour y loger ces malheureux. Par une drôle de coïncidence, l'une d'entre elles se trouve justement à l'abandon. Je suis certaine que mon père n'y verra aucun inconvénient, dès lors que mon projet ne contrarie pas ses affaires. Que de travail en perspective !

Et toujours pas de Wilmuth à l'horizon !

14 juin 801
Aujourd'hui, je n'ai pas chômé :
– 15 orphelins recueillis.
– 28 pauvres gens nourris midi et soir.
– Un chat sauvé des crocs d'un molosse.
– Huit aveugles remis sur le bon chemin.

– Un Caille-Caille pardonné d'avoir englouti tout notre stock de confiture de poire.

– Deux débuts d'incendie éteints.

– 37 veuves consolées.

– 42 vieillards distraits, histoire d'égayer leurs vieux jours.

– Un Olybrius secouru alors que des malfrats imprudents en voulaient à ses économies.

– 13 blessés achevés.

– Zéro Wilmuth !

16 juin 801

Je me demande si je n'ai pas commis une bourde.

En fin d'après-midi, j'ai eu une étonnante conversation avec Olybrius. Après une journée exténuante passée à m'occuper de mes œuvres, j'étais en train de prendre un peu de repos et, pour me distraire, je me regardais dans l'excentrique miroir que m'a donné Wilmuth. En voilà un, d'ailleurs, qui reste désespérément invisible !

Olybrius a alors passé sa tête dans l'entrebâillement de la porte et m'a félicitée pour les bonnes actions que j'ai multipliées ces derniers jours. Par politesse, j'ai ensuite fait en sorte de m'intéresser à lui.

– Alors, cette fameuse réunion pour laquelle vous avez fait une si longue route, c'est pour bientôt, non ?

– Oui, dans quelques jours, ma patience sera enfin récompensée. Quel idiot j'ai été ! Arriver avec près de deux mois d'avance ! Heureusement, j'ai pu bénéficier de votre hospitalité. Mais je crains de vous avoir causé un grand embarras…

– Qu'allez-vous donc chercher ? Si vous ne nous étiez pas un tantinet sympathique, il y a bien longtemps que nous vous aurions jeté dehors !

– Ah oui ? C'est gentil…

– Ne le dites pas trop fort non plus ; cela pourrait nous valoir une mauvaise publicité. Admirez plutôt cet objet hors du commun que l'on vient de m'offrir… Avez-vous déjà vu magie si délicate ?

C'est alors que s'est produit un étrange changement chez Olybrius. À la vue de mon miroir, il s'est subitement décomposé et ses lèvres se sont mises à trembler. Son regard, comme fou, passait d'un coin à l'autre de la pièce sans jamais se poser.

– Ce n'est pas croyable ! Ce n'est pas Dieu croyable ! Ah, ça non, ce n'est pas croyable !

– Mais qu'est-ce qui n'est pas croyable à la fin ?

– Lani, de qui tenez-vous ce miroir ?

– C'est Wilmuth qui a eu cette charmante attention…

– Pas croyable !

– Vous allez finir par me vexer ! Je n'ai peut-être pas un caractère facile mais je ne vois pas pourquoi on ne pourrait pas me faire un cadeau par-ci par-là ! Vous savez, Wilmuth ne s'est pas moqué de moi en m'offrant ce miroir. C'est un héritage de sa mère et il y tenait comme à la prunelle de ses écailles…

– Oh, là là, là là !

– Si c'est là l'effet que cela vous fait…

– Comment sa mère s'appelait-elle ?

– Valkiria, il me semble. Elle lui a aussi légué une clé en argent, un lacet, une noix, une touffe de poils de sanglier et une queue de musaraigne…

L'ébahissement d'Olybrius, qui se situait déjà à un niveau excessivement élevé, gagna encore en intensité.

– Quoi ? Je n'en crois pas mes oreilles ! Ce ne sont ni plus ni moins que les objets de multiplication que vous venez de m'énumérer !

– Que me racontez-vous ? Je connais les tables de multiplication, et encore très mal, mais, pour le reste, vous me parlez en gaélique !

Croyez-vous qu'il m'ait répondu ? Sans plus m'accorder la moindre attention, il a pris ses jambes à son cou et c'est à peine si je l'ai entendu maugréer :

– Il faut absolument que je m'entretienne au plus vite avec Wilmuth. Quelle histoire ! Quelle histoire !

UN MAL POUR UN BIEN

À la lecture du journal intime de Lani, vous aurez certainement compris pourquoi je différais mon projet de partir à la recherche de mon père. Alors que j'aurais dû me mettre en route depuis déjà plusieurs semaines, je lambinais plus que de raison car je concevais pour la jeune Romaine une inquiétude qui me dissuadait de lever le camp. Je ne pouvais quand même pas l'abandonner dans un tel état!

Dès les premiers jours qui avaient suivi sa guérison, j'avais remarqué que quelque chose clochait chez elle. Depuis qu'elle avait ingurgité son antidote et supporté (plutôt bien) les caresses de Fouinard sur son ventre, Lani ne ressemblait plus à celle que j'avais connue.

Certes, comme autrefois, elle continuait à me houspiller et à me faire profiter de son caractère de cochon. Elle me suggérait régulièrement de m'occuper de mes affaires ou de certains légumes parmi lesquels les oignons figuraient en bonne place. Pourtant, c'était évident : elle avait changé. Ses manières rustaudes n'avaient plus la spontanéité de naguère. Ce n'était plus la vraie Lani mais une mauvaise imitation.

Je ne me laissais pas abattre pour si peu. Si elle ne voulait pas me confier de son plein gré ce qui la tourmentait, j'étais décidé à l'apprendre malgré elle. Ainsi, sans m'encombrer de scrupules, je décidai de l'espionner et de guetter le moindre signe qui pût me renseigner sur son changement de comportement. J'agissais pour son bien ou pour son mal, comme on voudra.

Dans les premiers temps, ma surveillance ne m'apprit rien de particulier. Lani allait au marché avec ce maudit Fouinard, arrosait les plantes carnivores du jardin de son père, faisait les comptes avec Simonetta, la bonne en chef, s'entraînait à la sarbacane, trucidait de temps en temps un client, bavardait avec cette demi-portion de Caille-Caille ou coupait au couteau les ongles noirs qui lui garnissaient les orteils. Tout semblait aller pour le mieux.

Pendant quelques jours, je crus même qu'elle avait repris sa vie malsaine de jadis et que mon inquiétude n'avait aucune raison d'être. Je ne tardai pas à déchanter.

Un dimanche matin, l'ingénieux dispositif d'alerte que j'avais installé à l'entrée de sa chambre m'avertit que mademoiselle quittait les lieux. D'emblée, ses efforts pour sortir de l'auberge sans se faire remarquer me parurent suspect. Tout en demeurant à une distance respectable, je lui emboîtai donc le pas, curieux de savoir où cette piste nous conduirait. Quelle ne fut pas ma surprise quand, après quelques minutes, je la vis entrer dans une église, non pour y semer la mort et la dévastation mais pour assister sagement à la messe, au beau milieu des paroissiens !

Je ne conservai la maîtrise de mes nerfs qu'à grand-peine. Je me sentais trahi. Déçu, terriblement déçu.

Qu'allait-elle donc faire auprès de ces gens avec qui nous n'avions rien en commun ?

Je ne savais pas pour autant quelle décision prendre. Si je tentais de la sermonner, elle ne manquerait pas de faire exactement l'opposé de ce que je lui conseillerais. Ah, Lani et son fichu esprit de contradiction ! Quelquefois, je m'en voulais de perdre ainsi mon temps avec cette fille. Par sa faute, je me gâchais !

Me consacrant presque entièrement à Lani, il me fallut par ailleurs relâcher ma surveillance sur Fouinard. Je ne pouvais courir deux lièvres à la fois. Cependant, je soupçonnais que, sous ses airs faussement soumis, la vermine ne guettait que l'occasion propice pour tous nous trahir. Il passait le plus clair de son temps dans les cuisines et, de là, devait probablement nous mijoter un sale coup. Mange-Burnasse m'assurait néanmoins qu'il n'avait jamais pris Fouinard en défaut et que celui-ci effectuait sans rechigner toutes les tâches qui lui étaient dévolues. Le nabot s'était même engagé dans une vaste entreprise de dératisation de l'auberge, traquant jusqu'à la plus petite souris. Selon moi, il n'y avait pas lieu de s'en réjouir. Un tel zèle était louche et n'annonçait rien de bon.

De temps à autre, je tentai de lui arracher quelques renseignements sur les intentions du Maître et sur les raisons pour lesquelles il m'avait confié cette stupide mission à Rome.

— Pourquoi Triple-Mort en veut-il à la vie de Charlemagne ? Il y a bien des rois et des tyrans à éliminer. Pourquoi avoir choisi celui-là ?

Quand j'évoquais ce sujet, Fouinard en passait invariablement par les mêmes étapes : il blêmissait, bredouillait, remuait mécaniquement la tête et m'opposait toujours la même réponse :

– Le Maître ne tolérerait pas que je dévoile le peu que je sais de ses projets. Je n'en connais que quelques bribes et c'est déjà assez pour moi… Ne souris pas, je suis sérieux ! Le jour où il fera parler les pouvoirs des deux Miroirs, tu feras moins le malin, crois-moi !

– Les deux miroirs ? De quoi parles-tu donc ?

– Pour rien au monde, je ne t'en dirai davantage. Tu peux me torturer comme il te plaira ; plutôt mourir sous les pires sévices que braver la colère du Maître !

Bigre, il paraissait sincère !

Toutefois, sur certains points, il satisfaisait volontiers notre curiosité. Mange-Burnasse l'apprit à ses dépens.

– Pourquoi Triple-Mort m'a-t-il donné pour mission de profaner la tombe de mes parents ? N'aurait-il pu trouver mieux ?

– Il ne l'a pas jugé utile. Le Maître a toujours eu pour toi le plus vif mépris. Il a estimé qu'une tâche aussi minable était à ta hauteur…

– Ravale ton venin, Fouinard, ou je t'écraserai comme la sale vipère que tu es !

Comme si tous ces désagréments ne suffisaient pas, j'étais régulièrement harcelé de questions par Olybrius. Je me reprochais amèrement de ne pas l'avoir supprimé quand nous avions dispersé la deuxième collection du Rangeur. Ne me laissant aucun repos, notre invité m'interrogeait en effet à tout bout de champ afin d'éclaircir un mystère qui, depuis notre rencontre, ne cessait de l'obséder.

– Je suis convaincu de t'avoir déjà rencontré, mon petit Wilmuth. Tes traits me sont étrangement familiers.

– Les vôtres ont aussi tendance à le devenir et croyez bien que je le regrette !

– Eurêka, j'ai trouvé ! N'aurais-tu point été l'assistant de maître Séraphin, barbier à Perpignan ? Il me semble te voir au milieu des pots de crème, avec ton beau tablier à carreaux...

– Jamais de la vie je n'ai mis les pieds à Perpignan ! Que diable irais-je faire là-bas ? En revanche, vous avez raison sur un point : je n'ai pas d'égal dans le maniement du rasoir et je puis vous le montrer tout de suite.

– Non, non, je dois te confondre avec quelqu'un d'autre. Ou alors n'aurais-tu point vendu autrefois du foin et du trèfle sur la foire aux bestiaux de Pézenas ?

Si Lani ne l'avait trouvé sympathique, je l'aurais étripé sur le champ.

De son côté, la jeune fille continuait de me mettre à rude épreuve, semblant s'acharner à devenir une personne respectable et vertueuse. Comme si son petit monde de vices, de coups fourrés et de tueries ne la satisfaisait plus ! Cette bécasse voulait s'améliorer et être quelqu'un de bien !

Ce fut un matin que je découvris que, à mon insu, elle avait déjà commis l'irréparable !

Ce jour-là, alors que je quittai ma chambre, mal réveillé et de méchante humeur, mon attention fut attirée par des murmures étouffés qui s'échappaient de la suite 666. Je savais pourtant qu'en raison des tarifs prohibitifs que pratiquait la maison, celle-ci était inoccupée depuis plusieurs semaines. Bientôt, je reconnus la voix de Lani, mais ses mots me restaient indistincts de sorte que je ne pouvais deviner à quelle manigance elle se livrait. Incorrigible amateur de solutions expéditives, j'ouvris la porte à toute volée, bien décidé à en avoir le cœur net.

En réalité, j'en eus le cœur vidé, rincé, essoré.

Lani avait donné l'hospitalité à une petite famille de pouilleux : une pleureuse de mère et deux gamins geignards, qui se réfugièrent dans ses jupes dès qu'ils me virent. Il ne faisait pas de doute qu'elle les traitait en amis. Pire : en égaux. Elle avait aussi pour eux des égards qu'elle n'avait jamais eus pour moi. Elle leur parlait d'une voix douce qui était insupportable de niaiserie et la rendait méconnaissable. Où s'était donc évaporée la fille rude et sans pitié qui, pendant longtemps, m'avait tapé dans l'œil ?

Ces gueux me l'avaient volée !

Je saisis les deux enfants et leur mère puis, l'habitude aidant, je les fis passer par la fenêtre. Abandonnant toute mesure, Lani laissa aussitôt éclater sa colère.

– De quel droit contrariez-vous mes projets ? Si je souhaite venir en aide à ces gens, nul ne me l'interdira, vous moins que quiconque ! Les pauvres sont à tout le monde ! Pourquoi ne pourrais-je donc en profiter moi aussi ? Cela ne fait de mal à personne !

– Imbécile, c'est bien là le problème !

Comme on peut s'y attendre, le ton finit par monter et la conversation par dégénérer. Rien ne me fut épargné : injures, cris, empoignades, blessure, sang, dégoût, désarroi et, pour conclure, claquage de porte sans demander mon reste.

Nous nous étions sottement battus l'un contre l'autre ! À cause de ces êtres lamentables dont la seule occupation consistait à gémir et à quémander de l'aide, j'avais versé à grosses gouttes un sang qui m'était extrêmement cher. Pour la première fois depuis une éternité, moi qui ne concevais que très rarement des regrets, j'aurais tout donné pour revenir en arrière de quelques minutes.

Comme souvent lorsque j'étais désorienté, je me tournai vers Mange-Burnasse et sollicitai son avis.

– Mon vieux Mange-Burnasse, rassure-moi : cette fille a complètement perdu la tête !

– Je n'en suis pas si sûr…

– Comment fais-tu pour ne pas voir l'évidence ? Lani a toujours affiché le plus net mépris pour tous ceux qui se mettent au service de leur prochain. Et voilà qu'elle agit à leur exemple ! Non, son cas relève de la médecine. Il faut s'en remettre à Calliope : c'est notre dernier recours !

– Tu t'emballes ! Si tu tiens à elle, tu dois la laisser suivre sa voie. Tu dois accepter qu'elle se transforme peu à peu en la jeune fille qu'elle entend devenir, même si cela te déplaît…

– Mais je la veux comme elle est !

– Au moins, tu reconnais maintenant que tu « la veux » : c'est déjà un progrès !

– Peut-être, mais n'abuse pas de la situation !

– Oh, compte sur moi ! Je connais ta susceptibilité ! Cependant, je ne t'épargnerai pas sur un point : quelles que soient tes réticences, tu devras aussi accepter les bons côtés de Lani. Au même titre que les mauvais. Je suis certain que tu peux y arriver !

– Mais c'est affreux ! Quelle ignominie !

– Tant que j'y suis, je crois que tu serais également inspiré de lui demander pardon…

– Et puis quoi encore ? De toute ma vie, je ne me suis jamais abaissé à ce genre de choses, et ce n'est pas à mon âge que je vais commencer !

– Pourtant, cela se fait entre gens qui s'aiment…

Dans un premier temps, je m'évertuai à chasser de mon esprit cette discussion stérile. Néanmoins, les conseils de mon ami me restaient en tête. Qu'il eût raison ou non, il était une vérité que je ne pouvais nier : cette situation pesante où j'en arrivais à fuir Lani n'avait que trop duré et il me fallait donc y mettre un terme. Mais présenter des excuses était au-dessus de mes forces. Je devais trouver une autre solution.

Me rappelant les grimaces sur lesquelles nous nous étions quittés, je me souvins que je possédais un objet qui, même dans les moments les plus pénibles, savait ressusciter un sourire sur le plus ignoble visage. Au temps du séminaire Inferno, mon vieux miroir avait su réconforter Mange-Burnasse. Il consolerait sans doute aussi Lani dans cette phase difficile. Bien sûr, il m'en coûtait de me séparer de cet objet. Je savais cependant qu'avec elle, il serait entre de bonnes mains (même si elles étaient un peu boudinées).

Je glissai donc le miroir dans sa petite boîte en acajou et la déposai devant la porte de la jeune fille. Puis je me dissimulai afin d'observer ses réactions quand elle le découvrirait.

Lorsque je vis son visage s'épanouir, je compris combien ce cadeau la mettait en joie. Avec effusion, elle serra l'objet contre sa poitrine puis, tout à coup, se mit à hurler mon nom : il allait de soi qu'elle voulait me mettre la main dessus pour me remercier.

Tout mais pas ça !

Par prudence, je décidai donc de décamper. Faute de mieux, Lani se tourna alors vers mon vieux camarade qui, comme convenu entre nous un peu plus tôt, lui indiqua que j'avais pris la direction du Quirinal. Dès qu'elle se lança à mes trousses, je lui emboîtai le pas en toute discrétion. Ce fut à cet instant que me vint une idée peu banale à laquelle j'aurais dû penser beaucoup plus tôt. Par ce stratagème, je pouvais être agréable à Lani sans trahir mes principes.

J'obliquai à gauche, empruntai une rue parallèle à celle sur laquelle cheminait la jeune Romaine et décidai de la devancer de quelques centaines de mètres. Je ne tardai pas à trouver ce que je cherchais : une famille ! Les parents et leur fils. En deux temps trois mouvements, je liquidai prestement les adultes, jetai leurs cadavres dans la première bouche d'égout venue et laissai leur enfant brailler tout son saoul. Quelqu'un de ma connaissance n'allait pas tarder à s'occuper de lui. Pour faire bonne mesure, je reproduisis deux fois la même opération. Il ne serait pas dit que je ne me montrerais pas généreux envers ma dulcinée.

Pour varier les plaisirs, je dévalisai un artisan tremblotant mais lui laissai la vie sauve, puis je me fis un devoir de raccourcir un bouseux qui était venu en ville pour affaires. Ensuite, quand Lani eut dédommagé le premier et conduit le second chez Calliope, je lui fis don de cinq marmots supplémentaires.

Au cours des jours suivants, je ne ménageai pas mes efforts. J'en ai fabriqué des orphelins, et de mes propres mains, pour qu'elle les prenne sous sa protection ! J'en ai créé des éclopés, pour qu'elle veille à les soigner !

Je crois que ce sont là les plus belles preuves d'amour (ah ! ce fichu mot) que j'aie jamais données.

Ce petit manège se poursuivit près d'une semaine, jusqu'à ce que l'auberge du Bourreau maudit en vînt à ne plus désemplir. Toutefois, je demeurai toujours invisible à Lani. Le soir venu, j'évitais de fréquenter l'auberge car je ne pouvais supporter la compagnie de tout ce beau monde. Non pas que je me sentisse coupable de leurs malheurs. En réalité, j'étais plutôt content de moi.

La raison de ma fuite était tout autre : je ne pouvais souffrir leurs mines atterrées, leur dos courbé ou leur manière humble de remercier. Ainsi, avec Mange-Burnasse, allions-nous passer en ville de folles nuits dont nous ne conservions aucun souvenir à notre réveil. Cela me permettait aussi d'oublier que Lani et moi ne pourrions plus jamais nous entendre. Nous étions dorénavant engagés dans des voies qui nous éloignaient l'un de l'autre et, si nos chemins se croisaient encore, c'était simplement parce que je faisais le mal et elle le bien, ce qui ne constitue pas précisément le meilleur ciment d'un couple.

Un soir, je pris enfin une décision irrévocable dont je fis part à Mange-Burnasse :

– Nous n'avons plus rien à faire ici ! J'ai accompli pour Lani tout ce qu'il m'était possible de faire. Nous devons donc nous remettre en route sans tarder ! Je veux partir sur les traces de mon père et, crois-moi, je finirai par le retrouver ! Mais tout ce que j'ai pu entendre à son sujet est si confus que je n'arrive toujours pas à me l'imaginer. Est-il un saint ou un démon, un justicier ou un criminel, un lâche ou un héros ? Bah, peu importe : quand nous l'aurons déniché, je lui demanderai pourquoi il nous a lâchement abandonnés, ma mère et moi, et il aura intérêt à me fournir des explications convaincantes !

Pour ma plus grande satisfaction, mon camarade m'approuva bruyamment.

– Bien parlé ! Tu sais que tu peux compter sur moi dans cette quête !

Dès le lendemain, nous débutâmes nos préparatifs. Nous devions voler quelques provisions pour le voyage et donner à nos chevaux les soins nécessaires en vue d'un long trajet. Nous avions également besoin d'un peu de matériel : quelques besaces, une moustiquaire, deux à trois lampes à huile ou une hallebarde de poche.

Ce fut au beau milieu de ces projets que je fus alpagué par un Olybrius dans tous ses états. Plus encore qu'à l'ordinaire, il présentait tous les signes d'un profond désordre mental.

– Ah, te voilà ! Je te cherchais partout !

– Pour ma part, je tâchais plutôt de vous éviter.

– Ce n'est pas le moment de plaisanter. J'ai à t'annoncer une nouvelle qui te laissera sûrement sans voix !

– J'en doute mais dites toujours…

– Je suis ton père.

DE PÈRE EN PÈRE

Olybrius m'avait annoncé le plus sérieusement du monde cette nouvelle insensée. Jusqu'à présent, j'avais supporté patiemment ses inepties, mais il approchait désormais de certaines limites dont il valait mieux se tenir éloigné.

— Oui, Wilmuth, je suis ton père…

— Ne dites pas n'importe quoi ! Je ne vous ai jamais cru très finaud mais, là, vous vous surpassez ! Attendre votre fichue réunion a dû finir par vous rendre complètement marteau…

— Il est vrai que je me suis exprimé quelque peu à la légère…

— Je préfère ça ! Vous redevenez raisonnable !

— Disons, pour être plus précis, que je ne suis que l'un de tes nombreux pères…

— Allons bon, vous vous remettez à délirer ! Comme tout le monde, je n'ai qu'un père et c'est bien assez !

— Détrompe-toi, heureux enfant, tu peux compter sur une petite centaine de papas tout acquis à ton bonheur !

— Mais qu'est-ce qui vous prend ? Qui plus est, vous

ne seriez pas en train d'insulter ma mère et de lui prêter une conduite inconvenante?

– Que nenni! Je n'oserais jamais émettre le moindre doute sur la respectabilité de la féroce Valkiria.

– Ainsi, vous connaissez ma mère…

– J'en ai évidemment entendu parler. Nous avons toujours une pensée émue pour elle lorsque nous ouvrons la Conférence des Pères…

– La conférence des quoi?

– La Conférence des Pères. C'est ainsi que nous appelons la réunion que nous tenons tous les deux ans. Nous sommes des gens organisés et dotés d'un brin de logique!

Tout au long de ma vie, il m'avait déjà été donné d'entendre des propos aberrants, notamment quand, à la Saint-Satan, Triple-Mort infligeait à ses rares élèves ses élucubrations et leur promettait qu'il serait tôt ou tard le Maître du monde. Venant d'un être qui commandait à un séminaire décrépit, à un portier borgne et à quelques troupeaux de bovins, de tels propos m'avaient toujours fait sourire. Cependant, les affirmations d'Olybrius dépassaient en ridicule tout ce que j'avais connu jusque-là.

J'aurais dû hausser les épaules et clore la conversation. Malheureusement, j'eus la faiblesse de chercher à lui démontrer qu'aucun lien du sang ne pouvait nous unir.

En particulier, il était bien trop jeune pour m'avoir donné le jour. De plus, nous ne nous ressemblions pas du tout, que cela fût par le caractère ou par l'anatomie. Enfin, s'il avait été véritablement mon père, la simple évocation de mon prénom aurait éveillé chez lui un obscur souvenir, même dans un cerveau aussi embrumé que le sien.

Sans se démonter, Olybrius réfuta pourtant une à une chacune de mes observations.

– Si je ne te ressemble qu'un peu, c'est parce que je suis une des dernières incarnations de ton père. Ton premier père, je veux dire…

– Écoutez, c'est passionnant mais un peu tordu, votre affaire.

– Si tu me laissais t'expliquer… Au fil des ans, ton père s'est multiplié cent fois et, de mon côté, je porte le numéro 98. Je suis une fin de série en quelque sorte…

– Je m'en doutais un peu… Mais qu'est-ce donc que cette histoire de multiplication? Vous allez devoir être plus clair car j'ai toujours été un cancre en arithmétique.

– Notre père en chef, le père n°1 si j'ose dire, a la faculté de se dédoubler en usant d'un procédé connu de lui seul. Les pères subalternes, dont je fais évidemment partie, n'en savent guère davantage. Tout juste nous a-t-on dit que ce procédé ne pouvait être utilisé que dans la limite de cent reproductions. Nous savons aussi que, pour mener à bien de telles transformations, il faut avoir en sa possession une clé en argent, un lacet, une noix, une touffe de poils de sanglier, une queue de musaraigne et un certain miroir aux pouvoirs peu ordinaires…

Je ne pus m'empêcher de répondre en raillant :

– Quelle coïncidence! Mais c'est vraiment trop bête : je viens d'offrir mon miroir à Lani. Quel dommage! Je vais devoir trouver un autre moyen de me multiplier.

– J'ai effectivement constaté que tu t'étais séparé de cet inestimable objet. Il faudra songer à le récupérer.

– Hors de question! Donner, c'est donner et reprendre, c'est voler… Euh, qu'est-ce que je raconte, moi?

Malgré mes protestations, Olybrius reprit ses explications extravagantes:

– Ton père a tenu à ce que chacune de ces cent incarnations ait sa propre personnalité. Par conséquent, chacune d'entre elles lui ressemble un peu sans lui être tout à fait fidèle: au contraire, elles ont suivi leurs penchants et leurs passions, accumulé des expériences et vécu des épreuves qui n'appartiennent qu'à elles. Dans ces conditions, il n'est pas surprenant que toi et moi soyons pourvus d'un caractère aussi éloigné. Par ailleurs, il est vrai que je ne t'ai pas reconnu au seul énoncé de ton prénom. Mais celui-ci est tellement répandu que ma lenteur est parfaitement excusable…

Il était impossible de faire entendre raison à un cerveau aussi balourd. Je n'avais plus qu'une hâte: me débarrasser de cet importun.

– Mais Wilmuth, je t'en prie, crois-moi, je n'affabule pas!

Ne prêtant plus attention à ses élucubrations, j'entrai dans l'auberge d'un pas décidé mais, sitôt franchi le seuil, je fus interpellé par une voix familière.

– Eh bien, ce n'est pas trop tôt! J'ai cru qu'il me faudrait remuer ciel et terre pour vous revoir!

Lani se tenait devant moi et, si son visage s'embellissait d'un sourire, mon miroir, cette fois, n'y était pour rien. Elle était si heureuse qu'elle semblait sur le point de me sauter au cou. Toutefois, elle se ravisa dans son élan, se souvenant qu'une telle manœuvre, même si je n'envisageais pas de m'y opposer, n'était pas sans danger. Encore récemment, elle avait fait la douloureuse expérience de mes écailles.

– Je n'ai pas vu Caille-Caille de la journée. Ne le porteriez-vous pas sur vous?

– C'est exact, mais je crois que l'instant est venu de libérer cet avorton de porc-épic et de lui laisser faire sa promenade journalière.

Je m'exécutai illico, ouvrait démesurément la gueule comme ces lions dressés que l'on voit dans les cirques et me tapai violemment sur le torse. Une brève contraction, un hoquet, et Caille-Caille faisait déjà ses glissades sur le parquet de l'auberge.

– Grand merci : je commençais à étouffer!

L'animal, toutefois, ne s'éternisa pas : bien que peu futé, il avait assez de sensibilité pour comprendre que Lani et moi avions besoin d'être seuls. Nous pûmes ainsi reprendre notre discussion là où nous l'avions interrompue.

– Vous paraissez encore plus grognon que d'habitude… Auriez-vous appris une mauvaise nouvelle?

– Je ne sais si la nouvelle que m'a révélée Olybrius est bonne ou mauvaise. En revanche, je suis certain qu'elle est fausse…

– Pour une fausse nouvelle, elle semble tout de même vous tourmenter plus que nécessaire…

– Quand je vous aurais tout expliqué, vous conviendrez avec moi que cet individu ne mérite que le mépris pour raconter de telles sornettes.

– Monsieur Olybrius peut parfois se tromper mais je ne crois pas qu'il soit un menteur.

Je lui rapportai donc sobrement les faits, tout en soulignant combien l'affaire était inconcevable.

Quelques instants plus tard, je ne tardai pas à mesurer la valeur de mon éloquence.

– Allons, cette histoire me paraît tout à fait plausible. Pourquoi serait-il allé inventer des choses pareilles ? Et puis, je vous ai toujours trouvé un petit air de ressemblance avec Olybrius.

– Vous dites cela pour me faire enrager.

– Pas uniquement. En tout cas, je suis heureuse que vous ayez retrouvé l'un de vos si nombreux pères ! Vous devez être aux anges !

– Ce n'est pas exactement l'expression que j'emploierais. Vous savez, avoir un père, c'est une fatalité, mais en posséder cent, ce serait une malédiction !

– Vous n'êtes jamais content !

– C'est effectivement ma ligne de conduite…

– Eh bien, elle est idiote et vous feriez mieux d'en changer !

– C'est Olybrius qui divague à tout-va et, de nous deux, c'est moi l'idiot ? J'aurais cru que vous vous montreriez moins ingrate et que vous prendriez mon parti…

– Qu'est-ce que la gratitude vient faire ici ? Si vous ne comprenez pas qui est de votre côté et qui ne l'est pas, vous êtes bien à plaindre. Sur ce, à bon entendeur salut !

S'il y avait eu une porte sur son passage, Lani me l'aurait certainement claquée au nez une bonne dizaine de fois. En baissant la tête d'un air buté, comme elle savait si bien le faire, elle partit à grandes enjambées se consacrer à ses œuvres.

Quel culot ! En réalité, c'est moi qui aurais dû m'estimer blessé !

Olybrius ne perdait rien pour attendre : en plus de m'assommer de ses balivernes, il semait la zizanie entre

Lani et moi ! Juste au moment où nos relations commençaient à s'améliorer. Tout cela me renforçait dans la conviction que je devais détaler de Rome au plus vite.

Cependant, dès le lendemain, celui qui se prétendait mon 98e père revint à la charge. Il m'assurait qu'en provenance de toute l'Europe, mes autres pères commençaient à affluer vers la capitale, leur fichue conférence devant s'y tenir dès la semaine suivante. Selon lui, la nouvelle de ma présence à Rome avait fait grand bruit. Tous brûlaient de me connaître et comptaient fermement me voir lors de leur réunion.

– Je suis convaincu que ce rassemblement sera à marquer d'une pierre blanche. Quelle joie cela sera pour tous de t'avoir parmi nous !

– Épargnez votre salive ! Je ne crois pas un traître mot de tout ce que vous me racontez. Votre récit ne tient pas debout. À l'heure qu'il est, mon père est un vieillard qui va sur ses quatre-vingts ans. Or même si vous me paraissez déjà sénile et bon à sucrer les poires, vous semblez nettement plus jeune…

– Comme je te l'ai déjà dit, je ne suis qu'une incarnation tardive de notre père n° 1. C'est précisément pour cette raison que je suis si bien conservé de ma personne !

Au cours des jours suivants, Olybrius continua à faire des pieds et des mains pour me persuader d'assister à cette exaspérante conférence, si bien que je finis par me laisser fléchir et acceptai son invitation.

– Ma présence à cette réunion aura au moins le mérite de lever ce stupide malentendu. Vous devrez alors admettre que je ne suis pas celui que vous croyez et que la famille à laquelle vous rêvez n'existe que dans votre cerveau malade !

Même si je n'osais me l'avouer, je restais intrigué par cette histoire de multiplication. Si les objets que m'avait confiés ma mère détenaient bel et bien ce pouvoir, je ne manquerais évidemment pas de les considérer sous un autre jour. Je me plaisais également à imaginer les vastes possibilités que pouvait offrir une telle faculté à se dupliquer. Un être aussi paresseux que moi pourrait notamment déléguer à ses différentes incarnations les tâches qui le rebutaient. Par exemple, si j'avais déjà disposé d'un tel double, je l'aurais volontiers envoyé à ma place à cette maudite réunion !

La veille du jour J, je sentis une certaine impatience m'envahir malgré moi. J'avais hâte d'être au lendemain et de savoir à quoi m'en tenir. Quand je m'en ouvris à mon fidèle Mange-Burnasse, celui-ci souleva alors la seule question qui importait :

– Et si ce benêt d'Olybrius avait raison ?

LA CONFÉRENCE DES PÈRES

Ce fut l'un de ces matins où vous vous levez déjà fatigué, avec l'impression que l'on vous a menti sur le nombre d'heures que compte la nuit. À peine le temps d'éteindre la bougie que le chant du coq s'était déjà fait entendre !

Le pas lourd, je descendis dans la salle principale de l'auberge où Mange-Burnasse et Olybrius étaient attablés autour d'un copieux petit déjeuner, dont les seules odeurs suffisaient à me donner la nausée. Mon soi-disant troisième père en partant de la fin était dans une forme resplendissante. Il avait le teint frais et un sourire radieux s'épanouissait sur ses lèvres.

– As-tu bien dormi ?

– Comme un bébé !

– Tu n'es pas trop anxieux à l'idée d'être présenté à l'ensemble de tes pères ?

– Pas le moins du monde. J'attends sereinement le dénouement des pitreries dont vous m'accablez depuis une semaine.

Cette fois, Olybrius sembla accuser le coup. Se renfrognant, il baissa les yeux sur l'écuelle de soupe qui fumait encore sous son nez et se mit à en laper le contenu. Pour un temps au moins, il me ferait grâce de sa conversation. Cependant, Mange-Burnasse eut alors l'impertinence de me parler de ma tenue vestimentaire. Il se trouve que j'avais revêtu ma tunique de cérémonie du séminaire Inferno, celle avec des bandes rouges et blanches, rehaussée d'un pourpoint gris doublé de fourrure.

– Je vois que tu n'as pas ménagé tes efforts !

– Allons, je me suis presque habillé comme d'habitude.

– Ça ne te va pas mal…

– Oh, j'ai pris les premiers vêtements qui me sont tombés sous la main.

– Il faut croire que le hasard fait bien les choses…

Lani, qui s'affairait en cuisine, donnant ses instructions à Fouinard, fit bientôt son apparition. Elle ne semblait plus en colère contre moi. Pourtant, peut-être aurait-il mieux valu que nous fussions encore fâchés, car, affectant de prendre mon sort à cœur, elle osa m'adresser d'ultimes recommandations.

– Pour une fois au moins, faites bonne impression !

Pas de chance : ce genre de conseils avait précisément le don de me mettre en rogne.

– Au lieu de raconter n'importe quoi, vous feriez mieux de surveiller cette larve de Fouinard ! Il m'a l'air d'humeur particulièrement félonne aujourd'hui. Cela ne me dit rien qui vaille…

– Je n'y manquerai pas puisque c'est si méchamment demandé !

– Ce n'est pas tout : vous pouvez aussi me rendre un autre service. À cette heure, Caille-Caille dort paisiblement dans ma chambre. Là où je vais, il ne ferait que me gêner. Aussi je préfère vous le confier. Je sais que vous en prendrez soin. D'ailleurs, vous avez toujours eu plus d'égards pour lui que pour moi…

— Comme votre sottise peut vous aveugler ! On se demande parfois qui, dans le couple que vous formez avec Caille-Caille, fait la bête et qui fait l'homme !

— Et dans le nôtre ?

Puisque nos échanges tournaient à l'aigre, il était grand temps de se mettre en route. D'ailleurs, Olybrius, qui avait terminé son bol de soupe, ne cachait plus son impatience.

— Allons, allons, pressons ! Nous allons être en retard. Ne faisons pas attendre plus longtemps les autres pères.

Le grand rassemblement devait se tenir dans une aile non répertoriée (et donc discrète) du tombeau de l'empereur Hadrien, aujourd'hui connu sous le nom de Château Saint-Ange. On avait vu grand.

Mange-Burnasse, Olybrius et moi, traversâmes le champ de Mars au pas de course, empruntâmes un pont qui enjambait le Tibre et nous retrouvâmes rapidement devant l'ancien mausolée. Celui-ci avait été reconverti en forteresse de défense et présentait dorénavant une allure militaire qui le faisait ressembler davantage à une citadelle imprenable qu'à un tombeau.

Sans un regard pour la foule des pèlerins qui affluait vers le Vatican tout proche, nous rejoignîmes l'arrière du bâtiment. Olybrius avisa alors la statue d'un ange qui dominait l'édifice et commença à compter cent un pas.

— Cent un pas, c'est un chiffre facile à retenir : il coïncide exactement avec le nombre des pères. C'est bien pensé, non ?

— Et vous voudriez peut-être que j'applaudisse ? Il

va falloir trouver mieux pour me convaincre que votre histoire est authentique !

– Patience, mon garçon : je vais t'en apporter la preuve… et de ce pas !

Si même ce demeuré se mettait à faire de l'humour, tout était possible ! Toujours est-il qu'il se fendit scrupuleusement de cent un pas puis, parvenu à ce point précis, toqua trois fois contre la paroi du tombeau, comme si quelqu'un était susceptible de nous ouvrir une porte dissimulée dans le mur.

– Décidément, vous me sortez le grand jeu ! Pour que le tableau soit complet, il ne manque plus que le mot de passe qui nous permettrait d'entrer ! Vous savez, une de ces phrases énigmatiques qui ne seraient connues que de rares initiés…

– Tu as raison de m'y faire penser ! J'ai dû l'inscrire sur un bout de papier… Où l'ai-je rangé ? Dans cette poche ? Non ! Dans celle-ci, peut-être… Oui, le voilà.

Il s'éclaircit alors la voix et, prenant un air solennel, prononça ces quelques mots mémorables.

– Père parmi les pères, ne perds jamais espoir en tes pairs. Ensemble, cent pères et sans reproche, nous ferons toujours la paire, pour le meilleur et pour le pire !

– Pour un mot de passe, c'est un beau mot de passe !

– Je suis sûr que cela plairait beaucoup à ce bon vieux portier de Borgnus II !

Mais nous n'eûmes pas le loisir de nous moquer davantage car, déjà, les briques qui formaient le pan de mur devant lequel nous nous tenions commençaient de s'écarter avec des grincements lugubres. Un petit couloir long de quelques mètres se dessinait à présent devant nous. Sans hésiter, Olybrius s'y engouffra, nous intimant de le suivre. À peine nous étions-nous engagés à notre tour dans cet étroit boyau que l'épaisse muraille se referma lourdement. J'espérais que notre guide savait ce qu'il faisait et que nous n'allions pas devenir malgré nous les nouveaux locataires de ce tombeau !

Nous finîmes cependant par rejoindre bientôt une sorte d'antichambre au plafond élevé où nous pûmes respirer plus librement. L'endroit était quasiment désert. Seul se trouvait là un grand échalas qui faisait les cent pas (ou les cent un). Il n'était que trop évident qu'il attendait quelqu'un.

– Ah, vous voilà, la réunion va commencer d'une minute à l'autre. Il ne manque plus que vous…

– Excuse-nous, père Monchemonche, nous avons fait tout notre possible pour ne pas arriver en retard mais ces jeunes gens ont la plus grande peine du monde à se lever de bonne heure…

– Allons, ce n'est pas grave. Viens plutôt par ici, cher ami, que je te serre dans mes bras !

– Attention, pas si fort ! Tu vas m'étouffer ! Dis-moi plutôt comment se portent nos camarades de la Loge de la Vertu.

– Ils vont tous bien. Certes, Idrogonadis souffre de ses rhumatismes mais cela ne l'empêche pas d'avoir encore la langue bien pendue. D'ailleurs, ces imbéciles du Cercle du Vice s'en sont déjà aperçus !

Je me demandai au milieu de quels illuminés nous allions échouer. Les deux larrons n'avaient échangé que quelques phrases mais, déjà, je ne comprenais rien à leur langage ou à leurs allusions. Quelle était cette loge vertueuse, quel était ce cercle vicieux dont ils parlaient ?

Mon étonnement ne s'arrêtait pas là. L'homme qui se prénommait Monchemonche n'était ni plus ni moins qu'une variante allongée d'Olybrius. On eut dit que l'on avait ajouté à ce dernier une bonne trentaine de centimètres et que l'on avait pris un malin plaisir à étirer démesurément ses jambes et ses bras. Pourtant, sur son visage, on retrouvait le même air bonhomme et indulgent que chez notre compagnon. S'il n'avait été aussi maigre et distendu, il eut paru presque aussi normal que lui.

Je dois avouer que cette ressemblance commençait à me troubler. Comme un mauvais présage.

– Je suppose que l'un de ces deux enfants est le fils...

– Oui, c'est celui-ci, Wilmuth, avec sa mine peu commode mais un cœur d'or, si tu savais...

– Viens ici, mon cher Wilmuth, que je te serre dans mes bras !

J'avais le sentiment que cet individu se répétait et qu'il prenait aussi des risques inconsidérés. Heureusement, Olybrius s'interposa.

– N'insiste pas... Bizarrement, il n'apprécie pas de telles preuves d'affection.

Monchemonche émit alors un bref murmure de réprobation, puis se dirigea vers le fond de l'antichambre. L'endroit s'ornait d'une cheminée sur laquelle on avait sculpté les douze signes du zodiaque. D'un geste sûr, notre hôte posa la main sur la double figure des Gémeaux. Aussitôt, la cheminée se déroba sous nos yeux, laissant la place aux quelques marches d'un escalier. De là où nous nous trouvions, nous avions désormais une vue imprenable sur une immense salle en forme d'hémicycle.

Sur les gradins, une centaine de copies d'Olybrius conversait bruyamment.

Certes, chacune de ces versions possédait ses

variantes, ses particularités. Néanmoins, toutes avaient en commun un air de famille indéniable et, à vrai dire, extrêmement dérangeant. Il était même difficile de s'y habituer…

Dans le lot, on recensait de paisibles vieillards comme de fougueux soudards, des chauves aux allures de moines copistes et des chevelus crasseux aux manières de mercenaires, des chétifs et de véritables montagnes, des benêts visiblement inoffensifs et des gros durs à qui l'on eut volontiers prêté les plus odieux trafics.

Tandis que nous descendions les quelques marches qui conduisaient jusqu'au centre de l'hémicycle, Olybrius m'expliqua brièvement la disposition des lieux et me fournit quelques indices sur l'identité de ces gens.

– Notre noble assemblée s'organise en trois grands groupes que chacun d'entre nous a rejoints au gré de ses goûts et de ses affinités. Quarante pères composent ce que nous appelons le Cercle du Vice. Ceux-là s'adonnent au Mal sous ses diverses formes. Je te suggère de te tenir à l'écart de ces crapules ; elles pourraient avoir une influence néfaste sur toi. En revanche, je t'encourage à fréquenter assidûment la Loge de la Vertu : quatre dizaines de pères dévoués, fermement décidés à œuvrer pour leur prochain. Enfin, entre ces deux factions aux idées bien arrêtées, s'intercale la Congrégation de la Douloureuse Indécision. Ces pères, au nombre de vingt, sont un rien hésitants et, selon les situations, ils s'allient à l'un ou l'autre des deux autres groupes. Je ne te cacherai pas qu'ici, ils font et défont les majorités. Ils sont donc redoutables !

Si j'en croyais Olybrius, mon père aurait cherché à travers ses multiplications à explorer les nombreuses possibilités de l'âme humaine. Entre le Bien et le Mal, il aurait refusé de choisir son camp et mis ses incarnations équitablement au service de l'un et de l'autre. Je ne pus m'empêcher de juger une telle attitude médiocre et lâche. Pour ma part, j'avais toujours veillé à choisir clairement mes ennemis, même s'il est vrai que, parmi les hommes, rares étaient ceux qui échappaient à cette définition.

Moi, je ne faisais pas les choses à moitié : j'étais tout entier du côté du Mal. Certes, Caille-Caille faisait quelque peu exception mais, en fin de compte, il suffisait que j'élève un peu la voix pour qu'il revienne à la niche et mette ses écailles à la disposition de mes noirs desseins.

Comme on peut le deviner, notre entrée causa un certain émoi. Tous nous observaient avec étonnement et avidité. Même les figures les plus patibulaires se déridaient légèrement quand elles m'examinaient. Tous paraissaient ravis de me voir.

— Dites, vous allez continuer longtemps à me dévisager ainsi ? Vous n'avez donc rien de mieux à faire ? Arrêtez, je vous l'ordonne ! Sans quoi, j'étripe, je taille, je décapite, je rase gratis et je hache menu.

Je regrettais de n'avoir pas pris Caille-Caille avec moi ; mes écailles auraient pu m'être extrêmement utiles.

— C'est qu'il n'a pas l'air arrangeant !

— Oui, il aurait parfaitement sa place au sein de notre Cercle du Vice !

— Bien dit ! Wilmuth, avec nous !

— Pas question ! S'il s'exprime ainsi, c'est certainement par ignorance. Aussi la Loge de la Vertu est-elle disposée à prendre cet enfant sous son aile et à lui donner une bonne éducation !

– Bouh, bouh! Nous n'allons tout de même pas confier ce gamin à une bande de lavettes. Avec leur instruction à la gomme, ces crétins nous le gâcheraient!

Cependant, Olybrius me pressa si vertement de le suivre que, sans avoir pu opposer la moindre résistance, je pris place parmi les rangs des Pères-la-Vertu. Pour moi comme pour Mange-Burnasse, une telle compagnie était pour le moins inhabituelle et inconfortable.

Jetant un regard sur les trognes qui nous entouraient, je dus concéder que tous ces lascars entretenaient une incontestable ressemblance. Rien ne prouvait néanmoins qu'ils m'étaient liés ou qu'ils étaient une création de mon père.

En dépit de l'animation suscitée par notre arrivée, le silence se fit peu à peu et la 26e Conférence des Pères put officiellement commencer. La séance était présidée par une vieille copie d'Olybrius qui, toute tremblotante et saisie de tics nerveux, était chargée d'animer les débats du haut de son perchoir. Il s'agissait du père n° 4. Il répondait au nom de Thor le Belge mais avait aussi été surnommé dans son jeune temps l'Émietteur, Blonde Mort ou encore Casse-Tête. Ce fut tout du moins ce que m'apprit un autre vieillard, assis à mes côtés et qui semblait disposé à me commenter tous les échanges qui s'annonçaient.

Quant à Thor le Belge, il nous fit part d'une nouvelle qui sema la consternation dans l'assemblée. Je dois dire qu'elle ne me laissa pas non plus insensible.

– Notre père en chef ne pourra malheureusement pas assister à notre réunion. Croyez bien qu'il en est le premier navré. Il est retenu par une mission de la plus haute importance qu'il accomplit en toute discrétion à la cour de Charlemagne, à Aix-la-Chapelle. Cependant, nous n'avons pas pu l'avertir que son fils serait des nôtres. S'il en avait été prévenu, on peut supposer qu'il aurait tout tenté pour être parmi nous aujourd'hui.

À cette annonce, je ne pus réprimer une certaine déception. Mais, dans le même temps, je ressentis aussi un intense soulagement. En effet, parmi cette foule, aucun visage ne trouvait grâce à mes yeux. Parmi tous ces hommes, pas un dont j'aurais voulu pour père. Même ceux qui me paraissaient les plus mauvais et les plus sanguinaires ne suscitaient chez moi aucun élan de tendresse.

Les sentiments contradictoires dont j'étais la proie n'échappèrent point au vieillard qui, près de moi, ne cessait de me couver du regard.

– Tu me sembles désemparé, mon petit!

– Ne m'appelez pas mon petit ou il vous en cuira!

– Diantre, tu es aussi susceptible que ta mère!

– Qu'en savez-vous, vieux bouc?

– Tu parles légèrement, permets-moi de te le dire. Car il se trouve que, dans ma jeunesse, j'ai eu l'occasion de rencontrer la fameuse Valkiria. Je n'ai malheureusement jamais eu le plaisir de goûter son omelette à la diable, dont ton père m'a souvent parlé...

– Ce n'est pourtant pas ce qui l'a retenu auprès de nous! Sitôt que je suis né, il nous a abandonnés, ma mère et moi!

– Les choses sont plus compliquées que tu l'imagines. Ce n'est pas à moi de t'en dire plus à ce sujet mais sache qu'en vous laissant Valkiria et toi, ton père a pris une sage décision. Tu auras sans doute quelque difficulté à le comprendre : ce geste était envers vous deux une vraie preuve d'amour...

– Si vous pensez me convaincre avec ce genre d'arguments, vous vous mettez le doigt dans l'œil!

– Tu dois aussi apprendre qu'il n'a jamais oublié sa petite famille. Au contraire, il prenait régulièrement de vos nouvelles. Il m'a même envoyé plusieurs fois en mission chez vous.

– Je ne vous ai jamais vu à la maison. Si vous aviez été le messager régulier de mon père, votre visage ne me serait pas inconnu.

– Tu n'étais jamais là lors de mes visites. Ta mère t'éloignait systématiquement de votre chaumière quand elle devinait mon approche. À mon ultime passage, elle m'a raconté t'avoir ordonné de lui rapporter les yeux d'un faucon vairon. En riant, elle m'avait avoué que la tâche t'occuperait un long moment…

– Ah, vieillard croulant, vous me remémorez là un jour de malheur !

– Je ne le sais que trop bien ! Il faut que je te confie à ce propos un secret qui, depuis trop d'années, pèse sur ma conscience. La vérité est aussi simple que déplaisante : je crains que cette visite n'ait eu de terribles conséquences…

– Que voulez-vous dire par là ?

– J'ai bien peur de ne pas être entièrement étranger à la fin funeste de ta mère. Lors de ma dernière mission, ton père m'avait prié de lui apporter un miroir dont, m'assurait-il, Valkiria saurait faire le meilleur usage. Par malheur, au cours de mon voyage, j'ai commis l'erreur de m'étendre trop ouvertement sur ma destination et sur l'identité de mon hôte. Pire, ces informations sont tombées dans l'oreille de mauvaises gens qui, je l'ai appris plus tard, ont monté une expédition pour capturer la sorcière et lui infliger un affreux supplice…

– N'allez pas plus loin : la suite, je la connais ! Dès

que cette satanée réunion s'achève, je vous écorche vif…

– Si telle est ta décision, je ne me déroberai pas…

Bigre, le bonhomme ne manquait pas de panache! Peut-être avait-il hérité son courage de mon père?

– Vieil homme, vous ne tremblez pas devant moi et cela me plaît… À supposer que j'accorde la moindre vraisemblance à toutes ces sornettes, je serais porté à vous situer parmi les premières incarnations de mon paternel…

Mon interlocuteur se redressa alors et s'éclaircit la voix. La fierté qui était la sienne inondait son visage ridé.

– Tu as bien deviné : je ne suis nul autre qu'Elginfrisse, le père n° 2. Je suis le premier double de ton géniteur. Rien de moins!

– J'en déduis que celui-ci doit avoir aujourd'hui votre âge et qu'il doit vous ressembler…

– Détrompe-toi ; il n'a rien de commun avec le vieillard que je suis devenu. Lorsque je l'ai vu pour la dernière fois il y a deux ans, il se portait comme un charme et n'avait pas pris une ride! On ne lui aurait pas donné ses trente ans…

– Si je vous suis bien, il ne vieillirait lui aussi qu'avec une extrême lenteur…

– Oui, c'est de lui que tu tiens cette formidable faculté…

– Permettez-moi de ne pas la trouver si formidable que ça! C'est notamment à cause de cette particularité que j'ai dû m'enquiller cinquante années d'études au séminaire Inferno!

– C'est donc là où tu étais passé pendant tout ce temps! Dès qu'il a eu appris la mort de Valkiria, ton père a cherché sans relâche ce haut lieu de perdition, mais il n'est jamais parvenu à découvrir ce maudit séminaire…

– Tant mieux! Ma mère, voyez-vous, avait ses propres plans pour moi. Je pense qu'elle a voulu me soustraire à l'influence paternelle et je ne saurais le lui reprocher.

– Il est vrai que tes parents ne se sont pas séparés à l'amiable.

– Je me suis toujours demandé pourquoi…

– Disons qu'ils n'avaient pas tout à fait les mêmes idées sur la vie… Mais, là encore, il ne m'appartient pas de me prononcer sur de tels sujets. Seul ton père pourrait s'en expliquer.

Olybrius, qui nous observait d'un air mécontent depuis quelques minutes, nous enjoignit alors de nous taire et de ne pas perturber la séance. Je tentai ensuite de m'intéresser quelque temps aux discussions qui occupaient les pères. Il m'apparut que l'on en était à l'approbation du procès-verbal de la précédente conférence. Ce document consignait les échanges et les décisions qui marquaient chaque rassemblement. Il était rédigé par le père n° 44, Neutralus Scribus, connu pour sa parfaite objectivité. À ce stade de la réunion, Elginfrisse ne cachait pas son irritation.

– Nous n'allons quand même pas y passer la nuit. Personne ne les lit, ces fichus procès-verbaux!

– Père n° 2!

Une fois ce fameux document approuvé, nous eûmes droit à la longue présentation du rapport d'activités du Cercle du Vice. Depuis deux ans, ces mauvais pères n'avaient pas chômé. Ils s'étaient consacrés sans repos à la haine entre les peuples et à la zizanie sous toutes ses formes, diffusant tous les mensonges qui pouvaient conduire les hommes à se détester et à s'entre-tuer.

– Au cours des deux dernières années, nous nous sommes lancés dans l'élimination de tous ceux qui chantent l'amour et les bons sentiments. Nous avons immédiatement rencontré un très large succès : 426 poètes assassinés dans 17 pays !

D'un naturel spontané, je me levai brusquement de mon siège et j'applaudis sans retenue cette initiative !

– Bon débarras ! Bravo !

Cette intervention fut plutôt mal accueillie par la « bonne » moitié de la salle. Si les membres du Cercle vicieux renchérissaient (« Wilmuth avec nous ! Wilmuth avec nous ! »), les pères les plus vertueux ne partageaient guère mon enthousiasme.

Toutefois, ce premier exposé parvint enfin à son terme et ce fut au tour du père Porphilamène de prendre la parole. Au nom de la Loge de la Vertu, il se fit un devoir de présenter les bonnes actions que ses exaspérants collègues et lui avaient récemment commises. Et monsieur de s'épancher sur les guerres que leurs ambassades avaient permis d'éviter (quel gâchis !) ou de disserter à n'en plus finir sur les criminels que ces imbéciles avaient remis dans le droit chemin (quel culot !).

Naturellement, parmi les rangs du Vice, on ne l'entendait pas de cette oreille et on ne se privait pas de huer ce lamentable orateur. Bien entendu, je me joignis fort volontiers à ces protestations.

Néanmoins, je dois avouer que ces interminables discours ne me passionnaient guère. En réalité, mes pensées étaient tournées vers mon père. Je savais désormais où je pourrais le retrouver et, avec le recul, je me réjouissais donc de ne pas avoir encore quitté Rome. Que de temps nous aurions ainsi perdu sur de fausses pistes !

Finalement, ce grand raout s'était révélé plus instructif que je ne le pensais. J'avais cependant appris ici tout ce qui était susceptible de m'intéresser. Dès lors, je me proposai de prendre congé mais Olybrius et tous ceux qui l'accompagnaient m'intimèrent d'y renoncer. La Conférence n'en était encore qu'à ses débuts et son ordre du jour ne serait pas épuisé avant une bonne semaine !

– Une semaine ? Il est hors de question que j'assiste à une réunion pendant une semaine ! Je deviendrais fou !

– Nous ne nous voyons qu'une fois tous les deux ans ; il est donc normal que nous ayons tant à nous dire.

– Grand bien vous fasse ! Discutez autant que vous le souhaitez ; moi, je m'en vais… Réveille-toi, Mange-Burnasse, nous partons !

Des protestations fusèrent de tous les côtés. Tous voulaient me voir rester. Certains en appelaient au respect que je devais à la famille ; d'autres me promettaient des festivités sans fin qu'un bon vivant digne de ce nom n'aurait su refuser. Devant de tels arguments, la détermination de Mange-Burnasse semblait dangereusement fléchir.

– Que tu le veuilles ou non, ces gens sont, d'une certaine manière, tes parents. Pour leur être agréables, ne pourrions-nous pas demeurer avec eux au moins jusqu'à l'heure du repas ?

Elginfrisse n'était pas non plus le dernier à vouloir me retenir.

– Allons, Wilmuth, écoute ceux qui t'aiment et te

respectent. Pourquoi les fuir après les avoir à peine rencontrés?

Il se produisit alors un événement inattendu, qui régla à sa façon ce débat. D'abord, un murmure presque imperceptible, puis une menace de plus en plus grondante. Ensuite, nous entendîmes des coups de butoir répétés contre la paroi du passage secret que nous avions emprunté. Bientôt, le ciment commença de céder sous ces violents assauts et des lézardes de plus en plus profondes se mirent à courir le long du mur.

Du haut de son perchoir, Thor le Belge avait identifié le responsable de cette situation.

— Monchemonche, que faites-vous ici? Ne deviez-vous pas plutôt surveiller l'entrée?

— Ce n'est pas faux mais cela me prive toujours d'assister à nos discussions. C'est trop injuste!

Mais l'heure n'était plus à ces considérations. Déjà, les premières briques du mur s'écroulaient dans un nuage de poussière et, par cette ouverture, nous pouvions apercevoir des hommes en armes, épées au poing. Leur uniforme était celui des gardes du pape. Une voix qui ne m'était pas inconnue les exhortait à redoubler leurs efforts.

— Plus vite, plus vite! Il ne faut pas qu'ils s'échappent! Attention, je veux l'enfant vivant!

Sacré vieux Léon! J'avais été bien naïf de supposer qu'il allait si aisément renoncer à s'emparer de moi et de mon héritage maternel…

Bientôt, le mur s'effondra, permettant à une avant-garde d'entrer dans la place. Derrière elle, une centaine de soldats se pressaient, prêts à en découdre. Mais les pères n'étaient pas disposés à se laisser capturer.

Les brutes du Cercle vicieux prirent immédiatement les opérations en main. Ces braves firent tout d'abord monter une vingtaine d'arcs et des réserves de flèches jusqu'aux gradins les plus élevés. De cette position légèrement en surplomb, les pères purent faire tomber sur nos assaillants une pluie de flèches qui sema mort et souffrances.

Certains de nos acolytes, rompus depuis des décennies à faire apparaître créatures maléfiques et diverses sortes de fantômes, surent également créer par leur magie des monstres de pacotille : loups-garous, gargouilles, hydres, chimères, harpies, esprits frappeurs, serpents de mer ou orques bestiaux et dégoulinants de sang. Confrontés à un tel spectacle, nombre de fantassins furent submergés par la panique et rebroussèrent chemin, se piétinant les uns les autres, à la recherche de la plus proche échappatoire.

Léon III tâchait néanmoins de leur redonner courage et de les convaincre que toutes ces terrifiantes manifestations n'étaient qu'illusions.

– Ne vous laissez pas abuser par ces tours vulgaires ! Ces créatures n'existent que parce que vous voulez bien les voir. Si vous ouvrez votre cœur à un peu plus de raison et de courage, elles disparaîtront aussitôt !

Mange-Burnasse et moi n'épargnions pas non plus notre peine. Nous nous battions pied à pied, sans abandonner le moindre pouce de terrain. Je ne portais pas mes écailles mais n'en étais pas timoré pour autant : je luttais sans craindre les coups que je pourrais recevoir.

Au vu de ces circonstances exceptionnelles, Thor le Belge décida que le temps était venu de donner le signal de la dispersion et de lever la séance. Sous la conduite de Rahoulde et de Siegchatz, brutes parmi les brutes, la retraite s'effectua dans la plus extrême discipline et sans la moindre perte. Une manœuvre accomplie si brillamment ne manqua pas de déclencher la rage de Léon. Ce n'était pas encore cette fois-ci qu'il pourrait léguer mon corps à la science de ses médecins. Il lui faudrait encore patienter avant de découvrir les raisons de ma quasi-immortalité !

– Rattrapez-les ! Bon Dieu, qu'ai-je fait pour être entouré d'une telle bande d'incompétents !

Quelques instants avant de disparaître, je ne résistai pas au plaisir de lui adresser un pied de nez et autres grimaces. Je le vis alors devenir cramoisi, comme s'il était victime d'une attaque d'apoplexie. Ses échecs successifs contre moi commençaient apparemment à venir à bout de ses nerfs.

Ce fut ainsi, dans la plus vive confusion et plus rapidement que prévu, que se termina la 26e Conférence des Pères.

Sitôt sortis du tombeau d'Hadrien et sans un salut pour les autres pères qui s'égaillaient aux quatre coins de Rome, Mange-Burnasse, Olybrius et moi choisîmes de nous replier vers l'auberge du Bourreau maudit.

J'étais impatient de faire à Lani le récit de ces dernières heures. Malheureusement, une vieille connaissance en décida autrement.

UNE GRANDE PERTE (ET UNE PETITE)

Dès les abords de l'auberge, nous comprîmes qu'il s'y passait des choses inhabituelles. Par les rues attenantes, les habitants du quartier de Subure tentaient en masse de rejoindre un endroit sûr. L'effroi se lisait sur leurs visages, alors même que leur quotidien était fait de sauvages règlements de comptes. Pour qu'ils fussent terrorisés au point de quitter leurs foyers, c'était signe qu'il y avait péril en la demeure.

Nous en eûmes rapidement la confirmation.

De puissants roseaux ondulants, une haute liane animée de rancune et de ressentiment, la mort verdâtre qui frappait quiconque s'approchait et, surtout, trois crânes décharnés pour une seule tête pensante, capable de concevoir tous les vices et toutes les atrocités : Triple-Mort ! L'immonde parmi l'immonde se rappelait soudain au mauvais souvenir de mes tripes. Triomphant, bestial et répugnant. Le Maître tel qu'en lui-même.

Le voir s'agiter sous les plafonds de l'auberge ressuscitait en moi un dégoût qui s'était tu durant de longs mois. Si jamais je l'avais oublié, son retour inattendu m'apportait la confirmation qu'il était l'être que je détestais le plus au monde.

Pour se montrer en plein jour, il devait être sûr de son fait. Il avait néanmoins pris la précaution de s'entourer d'une escouade de mercenaires qui, sur les instructions d'un Fouinard brusquement rasséréné, répandaient mort et pillage. Avec ce lâche, l'origine de nos malheurs ne faisait aucun doute.

À ma grande consternation, je vis que la Fouine s'était emparée des objets que m'avait légués ma mère. Comment pouvait-il en soupçonner les pouvoirs alors que, pour ma part, je n'en avais été convaincu que quelques heures plus tôt, lorsque j'avais pris place au milieu des cent variantes de mon père ? Comment une telle information avait-elle pu se propager aussi vite ?

Toutefois, il restait un objet qui, en dépit de leurs efforts, continuait d'échapper à nos adversaires : le miroir que je lui avais offert était toujours aux mains de Lani. Celle-ci le défendait bec et ongles : lorsqu'un des soudards à la solde du Maître fondait sur elle, la jeune Romaine s'esquivait par un bond de côté quasi miraculeux. De la même façon, elle savait habilement s'écarter avant que Triple-Mort ne pût exercer sur elle ses fameuses ondes paralysantes.

Quelle fille admirable !

Pour lutter contre ces intrus, elle utilisait tous les ressorts cachés de la maison – mille pièges connus d'elle seule et de son père. Ainsi, certains escaliers s'escamotaient tout à coup sous les pas des mercenaires, les précipitant dans de profondes oubliettes. Ou bien des portes que l'on croyait ouvertes claquaient violemment au nez de nos ennemis, sectionnant doigts, orteils et appendices nasaux.

Quand Lani se réfugia en cuisine, elle y eut recours à de nouvelles armes. Comme par enchantement, elle donna ainsi vie à une batterie de couteaux qui, sagement rangés contre un mur, se mirent soudain à voler dans toutes les directions, découpant celui-ci ou épluchant celui-là. Aucun élément de la maison ne demeurait au repos lors de ce féroce combat, pas même les canalisations de l'établissement. Dès qu'un partisan de Triple-Mort passait à leur portée, elles libéraient vicieusement à sa face des jets d'eau bouillante qui lui écorchaient la peau plus sûrement que la plus effilée des lames.

Les mercenaires qui suivirent Lani dans la cave ne connurent pas un meilleur sort. Malgré l'obscurité, la jeune fille trouva un certain levier dissimulé derrière les bouteilles de vin. En l'abaissant, elle déclencha aussitôt un déluge d'eau boueuse qui emporta tout sur son passage. Le petit miroir toujours glissé dans un repli de son corsage, Lani contemplait ses victimes avec mépris et assurance, certaine de les anéantir.

Même si elle opposait à nos ennemis une résistance remarquable, il va de soi que Mange-Burnasse et moi nous ruâmes à l'assaut. Pour me seconder, j'appelai Caille-Caille à la rescousse car, dans un tel moment, je ne pouvais évidemment me passer de mes écailles. Mais l'animal demeurait invisible. Le couard devait sans doute claquer des dents, caché dans un placard ou derrière quelque pile de linge. Son absence ne m'empêcha pas d'entamer un grand carnage et, dès le premier engagement, de décapiter net deux gros braillards qui se précipitaient à ma rencontre. Pour faire bonne mesure, Mange-Burnasse balança dans l'assistance quelques bombes artisanales. Cependant, il devait en user avec modération s'il ne voulait pas en même temps détruire le bâtiment tout entier.

Comme si nous n'avions pas suffisamment d'ennuis, Olybrius voulut, lui aussi, être de la partie. Je tâchai pourtant de l'en dissuader.

– Allons, laissez ce genre de massacres à ceux qui en ont l'habitude ! Tenez-vous à l'écart ou vous allez récolter un mauvais coup.

– C'est aimable à toi mais l'honneur exige que je tente de remédier au mal que j'ai pu causer…

Cette allusion me paraissait bien mystérieuse mais le temps me faisait défaut… Puisque tel était son souhait, j'acceptai donc Olybrius à nos côtés. Je ramassai une épée sur un cadavre et la lui lançai. Il s'en saisit d'abord avec écœurement puis, tant bien que mal, commença de s'en servir. Je devais sans arrêt garder un œil sur lui et, dès qu'il me semblait en difficulté, intervenir pour écarter le danger. Il était tout de même (un peu) de ma famille.

Comme on s'en doute, l'intrusion de Triple-Mort avait produit un effet désastreux sur les paisibles pensionnaires que Lani accueillait depuis quelques jours à l'auberge. Il fallait les voir hurler, gesticuler, s'arracher les cheveux de terreur et chercher en vain une issue ! Leur fuite désordonnée et leur total manque d'expérience des choses de la guerre nous compliquaient horriblement la tâche. Certains d'entre eux s'accrochaient à nos basques, imploraient notre aide, nous trébuchant dans les pattes ou se réfugiant dans nos bras, au risque de nous exposer à d'inutiles blessures.

J'avais pourtant prévenu Lani : ces gens-là ne nous vaudraient que des ennuis !

Mon arrivée n'avait évidemment pas échappé à Triple-Mort et je ne fus pas long à comprendre que, s'il pouvait me tuer en plus de me dépouiller de mon héritage maternel, il ne s'en priverait pas.

– Ignoble traître, moi qui avais placé tant d'espoirs en toi! Comme tu m'as déçu! Finalement, tu ne vaux pas davantage que ton lamentable père. Je vais t'apprendre à mieux respecter ton Maître et, crois-moi, cela sera la dernière leçon que je te donnerai!

Je n'entendais pas lui accorder ce plaisir. Cependant, lorsque Triple-Mort en avait après vous, il n'était guère facile de lui échapper. Pour ma part, je bondissais de mon mieux pour me soustraire à ses assauts et veillais à ne jamais lui offrir un angle d'attaque grâce auquel il aurait pu utiliser contre moi ses fichues ondes tétanisantes. Malheureusement, alors que je me démenais comme un beau diable, l'un de ces orphelins que j'avais fabriqués en quantité jugea intelligent de se blottir contre moi en pleurant. Les conséquences d'un tel surpoids ne se firent pas attendre.

Quand je me sentis la proie d'un picotement et qu'aucun de mes nerfs ne daigna plus répondre aux ordres de mon cerveau, je compris que j'étais à nouveau tombé sous le pouvoir du Maître. Cette fâcheuse vérité m'apparut encore plus clairement quand je me vis soulevé du sol et pus assister à la bataille d'une hauteur à laquelle je n'aurais jamais dû me trouver. Triple-Mort me manipulait comme bon lui semblait et me faisait tournoyer dans les airs, comme un enfant l'aurait fait d'un jouet. Le connaissant, je me doutais qu'il se lasserait de cette distraction et qu'il m'éclaterait bientôt la tête contre le premier mur venu.

– Cela en est presque trop facile. Décidément, tu n'as fait aucun progrès depuis notre dernière rencontre. Tu es juste irrécupérable. En t'éliminant, je n'aurai même pas le déplaisir de perdre un élève de valeur...

Les secondes qu'il me restait à vivre ne dépendaient plus que de son bon vouloir. C'est du moins ce que je crus pendant quelques instants avant que quelqu'un ne s'immisce dans la conversation.

Ce bon vieux Mange-Burnasse avait retrouvé Caille-Caille tapi au fond d'une marmite. Ne voulant rien entendre du vacarme alentour, l'animal s'y était lâchement recroquevillé en boule. Il vint alors à Mange-Burnasse une intuition géniale à laquelle je dois d'être encore de ce monde. Mon ami se saisit de Caille-Caille et le fit si bien rouler sur le parquet de l'auberge que cette étrange boule culbuta comme des quilles plusieurs des soldats qui se dressaient sur sa route jusqu'à faire chuter lourdement Triple-Mort lui-même.

Si l'on m'avait dit qu'une telle activité se transformerait bien des siècles plus tard en un sport des plus populaires !

Triple-Mort s'était affalé de tout son long et s'empêtrait désormais dans ses jambes démesurées. Il ne pouvait plus, par la même occasion, exercer sur moi son invisible rayon. Toutefois, si j'échappai à la force d'attraction du Maître, celle de la terre reprit aussitôt ses droits : je chutai et me heurtai si violemment au sol que le choc me laissa étourdi pendant un bon moment.

Déjà, pourtant, Triple-Mort se relevait et son humeur ne s'était pas vraiment améliorée. Sa patience était à bout et il jugea qu'il fallait en finir. Sa rancune allait notamment à cette maison qui déployait ses pièges par dizaines et qui contrariait depuis trop longtemps ses plans.

D'une manière absolument ridicule, Triple-Mort se mit donc à se frapper le torse, comme s'il était pris d'une quinte de toux dont il ne parvenait pas à se débarrasser. Nous nous aperçûmes rapidement qu'il n'y avait cependant pas là matière à nous moquer. Car le Maître commença de cracher non pas le contenu de ses étroits poumons mais une véritable armée. Une armée grouillante et disciplinée, composée de soldats minuscules mais déterminés. Des millions d'insectes qui faisaient jouer leurs mandibules et qui investirent voracement le moindre recoin de la maison.

Mange-Burnasse, dont la science avait toujours été très étendue, reconnut immédiatement à qui nous avions affaire.

– Des isoptères !

– Excuse-moi, camarade, mais cela ne nous renseigne guère !

– Des termites ! Et, crois-moi, ceux-là appartiennent à une espèce particulièrement redoutable !

Sevrés de bois depuis de nombreux mois, ces termites étaient bien décidés à faire leur festin de l'auberge. Ils s'attaquèrent à la charpente, aux poutres maîtresses et aux fondations, aux lames du plancher, aux volets et aux fenêtres, le tout à une vitesse inconcevable.

Sous leurs assauts, la maison diminuait à vue d'œil. Les escaliers en colimaçon perdaient leurs marches les unes après les autres. Les portes sortaient de leurs gonds. Le parquet se creusait de trous béants qui, de minute en minute, s'élargissaient dangereusement. L'auberge n'était plus que plaies et échardes, craquements sinistres et grincements angoissants. Un menuisier, même au cœur bien accroché, n'eut pas supporté la vue d'un tel cataclysme.

La mastication des termites produisait un vacarme insoutenable. Leur grignotement n'était qu'un assourdissant concert, comme s'ils s'étaient lancés dans un affreux et monotone refrain : *Ronge, ronge, ronge. Mange, mange, mange. Crache, crache, crache...* La maison semblait prise de hoquets, menaçant à tout moment de s'écrouler.

La mort dans l'âme, le père de Lani dut se résigner à prendre une douloureuse décision : mettre le feu à l'auberge pour se débarrasser avec elle des insatiables insectes. Sacrifier sa demeure pour sauver le reste du quartier.

Bientôt, après que nous eûmes allumé plusieurs foyers, la bâtisse fut dévorée par un autre appétit, encore plus boulimique que celui des termites. Déjà, les flammes consumaient sans pitié chaque chambre, chaque étage. Déjà, l'admirable suite 666 n'était plus qu'un souvenir calciné. À mesure que les insectes grillaient au milieu du brasier, il s'insinuait également une odeur de chair brûlée qui mettait l'estomac à rude épreuve.

Le père de Lani et quelques-uns de ses amis, assez courageux pour lui venir en aide, s'évertuaient à circonscrire l'incendie et à protéger les habitations des environs. Avec fureur, ils s'échinaient aussi à écraser sous leurs talons les rares termites qui tentaient de fuir le carnage.

Néanmoins, la menace du feu n'était pas suffisante pour dissuader Triple-Mort de poursuivre ses néfastes desseins. Pour mettre enfin la main sur le miroir que Lani continuait de défendre vaillamment, il la harcelait de plus belle. Heureusement, ses efforts ne rencontraient pas davantage de succès. Lani n'était pas de ces filles faciles qui cèdent sitôt que l'on insiste. Ah non !

Dès lors, le Maître résolut d'obtenir par la traîtrise ce qu'il n'avait pu gagner par la force. Dans la mêlée, il ne lui avait pas échappé que je m'efforçais de protéger Olybrius contre toute méchante blessure. Il en déduisit, un peu trop rapidement à mon goût, que son existence avait quelque prix à mes yeux. Aussi profita-t-il du premier moment d'inattention de ma part pour déployer ses lianes et, grâce à elles, s'emparer de mon compagnon.

– Wilmuth, si tu veux sauver ton ami, fais en sorte que ton miroir me parvienne ! Demande à cette mijaurée de le déposer bien gentiment à un endroit où je pourrai m'en saisir…

– Si vous croyez que je vais me prêter à un tel marché ! Triple-Crétin ! Vous surestimez la valeur que j'attache à la vie de cet empoté… Faites-en ce que vous voulez : cela m'est bien égal !

Cependant, le destin de mon miroir ne m'appartenait plus. Celui-ci était toujours en possession de Lani de sorte qu'elle seule pouvait en sceller le sort. À en juger par son nouvel engouement pour la cause du Bien, je redoutais que sa décision ne me fût guère favorable.

Mes pires craintes se confirmèrent sur-le-champ.

– Wilmuth, comment pouvez-vous imaginer sacrifier la vie d'Olybrius pour conserver votre miroir ? Vous perdez la tête !

Sans prêter aucune attention à mes arguments, elle sortit l'objet de son corsage et, avec précaution, le déposa à quelques pas de Triple-Mort.

– Vous, l'affreux, à présent que nous avons respecté notre part du marché, rendez-nous Olybrius !

D'un bond, Triple-Mort s'assura du miroir et, l'instant d'après, il nous rappela qu'il n'était pas dans sa nature d'être juste ou honnête. Le regard plein de mépris, il accentua son étreinte sur Olybrius. Le pauvre hurlait de douleur et ses cris ne cessèrent que lorsque, avec d'horribles craquements, ses os cédèrent sous la pression des lianes. Triple-Mort jeta alors au loin cette chose molle et désarticulée qui ne lui était plus d'aucune utilité.

Le Maître triomphait. Il avait fait main basse sur la totalité de mon héritage, occis l'un de mes proches et précipité la destruction de cette maison où, malgré tout, j'avais fini par passer de bons moments.

Dans cette atmosphère irrespirable de charogne, j'avais pourtant encore assez de ressort pour vouloir me venger et lui sauter à la gorge. J'aurais sans doute agi ainsi, quitte à signer mon propre arrêt de mort, si je n'avais obéi à un autre réflexe.

Au-dessus de la tête de Lani, je vis en effet qu'une poutre de belle taille, rongée par les termites puis consumée par la fournaise, était sur le point de se détacher. Je fondis sur la jeune fille, la saisis par la taille (qu'elle avait un peu rebondie) et, accomplissant ensemble la première de nos cabrioles, nous parvînmes à rouler sains et saufs jusqu'en un lieu moins enflammé.

Triple-Mort mit aussitôt à profit cet instant d'égarement pour décamper avec Fouinard et les deux ou trois mercenaires qui lui restaient. Il abandonnait derrière lui un paysage de ruines et de débris fumants. Comme il devait ricaner et se féliciter de ses exploits !

L'incendie avait achevé son œuvre sans laisser de l'auberge rien qui tînt encore debout. Toutefois, grâce aux efforts du père de Lani et de ses compagnons, le feu n'avait pas gagné les maisons environnantes. Mais c'était là la seule consolation, et bien maigre, que l'on pût trouver.

Olybrius, le regard révulsé et des caillots de sang à la bouche, était, lui, à l'agonie. Calliope, qui avait accouru dès les premières rumeurs de la bataille, dodelinait de la tête, comme pour nous signifier qu'il n'y avait plus rien à tenter. Lani était également penchée sur lui. Elle lui passait la main dans les cheveux et lui parlait doucement pour mieux l'aider à mourir, car c'était le seul acte de générosité que l'on pût encore accomplir.

– Il faut vous taire maintenant, Olybrius. Vous ne faites qu'augmenter vos souffrances…

– Il faut pourtant que je vous dise quelque chose… Une dernière confession… Je porte une lourde responsabilité dans les malheurs qui nous frappent… Si je meurs aujourd'hui, ce n'est que justice…

– Comment pouvez-vous tenir un pareil discours ? Cela serait justice de nous priver de vous ? Cela serait justice de nous épargner votre gentillesse, votre dévouement et aussi vos stupides questions ou encore votre fichu acharnement à tout comprendre de travers ? Allons, ne racontez pas n'importe quoi !

– Il m'arrive d'être un peu bête mais je ne suis pas fou… Quand j'ai su qui était Wilmuth, j'étais au comble de la joie… Quel bonheur de savoir que ce petit tenait un peu de moi… Malheureusement, je n'ai pu m'empêcher de glisser quelques mots à ce sujet à cette âme damnée de Fouinard… J'ai également dû laisser échapper certaines précisions sur le procédé de multiplication et sur le pouvoir que possèdent les objets confiés à la garde de cet enfant… Et voilà où cela nous a conduits…

– Ne vous tourmentez pas : tout cela n'est pas bien grave. Wilmuth m'offrira d'autres miroirs…

– Je sais que vous vous efforcez de me ménager mais je sais aussi les calamités que j'ai causées… Et elles ne font sans doute que commencer ! Imaginez l'armée que pourrait constituer une centaine de Triple-Mort prêts à tout ! Elle pourrait en renverser des empires, en anéantir des civilisations !

– Oh, mais nous n'allons pas nous laisser faire ! Wilmuth ne le tolérera pas, vous verrez !

– Me pardonnez-vous, Lani ?

– S'il y a quelque chose à excuser, bien sûr que je vous pardonne ! D'ailleurs, Wilmuth aussi vous pardonne. N'est-ce pas, Wilmuth ?

– Non. Il l'a bien cherché !

– Wilmuth !

Sur ces mots, Olybrius expira en expulsant un dernier crachat rougeâtre. Mon père n° 98 avait vécu. Sur les instructions de Calliope, on emporta le corps. L'apothicaire nous promit qu'elle lui rendrait un aspect plus présentable en vue de ses obsèques.

Déjà, une foule de voisins était venue prêter main-forte au père de Lani et commençait de déblayer les décombres. Au cours de leurs travaux, ces ouvriers improvisés firent une étrange découverte : un lot de cages en acier qui contenaient les cadavres calcinés d'énormes rats. Certains d'entre eux portaient encore autour du cou ce qui paraissait être un étui à messages.

Je compris le stratagème par lequel Fouinard, tout en trompant notre vigilance, avait pu communiquer avec Triple-Mort. Alors que d'autres jettent leur dévolu sur des pigeons voyageurs, la Fouine avait eu recours à ces étonnants coursiers qui, se faufilant par les égouts, avaient apporté au Maître les dernières nouvelles de l'auberge. C'était à la fois ingénieux et repoussant : dans le style de cette vermine.

Le lendemain se déroula l'enterrement d'Olybrius auquel, sur l'insistance de Lani mais aussi de Mange-Burnasse, il me fallut assister. Les autres pères s'étaient déjà dispersés, si bien qu'aucun d'entre eux ne fut présent lors de cette cérémonie. Ils ne me manquaient pas. Désormais, mes pensées étaient toutes tournées vers le seul père qui vaille, celui qui, pour une obscure mission, se trouvait à la cour de Charlemagne à Aix-la-Chapelle

Accompagné de mon fidèle Mange-Burnasse, je partirais au plus tôt pour rejoindre la capitale impériale, j'y rencontrerais enfin mon père et nous y attendrions Triple-Mort de pied ferme. Si ce dernier m'avait dépossédé de mes biens les plus chers, il ignorait le processus par lequel ceux-ci pouvaient exprimer leur pouvoir. Me rappelant les explications d'Elginfrisse lors de la conférence, je savais que seul mon géniteur avait la connaissance précise du procédé de multiplication. Triple-Mort n'étant pas du genre à accepter de demeurer longtemps dans cette ignorance, nul doute qu'il chercherait à nous emboîter le pas et à arracher à mon père ses secrets de fabrication.

Je me rappelais également l'allusion de Fouinard à ces deux miroirs dont Triple-Mort entendait tirer le plus grand profit. Je me souvenais aussi qu'avant mon départ du séminaire Inferno, j'avais entrevu dans son bureau un miroir étrangement semblable au mien. Cette coïncidence n'était point pour me rassurer. Pour autant, le but exact de toutes ces manœuvres continuait de m'échapper. Mon expédition chez les Germains m'éclaircrait certainement dans ce domaine.

Malheureusement, Mange-Burnasse commit l'imprudence d'évoquer nos intentions devant Lani.

– Cette fois, vous ne partirez pas sans moi. N'essayez pas de vous esquiver en douce car je ne vous lâcherai pas d'une semelle !

– Soyez raisonnable : votre place n'est pas avec nous. Pensez à tous ces pauvres gens qui dépendent dorénavant de vous. Vous ne pouvez pas les abandonner du jour au lendemain. Ils n'ont que vous au monde et, forcément, ils s'attachent ! Je vous avais mise en garde !

– Je m'occuperai d'eux dès que cette histoire sera terminée. Le cœur léger et l'esprit apaisé, je pourrai alors me remettre à leur service. Vous aussi, peut-être, vous suivrez mon exemple…

– Alors, là, vous vous fourrez le doigt dans l'œil !

– Taisez-vous ! De toute façon, vous commencez à me courir ! Ma décision est sans appel ! J'ai d'ailleurs pris mes dispositions : dans l'immédiat, mon père se chargera de ces malheureux, fera jouer ses anciennes relations dans le bâtiment et veillera à rétablir aussi vite que possible un toit au-dessus de tout ce beau monde…

Mange-Burnasse se mettant de la partie et plaidant pour la présence de Lani à nos côtés, je dus me faire progressivement à l'idée de son encombrante compagnie.

Ce désagrément ne pouvait toutefois ternir le sentiment de libération que j'éprouvais à l'idée de m'éloigner de Rome. En effet, cette vie paisible ne me réussissait guère. En réalité, je ne concevais l'existence que dans l'incertitude la plus complète : tout ignorer de ce que me réservait le lendemain était l'une de mes rares joies. J'étais déjà convaincu que, de ce point de vue, les semaines qui s'annonçaient seraient un pur bonheur.

QUATRIÈME PARTIE
LES MULTIPLES DE SANG

TENDRES RETROUVAILLES
(NON, JE PLAISANTE)

En quelques semaines d'une marche forcée, nous parvînmes dans les parages d'Aix-la-Chapelle. Nous prîmes aussitôt nos quartiers dans une auberge qui nous fît amèrement regretter celle du Bourreau maudit et nous nous mîmes à arpenter fiévreusement les environs du palais impérial.

Lors de nos allées et venues, nous nous efforcions de recueillir des informations qui auraient pu nous confirmer la présence de mon père auprès de Charlemagne. Cependant, cette fois, les talents de Mange-Burnasse, même conjugués à ceux de Lani, ne nous furent pas d'un grand secours. Les rares serviteurs que nous parvenions à approcher refusaient tout net de nous livrer le moindre renseignement. Menaces ou promesses d'argent n'y changeaient rien.

Si l'on m'avait laissé faire, j'en aurais volontiers torturé un ou deux mais Lani, depuis sa désespérante conversion à la cause du Bien, n'approuvait plus de telles manières. Cette forme d'abstinence m'était extrêmement pénible et, à me trouver à ce point privé de crimes et de sang, j'éprouvais une frustration sans nom. Quand je n'ai tué personne de toute la journée, je deviens vite méchant !

Nous étions déjà sur le point de nous laisser gagner par le découragement quand, en observant cet endormi de Caille-Caille, il me vint une brillante idée.

À le voir s'étirer et se déplier, je me rappelai que cet avorton était doté d'une faculté peu commune à se mettre en boule, de sorte que, si on l'aidait un peu, il pouvait aisément se transformer en un redoutable projectile. Triple-Mort lui-même l'avait appris à ses dépens.

Cette remarquable aptitude allait nous sauver la mise. Si nous n'avions pu nous introduire dans la résidence impériale par la voie terrestre, l'un d'entre nous le ferait par celle des airs. Une catapulte de moyenne portée et la collaboration de ce traînard de hérisson y suffiraient. Après quelques tirs de réglage, nous allions expédier ce dernier par-delà l'enceinte du palais et il pourrait alors fureter et espionner à son aise.

Comme à son habitude, Caille-Caille protesta avec force. Comme toujours, je sus lui faire entendre raison. Mange-Burnasse, quant à lui, nous confectionna en un tour de main une catapulte aussi discrète que puissante. Il traça également dans une large pièce de tissu le patron du premier parachute jamais conçu. Il est simplement dommage que l'Histoire n'en ait point gardé la trace. Dire que les encyclopédies n'en ont que pour Léonard de Vinci !

Afin de ne point attirer l'attention, nous décidâmes que notre tentative d'intrusion se déroulerait de nuit. Dans le même esprit, nous camouflâmes notre machine sur une petite colline qui surplombait la cité et qui nous paraissait offrir un angle d'attaque favorable.

Ne perdant jamais une occasion de se plaindre, Caille-Caille mit très vite en doute nos talents d'artilleurs. Il me faut avouer que nos premiers tirs lui donnèrent raison. Le malheureux échoua successivement sur le clocher d'une église, au beau milieu d'un lac, dans l'arrière-boutique d'un vendeur de tripes et sur la paille défraîchie d'une étable très mal tenue. Il revint d'ailleurs de cette dernière expérience en exhalant derrière lui un déplaisant fumet.

– Vous ne semblez pas comprendre à quel point je suis une créature précieuse et rare. Ma disparition serait une perte irréparable pour l'humanité! Tout de même, je vaux bien mieux qu'une bête pierre que l'on pose sur une catapulte!

Heureusement, notre cinquième effort fut enfin couronné de succès. Il était temps! Lors de cette tentative de la dernière chance, nous vîmes notre compagnon filer dans le ciel, puis perdre progressivement de la vitesse et de l'altitude. Un écho mat, délicatement amorti par le parachute confectionné par Mange-Burnasse, nous avertit que notre complice s'était posé de l'autre côté de l'enceinte.

Nous demeurâmes longtemps sans nouvelles de notre éclaireur. Ne le voyant toujours pas revenir après plusieurs heures d'attente, Mange-Burnasse et moi finîmes par le soupçonner des pires trahisons. Seule Lani se refusait à penser qu'il eût oublié sa mission. La suite prouva qu'elle était dans le vrai.

Alors que l'aube commençait à poindre, nous perçûmes en effet au loin un trottinement qui, à mesure qu'il se rapprochait, nous devenait de plus en plus familier. Notre intuition se confirma l'instant d'après: la brave bête était de retour! Dès qu'elle ne fut plus qu'à quelques pas de nous, je parvins à distinguer dans ses yeux une lueur de fierté qui m'incita à penser que Caille-Caille avait su s'acquitter de sa tâche. On reconnaît rapidement ce genre d'éclairs dans des yeux d'habitude ternes et vides d'expression.

– Je l'ai trouvé, je l'ai trouvé ! Par mes piquants, j'ai réussi ! Réjouis-toi, Wilmuth : bientôt, tu pourras serrer ton père contre ton cœur.

Je lui ordonnai immédiatement de mettre un terme à ce déluge de niaiseries. Il me prêtait des sentiments que je n'éprouvais pas. En réalité, mon père ne m'avait jamais manqué. Si nous avions accouru à Aix-la-Chapelle, c'était uniquement pour nous trouver à ses côtés lorsque Triple-Mort ferait son apparition afin de lui extorquer le procédé de multiplication. J'aurais ainsi de fortes chances de remettre la main sur mon miroir et les autres pièces de mon petit trésor personnel.

Bien sûr, j'étais curieux de savoir à quoi ressemblait ce père si mystérieux. Mais, si l'on mettait de côté la curiosité, je ne ressentais que du mépris et du dégoût pour le lâche qui nous avait abandonnés, ma mère et moi, et qui m'avait laissé tant d'années entre les griffes du Maître.

Caille-Caille ne fut pourtant pas démonté par mon manque d'enthousiasme.

– Ton père a produit sur moi une excellente impression. C'est quelqu'un d'une intelligence aiguë. À vrai dire, il a un petit air d'Olybrius – paix à son âme. Néanmoins, malgré tout le respect que je voue au souvenir de notre ami, Olybrius ne lui arrive pas à la cheville. Quel individu d'exception ! Cela en est presque troublant. On se demande comment Wilmuth peut être le fils d'un personnage aussi remarquable !

Je ne me formalisai pas de cette remarque blessante. Comme le lecteur l'a peut-être remarqué, j'ai toujours préféré partir du principe que je tenais surtout de ma mère.

– Avant même d'apprendre qui j'étais, il m'a traité avec beaucoup de tact alors que d'autres que lui n'auraient vu en moi qu'une créature repoussante…

– Et ils auraient bien fait ! Mais dis-moi plutôt comment tu es parvenu jusqu'à lui…

– Disons que mon flair sans égal a su me mettre sur la piste. Vous apprendrez tout d'abord que votre dernier tir m'a propulsé sans ménagement dans une sorte de vaste piscine…

Je compris que Caille-Caille faisait ainsi allusion aux thermes impériaux où, disait-on, Charlemagne aimait à se baigner et à s'exercer aux joies humides et dégoûtantes de la natation.

– Je dois dire que l'eau était un peu frisquette. Mais passons… Tant bien que mal, je me suis hissé sur le rebord de la piscine et j'ai pu me mettre en quête de ton père. Malheureusement, je ne savais par où commencer mes recherches. C'est alors qu'est parvenu à mes narines un délicieux fumet que je n'ai pas tardé à identifier : dans quelque recoin du palais, un serviteur zélé était très certainement en train de concocter un succulent rôti de chevreuil aux airelles. Autant vous dire que mon sang n'a fait qu'un tour ! N'écoutant que mon devoir, j'ai décidé de suivre à la trace ces effluves délicats. Ma persévérance a fini par payer puisqu'au détour d'un couloir, j'ai enfin aperçu la silhouette d'un domestique chargé de victuailles. Naturellement, j'ai tout de suite reconnu le rôti dont j'avais soupçonné l'existence…

– Tu es décidément redoutable ! Mais, blague à part, je ne vois pas du tout où toute cette histoire va nous conduire…

– Laisse-moi y venir ! Apprends que je suis resté à bonne distance de ce gaillard sans jamais le perdre de vue ou trahir ma présence. Après quelques minutes, nous avons enfin abouti à l'antichambre d'une bibliothèque. Pour mon plus grand étonnement, une demi-douzaine de gardes en défendait l'entrée. Le domestique ne s'est pas laissé intimider et a donné trois coups brefs contre la porte. Une voix forte et dure, légèrement inquiétante, lui a alors ordonné d'entrer. L'homme s'est exécuté et je lui ai tout de suite emboîté le pas. Les gardes, tout occupés à lorgner le rôti qui leur filait sous le nez, n'y ont vu que du feu et je me suis faufilé dans la pièce, jusqu'à me glisser sous une armoire débordant de gros volumes poussiéreux…

À mon sens, cet interminable témoignage n'avait que trop duré. Cependant, Lani et Mange-Burnasse semblaient vouloir n'en perdre aucune miette. À croire que ce récit comportait à leurs yeux une part de suspense !

– Sitôt que le serviteur a déposé son plateau et refermé la porte derrière lui, il n'est plus resté avec moi qu'un seul personnage, penché fiévreusement sur les ouvrages qu'il tenait devant lui et n'accordant aucun regard à la nourriture. « Quel gâchis ! » ne pus-je m'empêcher de penser. Mais je m'interrompis net dans mes lamentations. En effet, lorsque j'examinai plus longuement l'individu, je compris au comble de la joie que j'avais mené à bien ma mission : l'homme qui se tenait là était celui que je recherchais. En effet, il me rappelait trop ce bon vieil Olybrius pour que cela fût un hasard. Néanmoins, c'était une version nettement améliorée de notre regretté ami. Plus grand, plus élancé, des biceps en veux-tu en voilà : un véritable athlète ! Une barbe sombre et drue, un regard pénétrant qui ne baisse jamais les yeux. Un homme, un vrai, robuste, sûr de lui et qui, sans un mot, sait vous convaincre qu'il est au-dessus du lot. Tel est ton père, Wilmuth ! Tu peux en être fier ! Je ne te cacherai pas que j'ai éprouvé une certaine émotion à me trouver devant celui à qui tu dois ta naissance. Et puis, si l'on y réfléchit, moi aussi, je suis un peu de la famille. Il est donc normal que de telles retrouvailles me fassent quelque chose !

Je n'avais jamais songé à Caille-Caille comme à quelqu'un avec qui j'aurais eu un lien de parenté. Je le considérais plutôt comme un intrus dont je m'accommodais pour peu qu'il me laissât utiliser de temps à autre ses écailles. Dès lors, il ne me serait jamais venu à l'idée d'imaginer en lui une sorte de frère ou, plus exactement, de demi-frère.

– J'espère que tu es tout de même parvenu à t'arracher à ta béate admiration. Pour l'instant, tu ne nous as pas appris grand-chose…

– Tu as raison sur un point : en l'observant, j'étais la proie d'une telle extase que celle-ci aurait pu se prolonger indéfiniment. Toutefois, ton père, à ma grande surprise, a fini par engager la conversation. Malgré tout mon talent pour la dissimulation, il avait repéré ma présence : preuve que rien ne lui échappe ! « Vas-tu te décider à sortir de ta cachette ou comptes-tu rester sous ton armoire et m'épier jusqu'à ce que mort s'ensuive ? Pour tout te dire, tes écailles m'ont intrigué dès que je les ai aperçues. En vérité, elles me rappellent une bien vieille histoire… »

– Je suppose que tu lui as appris qui t'envoyait…

– Bien sûr ! Lorsque j'ai prononcé ton prénom, Wilmuth, cet homme que j'avais cru inatteignable s'est troublé. Pendant un très bref instant, il est passé par toutes sortes d'émotions : la surprise, l'incrédulité, l'allégresse, la perplexité, l'impatience… Sa voix n'était plus tout à fait la même. Le masque était tombé comme si, jusque-là, il s'était prêté à une comédie qui lui pesait.

Pour ma part, j'étais porté à penser que mon père ne jouait les êtres durs et inflexibles que pour amuser la galerie et qu'au fond de lui, il restait une indécrottable lavette. Je ne demandais d'ailleurs qu'à le vérifier au plus vite.

– Quand et comment pourrons-nous le rencontrer ?

– C'est que la chose n'est pas aisée… Il se trouve qu'arrivé il y a quelques semaines à la cour impériale, notre homme a su brillamment intriguer pour devenir le médecin personnel de Charlemagne. Pour y parvenir, il a utilisé quelques-unes des recettes qu'il tenait de ta sorcière de mère. Comme tu peux l'imaginer, celles-ci ont fait forte impression sur l'empereur si bien que ce dernier a immédiatement congédié tous ceux auxquels il confiait jusqu'alors sa santé. Malheureusement, en quelques jours, la situation de ton père a changé du tout au tout. Désormais, il est ni plus ni moins que le prisonnier du monarque. En effet, il semble que Charlemagne ait eu vent de la longévité inégalée de ton pauvre papa. Dès lors, il l'a prévenu qu'il ne le libérerait pas aussi longtemps qu'il n'en bénéficierait pas à son tour. Depuis, il le séquestre dans cette infecte bibliothèque et le presse de produire l'élixir qui le rendra immortel. Ah, ces maîtres du monde, ça se croit tout permis ! Reste que ton père ne s'explique pas un tel retournement. Il m'a certifié qu'il avait soigneusement veillé à dissimuler son identité et son grand âge. Aussi pense-t-il avoir été la victime d'une dénonciation…

À ces mots, la face détestée de Triple-Mort vint promener pendant quelques secondes son quadruple sourire dans mes pensées. Cette trahison ne pouvait venir que de son côté. Pire, s'il avait déjà agi, c'était signe qu'il nous avait devancés et avait appris avant nous où se trouvait mon père. Le Maître était donc tout proche, prêt à frapper.

– Mais qu'est-ce qui a pris à mon père de se jeter tête baissée dans ce guêpier? Qu'avait-il besoin de jouer les médecins auprès de Charlemagne? Si je devais soigner l'empereur, tu peux me croire que je m'y prendrais autrement. Je lui réserverais un traitement définitif qui, d'une certaine façon, le guérirait de tous ses maux.

– En réalité, ton père pourrait parfaitement s'enfuir. Ce ne sont pas quelques misérables soldats placés devant sa porte qui pourraient l'en empêcher.

– Alors, pourquoi n'en fait-il rien?

– Il a ses raisons…

– C'est ce que disent d'ordinaire tous les lâches!

– Wilmuth! Comment pouvez-vous parler de votre père en ces termes? Vous n'avez à la bouche que des mots de haine et de mépris!

– Ce sont les seuls qui me viennent, Lani.

– C'est que vous ne faites aucun effort!

– Allons, les amoureux, si vous laissiez Caille-Caille terminer au lieu de vous disputer…

Je foudroyai Mange-Burnasse du regard mais suivis son conseil. Le hérisson put donc reprendre ses explications.

– Que tu le croies ou non, ton père pourrait sans peine fausser compagnie à Charlemagne et sa clique. Mais il est venu à Aix-la-Chapelle pour y recueillir des informations capitales dont, m'a-t-il dit, l'avenir de l'humanité pourrait dépendre. S'il devait échouer dans sa quête, nous pourrions être rapidement confrontés à la fin du monde. Une vraie catastrophe! Aussi comprendrez-vous que ton père ne quittera pas la ville tant qu'il n'aura pas obtenu toutes les précisions dont il a besoin…

– La fin du monde? Tu divagues! Tout le monde sait bien que la fin du monde est prévue pour l'an mil. Même un enfant ne se tromperait pas sur une question aussi élémentaire. Allons, reprends-toi!

– Je ne fais que répéter ce que ton père m'a expliqué… Il s'avère que son enfermement dans le palais sert par ailleurs ses projets. En effet, sous prétexte de se documenter afin de concocter une potion d'immortalité pour Charlemagne, il compulse jour et nuit les obscurs manuscrits de la bibliothèque impériale, traquant quelque révélation qui pourrait l'aider à sauver l'humanité.

– Mais quel est donc ce danger dont nous n'étions point avertis et qui menacerait de tous nous anéantir?

– Je n'ai pas tout saisi, mais ton père a vaguement évoqué un objet qui pourrait être à l'origine de ces calamités. Une sorte de miroir…

– Un miroir? Encore!

Décidément, cet objet d'apparence inoffensive commençait de prendre une importance capitale dans toute cette affaire. Triple-Mort voyait en lui l'instrument qui servirait ces atroces machinations, tandis que mon père en redoutait les effets. Quelque chose me disait que les projets du Maître et les craintes de mon père devaient sans doute être liés. Je pressais Caille-Caille de questions mais cet âne bâté fut incapable de m'en dire plus.

– Je ne suis pas certain d'avoir parfaitement

compris les explications de ton père. Toutefois, la meilleure façon d'éclaircir ce mystère, c'est encore de l'interroger.

– Tu en as de bonnes ! Comment pourrions-nous aller à sa rencontre ? Il est sous bonne garde et l'on n'entre pas dans le palais de Charlemagne comme dans un moulin.

– Ton père a longuement réfléchi aux moyens qui vous permettraient de le rejoindre et a finalement trouvé une solution… Mais je ne suis pas convaincu que vous l'envisagiez d'un bon œil…

– Explique-toi !

– Disons pour faire court qu'il vous faudrait mourir pendant quelque temps…

– Quoi ? Ça ne va pas la tête ?

– Ne t'emballe pas ! Crois-tu que ton père voudrait te voir passer de vie à trépas avant même vos retrouvailles ? Non, son plan est autrement plus recherché : il m'a confié à votre intention une puissante potion de sa composition. Elle a pour nom *Arsenicus cadaverii artificialis simplex…*

– Simplex, simplex : c'est vite dit. C'est tout bonnement un poison dont tu nous parles !

– Détrompe-toi ! Ce breuvage a peut-être le goût et l'odeur du poison mais, en vérité, il est tout à fait inoffensif. Aussi pourrez-vous en boire quelques rasades sans aucune crainte. Tout au plus, cette potion vous plongera pour quelques heures dans un profond coma au cours duquel vos corps prendront une pâleur et une rigidité cadavériques des plus ressemblantes. L'illusion sera parfaite et l'on vous dénombrera sans hésiter parmi les morts.

– Tu m'en vois ravi, mais en quoi cela peut-il nous rapprocher de mon père ?

– C'est là où réside l'astuce. Comme je te l'ai dit un peu plus tôt, Charlemagne attend de son nouveau médecin qu'il lui assure une longévité à toute épreuve… Dès demain, ton père fera donc savoir à Charlemagne qu'il est désormais prêt à lui préparer le philtre miraculeux qu'il désire. C'est à ce moment que vous entrerez en scène. Ton père prétendra que, pour produire ce fabuleux élixir, il lui faut, entre autres ingrédients, les dépouilles parfaitement intactes de trois jeunes enfants tout juste trépassés. L'empereur s'empressera de satisfaire cette commande et, le hasard faisant bien les choses, les soldats auxquels il aura confié cette odieuse mission découvriront vos trois cadavres abandonnés dans un fossé. Lorsque l'on vous aura conduits auprès de lui, ton père vous administrera une autre potion de son cru qui, elle, vous ranimera instantanément… La suite nous promet, je pense, quelques touchantes scènes de famille.

S'introduire mort dans la place et en ressortir vivant : la chose était plus qu'incertaine ! Pourtant, mon esprit, d'habitude si raisonnable, envisageait sérieusement cette proposition. De leur côté, Lani et Mange-Burnasse s'étaient immédiatement déclarés en faveur de cet absurde projet. Alors même que mon père leur était étranger, ils étaient prêts à courir de sérieux risques pour que je puisse le retrouver. Dans ces conditions, je n'avais pas le droit d'hésiter.

Ma décision de me plier à ce plan fut accueillie par de chaleureuses effusions que je reçus avec bienveillance.

– Vous allez enfin faire la rencontre de votre père. Comme je suis heureuse pour vous !

Ce fut dans cet état d'esprit que nous nous éloignâmes de la ville et nous mîmes en quête de ce fameux fossé où nous devions jouer le rôle de cadavres des plus convaincant. Ayant déjà eu le loisir d'observer les rondes journalières qu'effectuaient les soldats de Charlemagne, nous ne tardâmes pas à trouver le lieu qui se prêterait à notre stratagème.

Tout au long de notre route, nous ne cessâmes jamais de plaisanter, comme si nous étions certains de nous réveiller le lendemain. Je crois même que je riais encore quand, dans les herbes hautes où nous étions couchés, j'acceptai l'amer breuvage que venait de me tendre Lani.

Son visage épanoui mais toujours aussi ingrat fut la dernière chose que j'entrevis avant que mon cerveau ne sombrât dans une épaisse brume. Lorsque je rouvris les yeux, ceux-ci se posèrent tout naturellement sur celui qu'il me faudrait désormais considérer comme mon père.

Tenant encore à la main la fiole d'antidote par laquelle il venait de procéder à ma résurrection, il m'adressait l'un de ces sourires indulgents qui ont toujours eu le don de m'agacer. Pour le reste, l'homme était fidèle à la description que nous en avait donnée Caille-Caille. Pour une raison qui m'échappait, il semblait tout ému de me voir. Ses yeux clairs, au bord desquels brillaient deux larmes, trahissaient en effet le bonheur extrême qu'il éprouvait à faire ma connaissance.

Je ne pouvais pas en dire autant. La haine et la rancune couvaient en moi depuis déjà trop longtemps. En découvrant ce visage béat, je me remémorai quelles avaient été la triste vie de ma mère et son horrible fin ; je me rappelai aussi le sentiment d'abandon et de solitude qui avait accompagné chacun des coups de fouet de Triple-Mort. Pendant des années, je n'avais été qu'un lointain souvenir pour ce père qui osait à présent me faire le coup de l'émotion et des tendres retrouvailles.

Ni une ni deux, je me ruais à l'attaque et bondis sur mon paternel, fermement décidé à m'en débarrasser au plus vite. Je voulais étouffer dans l'œuf les témoignages d'affection et les grands mots qui semblaient sur le point de lui sortir de la bouche. Je voulais lacérer à coups d'écailles les bras qui désiraient mon étreinte, la poitrine qui réclamait des embrassades, la main qui voulait caresser mes cheveux. Je voulais que ses larmes ne fussent plus de joie mais celles d'un homme désespéré à l'idée d'être exterminé par la chair de sa chair.

Il ne s'attendait naturellement pas à une telle réaction. Il avait sottement baissé la garde et constituait donc une proie facile. En un instant, je fondis sur lui et, tandis que nous partions tout deux à la renverse, je constatais avec satisfaction que j'étais parvenu à lui enserrer la gorge de mes deux mains.

Malheureusement, ma joie fut de courte durée. Le poison que j'avais absorbé agissait encore en partie et me privait de l'énergie qu'exigent la plupart des meurtres. Je manquais donc de la poigne nécessaire pour une bonne strangulation. Dès lors, sitôt que mon père fut revenu de sa surprise, il se libéra aisément de ma prise et m'envoya valdinguer contre l'un des murs de la pièce. Le choc brutal qui s'ensuivit me confirma que je n'étais pas tombé sur une demi-portion.

– Wilmuth, vous ne saurez donc jamais vous tenir !

De toute évidence, mes deux compagnons, qui s'étaient réveillés avant moi, avaient déjà sympathisé avec mon insupportable géniteur. Aussi Lani avait-elle l'air un brin contrarié par la tournure des événements.

– Vous auriez quand même pu prendre un peu sur vous ! Il y a tout de même d'autres façons de se jeter au cou de ses parents !

– Pour régler leur compte aux traîtres et aux pères indignes, je n'en connais pas d'autre... C'est tout ce que mérite cet individu...

Tandis que je m'abandonnais ainsi à une saine colère, je jetai un rapide coup d'œil sur les lieux où s'était produite notre résurrection. Tout indiquait que nous nous trouvions dans un laboratoire comme en possèdent certains alchimistes. La vaste cave éclairée de flambeaux abritait un inextricable fouillis d'instruments de dissection ou de pesée, de pinces et de tenailles, d'éprouvettes, entonnoirs, flacons, fioles, pipettes, tubes à essai, brûleurs ou cristallisoirs en tout genre. Entreposés dans un recoin de la pièce, divers métaux ou minerais attendaient de participer à quelque dangereuse expérience. Enfin, sur les étagères qui, d'un mur à l'autre, cernaient le laboratoire, on pouvait trouver nombre d'ouvrages rédigés par de grands maîtres des sciences secrètes, qu'ils soient issus de l'école de Babylone ou d'Alexandrie. Mais je me désintéressai bientôt de cet examen pour reporter mon attention sur notre hôte.

Mon père se tenait à présent à quelques mètres, silencieux, manifestement déçu par ma réaction. Le bougre se méfiait maintenant de moi. Si j'avais échoué à lui faire autant de mal que j'en avais le désir, j'avais au moins gagné cela : à présent, il me respecterait et n'adopterait plus avec moi ces manières doucereuses et niaises que se permettent les adultes quand ils s'adressent à des enfants.

De son côté, Mange-Burnasse considérait la scène avec étonnement et perplexité. Lui et moi n'avions jamais eu le même sens de la famille, lui qui aurait tout donné pour retrouver les siens.

Après un long silence, mon père prit enfin la parole. Dès ses premiers mots et bien qu'il fît de son mieux pour ne rien en montrer, je perçus que sa voix, éraillée, n'était pas sortie indemne de la trop brève pression que j'avais imposée à sa gorge.

– Alors te voilà, Wilmuth! C'est donc toi ce fils que j'ai si longtemps cherché à travers toute l'Europe. Pour la première fois après soixante ans de séparation, nous nous rencontrons enfin et, alors que nous devrions avoir tant de choses à nous dire, les seuls mots qui te viennent sont pour m'insulter et tes seuls gestes pour tenter de me tuer!

– Peu m'importe si je ne suis pas le fils dont vous rêviez! Pour votre part, vous êtes aussi arrogant et hautain que je l'ai toujours imaginé, aussi imbu de votre personne et de vos belles idées que tous ces preux chevaliers que j'étripe à longueur d'année! Moi, je n'ai rien à vous dire, si ce n'est que je vous méprise et que je vous hais.

– Je vois qu'en fréquentant le séminaire Inferno, tu as été à bonne école. Je suppose que je n'aurais pas dû m'attendre à autre chose et, pourtant, que tu le croies ou non, j'étais heureux à l'idée de te connaître enfin…

– Tant pis pour vous! Il se trouve que je ne gagne pas à être connu et que j'en suis fier! Je ne vais pas renoncer à tous mes principes pour quelqu'un comme vous.

– C'est ce que nous verrons. J'ai la faiblesse de penser que tu n'es pas définitivement perdu et que, si l'on s'en donne la peine, on peut encore te sauver.

– Bas les pattes : je ne veux pas être sauvé!

Mange-Burnasse, devinant que la conversation

menaçait de s'envenimer, crut alors bon de changer de sujet.

– Caille-Caille nous a assuré que vous cherchiez à éviter rien de moins que la fin du monde. Mais son récit n'était pas des plus clairs et nous n'avons pas exactement compris la nature de ces dangers et comment vous envisagiez d'y faire face… Il a notamment fait allusion à un miroir qui jouerait un rôle décisif dans cette affaire…

– Cette brave boule d'écailles a su rapporter fidèlement mes paroles : de ma réussite peut bel et bien dépendre le sort de l'humanité.

C'était déjà plus que je ne pouvais en supporter. Pour qui se prenait-il, celui-là ?

– Mais vous n'avez vraiment rien de mieux à faire ? Comme si le monde valait la peine d'être sauvé !

– Je mettrai cette dernière remarque sur le compte de la mauvaise éducation que tu as reçue. Pour parler d'une façon aussi stupide, peut-être n'as-tu pas vraiment réfléchi à la question et à ce qu'elle implique…

Nous ne nous étions rencontrés que depuis quelques minutes et voilà qu'il ne cessait de me faire la leçon ! De nouveau, mes écailles commençaient à me démanger sérieusement…

– Caille-Caille a également eu raison de mentionner un miroir à l'importance capitale. Pour être plus précis, il s'agit du Miroir de la Sempiternelle Grimace…

– Quel nom ! On se demande parfois d'où ils les sortent !

– Pas d'ironie, je te prie. Si tu en connaissais les pouvoirs, tu t'abstiendrais de plaisanter à propos de cet objet. Pour faire court, disons que celui-ci constitue le pendant maléfique d'un autre miroir qui t'est cher et qui m'est nettement plus sympathique.

– Je ne connais que trop bien le miroir dont vous parlez. Sans être jamais pris en défaut, il sait faire naître un sourire sur la plus grincheuse des faces. Hélas, on nous l'a volé peu de temps après que je l'ai offert à Lani. Triple-Mort a en effet appris qu'il faisait partie de l'attirail qui vous avait permis de vous multiplier cent fois et il nous l'a dérobé, alors que nous nous trouvions à Rome…

– C'est fâcheux. Comment Triple-Mort a-t-il eu vent des propriétés de cet objet? Il me semblait pourtant que ce secret était bien gardé.

– C'est l'une de vos dernières incarnations, Olybrius, qui a laissé échapper cette information. Mais le malheureux n'a pas survécu longtemps à son erreur. Juste avant de détaler, Triple-Mort lui a réglé son compte sous nos yeux…

– Quelle terrible nouvelle! Pauvre Olybrius! Il n'était pas très futé mais je l'aimais bien. Il va me manquer. Triple-Mort ne perd rien pour attendre : je saurais lui faire payer ce crime!

– Ça, je demande à voir!

– Ne sous-estime donc pas ton vieux père! Tu as pu constater il y a quelques instants que j'avais encore de beaux restes!

– De toute façon, il y a fort à parier que Triple-Mort déboulera d'un moment à l'autre pour vous arracher le secret de votre procédé de reproduction. Nous verrons alors si vous saurez lui faire entendre raison.

– Je l'ai déjà combattu et, s'il le faut, je recommencerai. Je le connais depuis longtemps et, à une certaine époque, nous avons même été frères.

– Triple-Mort ne m'en a jamais parlé qu'à demi-mot, mais je crois deviner que tout cela s'est mal terminé… Comme moi, il ne vous porte pas dans son cœur. D'ailleurs, je crois que la haine qu'il a pour vous m'a valu quelques cinglants coups de fouet.

– Ah, si j'avais été en mesure de l'en empêcher ! Tu as dû vivre de bien cruelles années au séminaire Inferno ! Ta mère a veillé à te donner la plus détestable éducation qui soit et il me faudra probablement des années avant que je ne parvienne à en effacer les traces.

– Vous ne manquez pas de toupet ! De quel droit vous permettez-vous de juger l'éducation que j'ai reçue ? Où étiez-vous il y a soixante ans quand il s'agissait de m'instruire ? Je ne vous ai pas vu quand je n'étais qu'un enfant et qu'il fallait m'assurer le toit et le couvert !

– Ne vous énervez pas, Wilmuth…

– Non, Lani, il y a des choses qui doivent être dites et je ne me tairai pas ! Je n'ai pas honte de ce que je suis ! Je n'ai pas de leçons à recevoir, surtout de quelqu'un qui a décampé avant même ma naissance. Quel exemple songez-vous à me donner, vous qui vous êtes si mal conduit ? Entendez-vous m'apprendre à fuir ?

Pendant un bref instant, mon père sembla accuser le coup. Cela m'était bien égal. Sitôt que j'aurais récupéré mon miroir et le reste de mon héritage, nous repartirions chacun de notre côté et, avec un peu de chance, je finirais mes jours sans jamais le revoir. Si, pour plaire à Lani, j'étais prêt à suspendre mes projets de vengeance, je me refusais à passer avec cet individu la moindre minute superflue.

Cependant, l'arrogance naturelle de mon interlocuteur reprit bientôt le dessus.

– Tu parles sans savoir ! Tu ignores tout des circonstances qui ont conduit à mon départ ! Je connais suffisamment le caractère de Valkiria pour être certain qu'elle ne devait m'évoquer devant toi que pour me maudire ou m'insulter. Ta mère t'a probablement monté contre moi et tu as appris à me détester sans jamais songer à comprendre pourquoi j'étais parti. Les choses sont souvent plus compliquées qu'elles n'y paraissent...

Je devais reconnaître qu'il n'avait pas tout à fait tort : je m'étais habitué à le haïr sans en cerner exactement les raisons. Mais j'étais tout disposé à en apprendre davantage...

Mon père, quant à lui, accueillit avec une certaine satisfaction cette preuve de curiosité. Il se dirigea alors vers le bureau et ouvrit un des tiroirs pour en sortir un parchemin.

– Ne sachant si j'aurais un jour la possibilité de te parler de vive voix, j'ai récemment couché sur le papier le récit des années qui ont précédé ta venue au monde. Ainsi, en cas de malheur, j'aurais confié un exemplaire de ce parchemin à chacune de mes incarnations, à charge pour elles de te le remettre si vous deviez finir par vous rencontrer. Pour l'instant, il ne s'agit que d'une ébauche imparfaite, mais je pense qu'elle suffit à donner une idée de ce qui s'est passé. Installez-vous confortablement : l'histoire est longue et elle réclamera toute votre attention.

Lani et Mange-Burnasse, ne cachant rien de leur impatience, s'exécutèrent aussitôt. J'étais sur le point de faire de même lorsque mes écailles commencèrent sournoisement de s'agiter. C'était à nouveau Caille-Caille qui, au fin fond de mes entrailles, faisait des siennes. Sans doute notre conversation devait-elle lui parvenir par bribes, si bien qu'il rongeait son frein de ne pouvoir y participer. Étant dans un bon jour, je décidai de le libérer.

Une quinte de toux plus tard, l'animal s'ébrouait de nouveau à l'air libre.

– Vous ne pensiez tout de même pas que j'accepterais d'être privé de l'histoire passionnante que Sa Seigneurie est sur le point de nous raconter!?

Mon père adressa un petit sourire à la lamentable créature et lui caressa même doucement le sommet de la tête. Puis il s'assit à son bureau, posa le parchemin devant lui et, sans autre introduction, commença sa lecture.

UNE ÉPOQUE OUBLIÉE
QUI AURAIT PEUT-ÊTRE MIEUX FAIT
DE LE RESTER

Nul ne savait qui il était au juste. On ignorait tout de ses parents, de ses amis d'enfance ou des maîtres qui avaient su lui enseigner aussi parfaitement le maniement des armes. Pour ce qui relevait de la géographie, on aurait été bien en peine de situer sur la moindre carte la région où il avait vécu ses premières années. Par où diable était-il arrivé? Par le sud ou par le nord? Par le ponant ou le levant? Quel jour était-ce? En quelle année déjà? Les circonstances de sa venue demeuraient tellement obscures que l'on en arrivait parfois à se demander s'il n'était pas là depuis la nuit des temps.

Il avait rendu tant de services qu'on avait le sentiment d'avoir toujours pu compter sur lui. Année après année, il avait occis à tour de bras les brigands de tout poil. Il ne s'était pas passé un mois sans qu'il eût démasqué quelque félon, sournois, vil et ricanant. Pénétrant dans les plus sombres forêts, il avait régulièrement retrouvé la trace d'ignobles mangeurs d'enfants et, de gré ou de force, avaient su les convaincre de changer de régime alimentaire. Les ogres ne lui disaient pas merci.

Bien sûr, il avait aussi combattu des hordes de Barbares et participé à de sanglantes batailles. Selon les hasards de la politique, il avait ainsi massacré de l'Avar, du Sarrasin ou du Bavarois.

Pour tous, il était devenu plus qu'un simple homme d'épée : à présent, il pouvait prétendre au titre de héros. S'il avait accepté de donner quelques détails sur ses exploits, il aurait inspiré des régiments de poètes qui auraient composé des épopées à sa gloire. Toutefois, sa modestie et sa timidité le lui interdisaient. Aussi vécut-il toujours dans l'anonymat. Malgré les hauts faits qu'il accomplissait sans relâche, son nom était à peine mentionné dans les chroniques royales. D'ailleurs, quel était son nom ?

Alors qu'il aurait pu être couvert d'honneurs, il menait une existence pauvre et retirée. On prétendait qu'entre deux expéditions, il passait de longues soirées à lire à la chandelle les travaux à demi oubliés de certains auteurs antiques et on affirmait même qu'il s'était mis en tête de composer une encyclopédie destinée à compiler le maigre savoir de son temps.

Étrangement, il n'avait pas d'amis parmi les autres guerriers. Pourtant, nombreux étaient ceux qui recherchaient la compagnie d'un être aussi courageux qu'admirable. Mais les fréquenter à la guerre lui était déjà bien suffisant et, pour le reste, il préférait avoir la paix.

Cette attitude lui attira quelques inimitiés. Certains assuraient que le succès lui était monté à la tête et ne manquaient pas une occasion de médire de lui. Cela lui était bien égal.

On avait fini par lui donner un surnom qui, de l'avis général, convenait à la fois à ses habitudes solitaires et à ses exploits hors du commun. On l'appelait le Seul, et nul n'y trouvait à redire. Car il était le seul à vivre comme il le faisait et surtout le seul à affronter des dangers dont la simple évocation suffisait à terroriser le combattant le plus aguerri.

Ainsi en alla-t-il pendant quelques années, jusqu'à ce que l'arrivée d'un nouveau venu fît sentir à tous qu'un surnom peut s'avérer une marchandise bien périssable.

En effet, on commença vers l'an 730 à avoir vent des aventures d'un autre paladin qui, à mesure que les récits gagnaient en précision, apparaissait comme un concurrent de plus en plus sérieux pour le Seul. On racontait qu'il avait vaincu à mains nues une tempête qui balayait les côtes de la Bretagne ou qu'il avait transformé en une région tout à fait sûre la forêt de Brocéliande. Pour cela, il lui avait fallu supprimer quelques magiciennes et enchanteurs, des peuplades de nains ou des familles entières de trolls, mais il n'avait pas regardé à la dépense. Succombant à l'enthousiasme, on soutenait que, par comparaison, les exploits du Seul étaient dérisoires.

À vrai dire, on ne savait pas grand-chose de ce mystérieux chevalier. Nul n'était capable de préciser d'où il venait. On ignorait tout de ses parents, de son enfance ou de ses maîtres d'armes. Par où diable arriverait-il? Par le sud ou par le nord? Par l'orient ou l'occident? Quel jour serait-ce? Quelle année? À mieux y regarder, les esprits les plus éveillés observaient qu'un portrait aussi vague n'était pas éloigné de celui que l'on avait pris l'habitude de dresser du Seul.

Quand on découvrit quelque temps plus tard le surnom que le chevalier avait fini par gagner au fil de ses coups d'éclat, on crut que l'on tenait sur le Seul une formidable revanche, l'humiliation dont il ne se remettrait pas. Quand celui-ci était à portée de voix, on riait sous cape et, dès qu'il disparaissait, on exultait plus ouvertement encore. Certains poètes des rues en avaient même conçu des chansons ironiques :

Il se croyait le Seul, nom de nom,
Mais le chevalier a fait pâle figure
Quand il a su de source sûre
Qu'un héros s'était trouvé plus beau surnom.
Oublié le Seul car voici l'Unique,
Le terrible, le fabuleux, le fantastique!

Même s'il vivait le plus clair de son temps à l'écart du monde, le Seul finit par entendre ces moqueries. Il aurait voulu accueillir tous ces quolibets avec un simple haussement d'épaules et aussitôt les oublier. Cependant, il ne put réprimer un léger sursaut d'agacement :

– L'Unique? Peuh! Ils ne sont pas allés chercher ce nom bien loin! Tout de même, ils auraient pu faire preuve de plus d'imagination!

Il attendait avec impatience sa première rencontre avec celui qui, aux dires de tous, allait bientôt le détrôner. Bien qu'il fût d'une extrême modestie, il était persuadé qu'il soutiendrait sans difficulté la comparaison et qu'il ferait taire la rumeur qui le donnait perdant. Peut-être lui ferait-on même des excuses.

Le jour où l'Unique se présenta au roi, le Seul se tenait parmi les nobles qui assistaient à l'audience. Son cœur battait fort et il avait les paumes un peu moites. Lorsque le nouveau héros fit son apparition, son arrivée fut saluée par des exclamations d'admiration mais aussi par des murmures de surprise, de perplexité, voire d'embarras.

En effet, le jeune homme paraissait presque le

jumeau du Seul. On n'en croyait point ses yeux, tant leur ressemblance était frappante. Certes, le Seul était blond alors que la longue chevelure de l'Unique était aussi noire que le charbon. L'un avait une légère balafre sur la joue gauche, l'autre une entaille sur la pommette droite. Mais ce n'était que des détails car, pour l'essentiel, on eût dit deux frères. La même silhouette élancée, le même visage émacié, le même regard clair où ne se lisait jamais le moindre trouble.

On mesura rapidement le comique de leur confrontation : porter de tels patronymes pour finalement se ressembler comme deux gouttes d'eau, voilà qui était cocasse ! À nouveau, les poètes des rues s'en donnèrent à cœur joie. En revanche, les deux principaux intéressés ne goûtèrent que modérément la plaisanterie : habitués à penser qu'ils n'avaient pas d'égal au monde, chacun voyait chez l'autre un imitateur certes doué, mais nettement en deçà de l'original.

Ils en vinrent donc à la conclusion que l'un d'entre eux était de trop. Néanmoins, le roi, pressentant sans doute ce qui pouvait se passer sous leurs crânes, leur avait instamment interdit de se chercher querelle. Il ne voulait pas perdre, pour un motif aussi stupide, l'un de ses deux meilleurs hommes.

Le débat ne pouvant se régler par les armes, les deux guerriers mirent tout en œuvre pour éclipser leur concurrent. La compétition qui s'instaura ainsi entre eux tourna très vite à la surenchère. C'était à celui qui massacrerait le plus de Barbares, démasquerait le plus grand nombre de traîtres ou dénicherait les trésors les plus extraordinaires.

À eux deux, ils sauvèrent plus de princesses que l'on ne pouvait en marier, secoururent plus d'orphelins que l'on ne pouvait en nourrir, supprimèrent plus de coquins que tous les lieux de mauvaise vie ne pouvaient en produire.

Face à de tels débordements de courage, le commandeur de l'ordre chevaleresque auquel appartenaient les deux hommes les convoqua pour un sermon des plus sévères. Il considérait en effet que leur concurrence, si elle débarrassait l'Europe de nombreux importuns, faisait du tort à l'image de l'armée et de l'aristocratie. À devenir ainsi monnaie courante, les exploits les plus remarquables perdaient de leur prestige et s'apparentaient désormais aux yeux du public à de purs enfantillages. Il fallait que ça cesse.

Plutôt que s'opposer dans une lutte qui ne pourrait jamais les départager, ils devaient unir leurs efforts et se mettre ensemble au service du bien et de l'État. Que la chose leur plût ou non, ils n'avaient d'autre choix : dorénavant, ils devraient accomplir à deux toutes les missions qui leur seraient confiées.

Bon gré mal gré, les deux chevaliers s'exécutèrent. Dans les premiers temps, chacun demeura sur la défensive et se résigna à la présence de son compagnon. Ils n'entendaient pas s'honorer mutuellement de leur amitié et se gardaient donc d'entamer toute discussion qui pût les rapprocher. Au contraire, leur conversation se limitait au strict nécessaire :

– Messire, je vous prie de bien vouloir noter qu'un Viking extrêmement grossier semble impatient de vous transpercer par le flanc gauche.

– Bien aimable. À votre place, je me méfierais des deux Germains qui vous talonnent.

À la longue, ces petites attentions réussirent à créer une atmosphère plus détendue. Quand ils luttaient en duo, les combats tournaient plus rapidement en leur faveur et ils tombaient moins fréquemment dans des pièges qui auraient échappé à leur vigilance s'ils avaient fait route chacun de leur côté.

À force de vaincre ensemble les dangers qui se dressaient sur leur chemin, ils se surprirent ainsi à se faire confiance. Dans le feu de l'action, ils ne se souciaient plus d'établir qui était le plus vaillant d'entre eux. En réalité, ils étaient heureux de savoir qu'en cas de défaillance, ils pourraient toujours compter sur le secours de l'autre. Avec le temps, ils finirent par s'apprivoiser et s'apprécier. Ils ne concevaient plus de partir en mission l'un sans l'autre. À mieux y réfléchir, il leur semblait que leur association n'était point une idée sotte. Le Seul et l'Unique : voilà qui faisait une sacrée paire !

L'Unique se félicitait de ne plus être seul et le Seul n'était pas mécontent d'avoir de la compagnie. Il regrettait simplement que son camarade n'affichât pas davantage d'intérêt pour l'œuvre à laquelle il employait tout son temps libre : la rédaction de son encyclopédie. Certes, l'Unique l'écoutait patiemment quand il s'épanchait sur les difficultés qu'il rencontrait dans cette lourde tâche. Néanmoins, le Seul avait conscience que son ami ne se mêlait à ces discussions que par politesse et qu'il se serait montré beaucoup plus attentif si l'exposé avait porté sur les vertus de l'hydromel.

Cette vie bien réglée aurait pu se poursuivre longtemps si un événement inattendu n'avait mis fin à cette harmonie.

On avait signalé d'étranges troubles dans une vallée perdue des Alpes. La population s'y disait persécutée par une créature effrayante qui décimait aussi bien ses enfants que ses troupeaux. Les descriptions que l'on dressait de la bête divergeaient tant que l'on ne pouvait s'en faire une image précise.

Soucieux de rétablir le calme dans cette province, le roi se décida donc à envoyer là-bas l'Unique pour éclaircir les faits et agir en conséquence. Pour une fois, le Seul ne chevauchait pas à ses côtés. Il avait obtenu une dérogation. On l'avait autorisé à se rendre en Espagne afin d'y acquérir un manuscrit extrêmement rare de Sénèque, l'un de ses philosophes préférés. Il avait hésité à se séparer de son ami pour l'occasion mais ce dernier lui avait donné sa bénédiction. La tâche qui lui était confiée semblait des plus banales et il ne faisait pas de doute qu'il en viendrait aisément à bout.

Lorsque l'Unique quitta la cour, nombreux furent ceux qui, sur le ton de la plaisanterie, soutinrent que toute cette histoire n'avait ni queue ni tête et n'était qu'une fable créée de toutes pièces par les villageois pour ne pas payer l'impôt. Ainsi prévoyait-on que le cavalier en serait quitte pour quelques semaines d'un trajet parsemé de charmantes étapes.

En réalité, l'histoire avait bien une queue, qui plus est de plusieurs mètres de long et sertie d'écailles tranchantes, tandis que, pour ce qui était de la tête, elle n'en possédait pas moins d'une centaine. La créature qui propageait la terreur dans cette vallée n'avait rien d'une fable mais tenait plutôt du mythe. Ce serpent au corps de chien était en effet apparenté à l'hydre de Lerne et s'avérait tout aussi redoutable que le monstre qu'Hercule avait vaincu. Dès que la lame tranchait l'une de ses têtes, celle-ci se régénérait en quelques instants et repartait de plus belle à l'attaque. L'animal ne se fatiguait jamais mais déployait sans cesse ses cent faces hurlantes, avides de morsures et exhalant un affreux poison.

L'Unique traqua l'hydre jusque dans sa caverne qui,

à en juger aux débris qui jonchaient le sol, servait aussi de garde-manger. Le combat fut terrible et dura plusieurs jours et plusieurs nuits. Si l'Unique avait partagé le goût de son ami pour les légendes de l'Antiquité, il aurait pu s'inspirer du stratagème mis au point par Hercule pour exterminer le monstre. Par le feu, il aurait cautérisé chaque extrémité sectionnée, interdisant à chacune de repousser et réduisant ainsi progressivement le nombre de ses adversaires. Si le chevalier avait eu connaissance de ce procédé, nul doute que la lutte s'en serait trouvée écourtée et qu'il aurait échappé à de multiples morsures.

Or, dans son ignorance, l'Unique n'eut d'autre ressource que de tâtonner avant de trouver une manière de venir à bout de la créature. Après s'y être repris un nombre incalculable de fois, il parvint à enserrer d'un puissant nœud coulant toutes les têtes ennemies. Il tira alors sur la corde jusqu'à s'en brûler les mains, jusqu'à ce que la dernière gueule, sous la violence de cette strangulation, rendit enfin son dernier soupir. Il détacha ensuite toutes les têtes de leur encolure et les enterra profondément en des cachettes aussi dispersées que possible. Dès lors, si, par quelque maléfice, elles devaient un jour reprendre vie, elles ne pourraient rejoindre le corps dont elles étaient sorties. Pour plus de sûreté encore, il obstrua l'entrée de la caverne et effaça toute trace qui put mettre un esprit malsain sur la piste de cet horrible endroit.

Malgré son agilité, l'Unique avait été mordu à plusieurs reprises par l'immonde reptile. Le venin qui s'était insinué dans son sang aurait emporté dans la tombe de moins solides que lui, mais, pour son malheur, il survécut. Pire encore, le poison eut sur le héros des effets secondaires dont il dut endurer le poids tout le restant de sa vie.

Lorsqu'il retourna à la cour, il était, certes, plus fatigué qu'à l'accoutumée, mais il ne voulut pas s'épancher sur le terrible combat qu'il avait dû mener. Même s'il ne l'évoquait qu'à demi-mot, on crut en effet qu'il se plaisait à exagérer les obstacles dont il avait triomphé. On lui reprochait aussi de ne pas avoir apporté avec lui un trophée qui eût témoigné de ses prouesses : une tête fraîchement coupée par exemple. Naturellement, le Seul était convaincu que le récit de son ami était fidèle à la vérité. Mais cette marque de confiance ne consolait pas l'Unique de la profonde blessure d'orgueil qui lui parcourait le cœur et qui s'ajoutait à celles qu'il avait déjà subies dans sa chair.

Mais il y avait plus grave encore. Le chevalier découvrit bientôt que les morsures qu'il avait reçues étaient en train de le transformer en quelqu'un d'autre.

Restait à savoir qui.

Au début, il s'efforça de dissimuler cette transformation. Cependant, il est des mutations que l'on ne peut cacher indéfiniment. Les plus observateurs remarquèrent bientôt que son corps s'étirait de plus en plus jusqu'à prendre une minceur extrême. S'il n'avait pas grandi, on aurait pu croire qu'il était simplement malade et qu'il maigrissait à vue d'œil. En réalité, chaque jour, il gagnait de nouveaux centimètres si bien que, lorsqu'il toisait ses interlocuteurs, il le faisait d'une hauteur sans cesse croissante.

À le voir perché en ces altitudes anormales, on s'éloignait de lui, au propre comme au figuré. Tous étaient persuadés qu'il perdait peu à peu son humanité et qu'il menaçait d'un instant à l'autre de ne plus être fréquentable.

Pour ajouter à ses malheurs, il prit ensuite une teinte olivâtre qui n'était pas du meilleur effet. Si l'on avait la malchance de le toucher, on constatait que sa peau était aussi urticante que la plus rugueuse des orties. Nombreux furent donc ceux qui apprirent à se détourner de sa personne.

Comme on s'en doute, le seul qui lui restât fidèle était le Seul. Les nobles qui se querellaient autrefois pour avoir l'honneur de dîner à sa table l'ignoraient. Si, par mégarde, leurs chemins se croisaient, ils s'appliquaient, sitôt rentrés chez eux, mille lotions et mille parfums.

On ne le recevait plus dans les auberges où il s'était jadis montré si généreux. Les jeunes femmes qui l'avaient servi ne lui adressaient même plus la parole. On éprouvait avec lui cette gêne que l'on ressent quand un animal domestique que l'on a aimé, mais que l'on voit soudain atteint d'une repoussante tumeur, tarde trop longtemps à mourir.

Néanmoins, tant qu'il conserva un aspect à peu près présentable, on continua à le tolérer. En vérité, on restait persuadé que, malgré son état, il pouvait encore rendre service. Toutefois, même cette forme d'indulgence toucha à ses limites quand, un matin, il se réveilla avec quatre têtes à l'extrémité de son long cou.

Cette nouvelle phase de sa métamorphose porta un coup fatal à sa popularité, déjà bien entamée. On écartait de sa vue les enfants et les personnes sensibles. Devant lui, on ne pouvait dissimuler son dégoût et, dès qu'il se retirait, on se moquait de lui.

Jugeant que l'Unique était passé de mode, on lui donna un autre sobriquet. On se mit à l'appeler Quatre-Faces, et ce surnom connut aussitôt un tel succès que l'on en oublia le premier.

Quatre-Faces, on ne pouvait trouver mieux
Pour désigner cet être hideux.
Voilà un surnom qui tombe pile
Pour décrire cette créature vile !

Si l'une de ces méchantes chansons venait aux oreilles du Seul, il veillait à faire taire immédiatement ses auteurs. Mais de telles menaces ne suffisaient pas à contrecarrer une réputation naissante. La foule n'aimait pas les gens différents ou les excentriques. Elle ne voulait voir qu'une tête et, ici, il y en avait trois de trop.

Devant tant de bassesse, Quatre-Faces, comme il fallait se résoudre à l'appeler, sentait monter en lui une grande tristesse. Pour la première fois de sa vie, il devait retenir ses larmes. Cependant, plutôt que de s'abandonner aux pleurs, il préféra céder à d'autres faiblesses : l'amertume, la colère et le désir de se venger. En vérité, il le fit le cœur léger, ce cœur torturé où passait régulièrement le sang toujours agissant de l'hydre.

Quand il apprenait que l'un de ceux qui s'étaient moqués de lui avait perdu un enfant ou avait été amputé d'une jambe, il ne pouvait en effet réprimer un sourire. Les souffrances qui affectaient les autres hommes devenaient pour lui des notions évasives, de même que les douleurs qui le tenaillaient leur étaient étrangères.

Son nouvel état ne lui valait d'ailleurs pas que des désagréments. Après une brève période au cours de laquelle il dut se familiariser avec leur maniement, il sut tirer un parti très utile des quatre têtes dont il était maintenant pourvu. Celles-ci lui permettaient de regarder simultanément dans toutes les directions, de sorte qu'il n'était jamais pris au dépourvu. Mais il fit des découvertes plus surprenantes et plus réconfortantes encore. Depuis son combat, il se sentait plus fort que jamais. Une vigueur prodigieuse courait dans ses veines. Si ses muscles s'étaient étirés à l'extrême, il n'était pas pour autant devenu un être chétif. Au contraire, certains poids qu'il aurait été bien en peine de soulever quelques mois plus tôt lui semblaient ridiculement légers à présent. Quand il rencontrait le Seul et lui serrait la main, il constatait avec satisfaction que ce geste arrachait à son ami un petit rictus. Il aimait à entendre le craquement des articulations, le douloureux frottement des phalanges. Néanmoins, il veillait à ne pas pousser trop loin cet avantage car nul autre que le Seul n'acceptait de le saluer.

En dépit de la rancœur qui grondait en lui, Quatre-Faces s'évertuait à mener à bien les rares missions qu'on lui confiait. Malheureusement, il ne lui incombait plus que des tâches subalternes qui, pour la plupart, devaient s'effectuer de nuit et dans la plus grande discrétion. Parfois, à force d'agir de façon aussi furtive et secrète, il avait le sentiment de ne plus exister.

Ainsi, son association avec son ami était-elle de l'histoire ancienne. Sans lui, ce dernier se voyait sans cesse proposer de multiplier les actes de bravoure au vu et au su de tous, comme autrefois. Le Seul était redevenu le Seul. Même s'il avait conscience qu'il n'aurait pas dû le jalouser, Quatre-Faces ne pouvait s'en empêcher.

Le Seul compatissait pourtant le plus sincèrement du monde aux calamités qui frappaient le chevalier. Le soir, il arpentait les rayonnages de sa bibliothèque, à la recherche du volume qui eut contenu quelques indications sur les moyens d'assurer sa guérison. En vain.

Quatre-Faces, lui, avait le plus grand mal à dominer ses violentes pulsions. Lors d'un tournoi, il tua dans le feu dc l'action deux de ses adversaires et en blessa grièvement une demi-douzaine. Il était comme enragé et se plaisait à réussir les coups les plus vicieux. Depuis qu'il n'était plus le même, les valeurs chevaleresques qu'il avait ardemment défendues lui paraissaient un tissu d'hypocrisies. Il n'avait fait que son devoir et, pourtant, il était désormais plus réprouvé que s'il eut perdu son honneur. D'autres, qui menaient une vie oisive et n'avaient pas accompli le centième de ses prodiges, jouissaient du respect de tous et recueillaient des éloges éhontés.

Après plusieurs années, il découvrit que le venin qui coulait dans ses veines possédait une propriété supplémentaire. Et elle n'était pas des moindres : il avait brusquement cessé de vieillir. Alors que le Seul allait désormais sur ses trente ans et que diverses preuves de sa maturité creusaient peu à peu son visage, rien de tel chez son camarade. S'il n'avait été atteint par tant de difformités, on eut pensé qu'il sortait à peine de l'adolescence.

Cette nouvelle lui fut d'un précieux réconfort. Certes, la vie lui imposait de mesquines épreuves. Mais il savait à présent qu'année après année, il prendrait sa revanche. Il se réjouissait déjà de voir disparaître les uns après les autres ces aristocrates arrogants et ces damoiselles au cœur mal accroché qui refusaient de s'accommoder de sa présence.

Pourtant, sa joie n'était pas complète. Le Seul, le seul qui s'était toujours montré fidèle, le seul qui s'affichait avec lui et l'avait toujours défendu contre les railleries des crétins, finirait lui aussi par quitter ce monde et ne serait plus qu'une dépouille froide et rabougrie. Il ne pouvait le supporter. Non, il ne le perdrait pas ainsi !

Obéissant à ce qu'il pensait être une impulsion généreuse, Quatre-Faces eut l'idée de sceller par un pacte de sang son amitié avec le Seul. Ignorant les pouvoirs du venin de l'hydre, ce dernier se prêta volontiers à cette cérémonie. Il comprenait parfaitement que, dans l'isolement où il se trouvait, son camarade pût accorder de l'importance à ce genre de gestes. Ce ne fut que plusieurs années plus tard que, ne se voyant plus vieillir, il comprit que Quatre-Faces lui avait transmis par le sang les germes de l'immortalité. Il se sentit alors trahi.

– Pourquoi m'as-tu fait ça ? De quel droit ?

– Je ne désirais que ton bien ! Je ne voulais pas te voir vieillir sans réagir, te laisser dépérir sans rien faire. Te perdre me serait insupportable !

– Je suis ton ami, je ne suis pas ta chose ! Je n'appartiens qu'à moi, au roi et à la providence !

Quatre-Faces ne pouvait entendre un tel discours. Les épreuves qu'il avait vécues avaient affermi chez lui la conviction que la providence n'existait pas, tandis que la royauté lui avait tourné le dos. En réalité, il ne concevait qu'une seule forme de fidélité : celle qu'il devait à son ami. Aussi sa déception fut-elle immense quand celui-ci reçut son cadeau comme une malédiction.

Le Seul n'avait aucun désir de vivre pendant des siècles et des siècles. Au contraire, il souhaitait vieillir au même rythme que le commun des mortels, prendre femme, décliner avec elle, voir leurs enfants se fortifier et, lorsqu'ils se quitteraient, se saluer avec la certitude de se suivre bientôt dans la mort. Tout cela lui était désormais interdit.

Peu à peu, les effets de cette première dispute

finirent par se dissiper mais l'amitié des deux hommes ne retrouva plus jamais l'intensité d'antan. Pire, le Seul en vint à suspecter que Quatre-Faces ne lui avait pas seulement transmis son immortalité mais que ses mauvais penchants l'avaient également contaminé.

Lui aussi sentait naître en lui d'odieuses tentations.

L'envie de commettre le mal qui l'avait toujours épargné commençait en effet de le tarauder à son tour. Dorénavant, le Seul éprouvait la sensation désagréable de ne plus être aussi seul qu'il le pensait. Il lui semblait que son corps hébergeait plusieurs êtres qui se disputaient âprement son contrôle.

– Ah, si je pouvais me débarrasser de cette mauvaise partie de moi! Si je pouvais l'expulser de mon corps! Comme je voudrais être à nouveau celui que j'étais naguère!

Le Seul avait pardonné à Quatre-Faces son geste malheureux mais il avait la nostalgie de l'époque où ses décisions s'imposaient d'elles-mêmes, où il penchait spontanément vers le bien.

Quatre-Faces, quant à lui, devait se familiariser avec une sensation insolite : la tristesse. Le monde dans lequel il vivait avait perdu toute magie, tout enchantement. Il était devenu terne et l'on ne pouvait plus rien en espérer qui fût beau et entier. L'homme pressentait déjà qu'il allait devoir donner un autre sens à son existence, que ce renversement serait brutal, qu'il s'accompagnerait de cris et de morts et qu'il devrait sans doute plonger son épée dans les tripes de ceux pour qui il s'était battu si longtemps.

Il lui fallait simplement une occasion.

À cette même époque, constatant que Quatre-Faces était engagé sur une pente dangereuse, le commandeur de l'Ordre le convoqua pour un nouvel entretien. Cette fois, il lui recommanda avec insistance de se rapprocher de Dieu. Dans ce sens, il lui délivra un sauf-conduit pour accomplir un long séjour parmi les moines de l'abbaye de Saint-Vincent de Laon.

Quatre-Faces accueillit cette suggestion en ricanant intérieurement mais il n'en suivit pas moins ce conseil. Pour les moines qui périrent sous son glaive, il eût mieux valu qu'il s'en abstînt. On ne sut jamais dans quelles circonstances précises ce massacre se produisit. Un mot malheureux, peut-être. Une remarque désobligeante, une réprimande de trop ? Toujours est-il que l'Église perdit dans cet épisode sanglant plus de cinquante de ses pères.

L'affaire fit grand bruit. Lorsqu'on lui apprit la nouvelle, le Seul fut accablé de chagrin. Cependant, quand il reçut la mission de capturer le criminel qui avait été son ami, il ne se déroba point.

Le Seul suivit alors les nombreuses traces que Quatre-Faces abandonnait dans sa fuite. Son apparence singulière mais surtout ses abominables péchés, ses pillages, ses meurtres de sang-froid et sa bestialité laissaient derrière lui un sillage qu'il était impossible de perdre. Chaque témoignage rapprochait un peu plus le Seul du fugitif mais lui signifiait également que son ami se détournait irrémédiablement.

Après quelques semaines de traque, il fut sur les talons du fugitif. Il touchait au but ; ce n'était plus qu'une question d'heures.

Leurs retrouvailles se déroulèrent en lisière de la forêt des Ardennes. La nuit était sur le point de tomber et Quatre-Faces avait déjà installé son campement. Depuis leur dernière entrevue, il avait gagné près d'un mètre et l'on devait lever haut les yeux pour apercevoir son quadruple visage. Sa maigreur s'était elle aussi accentuée. Ses jambes démesurées avaient acquis le même diamètre que des tiges de bambou et imitaient la souplesse des roseaux. Sa peau était plus verdâtre que jamais, signe que, chez lui, la part végétale l'emportait de plus en plus sur celle de l'homme.

Quatre-Faces semblait attendre son poursuivant et ne fut pas surpris de le voir paraître dans la lumière du crépuscule, la main sur le pommeau de son épée. Contre toute attente, il accourut à la rencontre de son ami et le souleva de terre pour le serrer longtemps dans ses bras. Le Seul ne le repoussa point mais un mauvais pressentiment lui commandait de demeurer aux aguets.

– As-tu fait bonne route, le Seul?

– Elle a été plus longue que je ne le supposais mais plus courte peut-être que je ne l'aurais voulu.

– Tu aurais dû faire comme moi : te payer du bon temps en chemin! Tu ne te serais pas ennuyé! Je ne me suis jamais senti aussi heureux et libre de toute ma vie. Je m'épanouis!

– Je ne pensais pas te trouver de si bonne humeur...

– Dans quel triste état m'imaginais-tu donc? Accablé de remords, le cœur dévasté? Je te le dis : je ne me suis jamais aussi bien porté. Mes forces s'accroissent de jour en jour et je vis comme mes instincts et mes désirs me l'ordonnent...

– Tu oublies un peu vite toutes ces morts que tu as causées...

– Des gens sans importance! Ils ne valent pas davantage que ces stupides moines qui prétendaient me guérir en m'imposant pénitence sur pénitence. Mais je les ai châtiés comme il le fallait!

– Il faut pourtant que tu répondes de tes actes...

– Devant qui ? Devant la justice des hommes, peut-être ? Laisse-moi rire !

– Je ne plaisante pas. Tu dois t'expliquer mais sois sans crainte : je peux t'assurer que tu auras droit à un procès équitable. J'en appelle à ton sens de l'honneur...

– L'honneur ? Ne prononce plus ce mot devant moi ! Il me fait horreur ! Je sais trop bien comment se comportent avec les individus de mon espèce ceux qui ont ces notions à la bouche !

– L'Unique, nous devons pourtant rejoindre la cour et nous présenter devant ceux qui te jugeront. Si tu le veux bien, j'assurerai ta défense.

– Il est hors de question que je me laisse mettre les fers ! Nul ne m'enfermera et ne me suppliciera !

– Ne m'oblige pas à user de la force !

– C'est donc ainsi que tu conçois notre amitié ! Viens donc me chercher si tu l'oses !

– Je n'hésiterai pas. Mais je préférerais que tu me suives docilement...

– Tu n'es qu'un traître ! Comme je me suis trompé sur ton compte ! Que j'ai été sot pour imaginer que tu m'accepterais tel que je suis ! Dire que je t'ai offert une longévité sans égale... Je m'aperçois que tu ne mérites nullement ce don. Aussi vais-je te le reprendre !

Sitôt dit, sitôt fait : il se rua à l'offensive et le combat s'engagea.

Leur affrontement se prolongea la nuit durant. Tantôt l'un avait l'avantage, tantôt l'autre paraissait sur le point de l'emporter. À tout moment, ils se portaient des blessures terribles. Ainsi, Quatre-Faces coupa rapidement deux doigts au preux chevalier, lui ouvrit deux fois le flanc et lui infligea plusieurs estafilades dont l'une manqua de lui crever un œil. Toutefois, dans ce domaine, le Seul ne se montra pas le moins généreux. Ses attaques étaient peut-être moins brutales que celles de son ancien compagnon d'armes mais il était plus vif et, dans la bataille, déployait plus d'imagination.

Il ne tarda pas à en apporter la preuve. Touché à l'aine, il dut chercher un refuge provisoire dans la cime d'un chêne où il put pendant quelques instants recouvrer des forces et se faire un bandage de fortune. Avec furie, Quatre-Faces balayait de sa lame les branchages où il se camouflait. Le traitant de lâche, il l'exhortait à ne plus fuir davantage l'engagement. Le Seul laissa dire. Puis, au premier moment de relâchement, il bondit soudain de sa cachette et, d'un seul coup d'épée, embrocha trois de ses têtes.

La vie quitta alors les trois faces blessées qui se vidèrent presque instantanément de tous leurs flux, sang, nerfs et cervelle. Leur peau se décomposa en de grands lambeaux rougeâtres comme si, jusqu'alors, on l'avait mal collée sur l'os. Il ne resta bientôt que ce que les pires mécréants sont habitués à trouver dans les tombes qu'ils profanent : trois têtes de mort.

Quatre-Faces n'était plus mais le personnage qui lui avait succédé n'était pas moins redoutable. Il émanait de sa personne plus de haine encore qu'au temps où tout en lui était vivant. Cet être était totalement étranger à celui que le Seul avait connu et aimé. Bientôt, il comprit que, loin d'avoir affaibli cette créature, il en avait décuplé les forces et la résolution.

La créature crachait désormais un épais poison, dont le Seul devait à tout prix se protéger sous peine de tomber raide mort. De ses bras décharnés giclaient des lianes noueuses qui essayaient de s'enrouler autour de ses jambes ou de son cou. C'était une hydre d'un genre nouveau contre laquelle il lui fallait maintenant lutter.

Le duel dura encore quelques heures mais les deux adversaires durent finalement se rendre à l'évidence. Ce jour-là, aucun ne parviendrait à abattre l'autre. Tous deux étaient de force égale.

Bien que cela ne fût pas très glorieux, chacun se replia donc, à bout de forces et non sans injurier vertement son adversaire.

— Je retrouverai ta trace et je t'exterminerai !

— Vermine, je t'arracherai de la surface de la terre comme une mauvaise herbe !

Sans un regard pour la bête blessée, le Seul pénétra dans la forêt. Il perdait beaucoup de sang et ses pas étaient lourds. Par instants, la tête lui tournait. Sans aucune notion du temps, sans même remarquer qu'il s'effondrait dans un bruissement de feuilles, il se laissa alors avaler par la nuit la plus noire.

Quand il reprit lentement connaissance, il se réveilla dans une chaumière étriquée et enfumée, dont le toit imparfait laissait passer les étoiles. Il ne faisait pas de doute que ceux qui habitaient là vivaient dans le plus extrême dénuement. Une épaisse couverture jetée sur sa nudité, il était allongé sur l'austère lit de branchages que l'on avait confectionné pour lui. Le Seul pouvait entendre tout près le contenu d'une marmite en train de bouillir et même en humer l'odeur (infecte). Bientôt, il entrevit l'âtre d'une cheminée et remarqua qu'une longue et blanche barbe était accrochée au-dessus des flammes. Il devrait apprendre un peu plus tard que celle-ci avait été ôtée du menton de Merlin l'Enchanteur.

Soudain, il perçut une présence et, la seconde suivante, ses yeux rencontrèrent ceux d'une jeune femme à l'humeur maussade, aux joues rebondies, au regard perçant et aux lèvres exagérément charnues. Quand elle ouvrait la bouche, il pouvait apercevoir ses grosses dents carrées et, même si cette idée était tout à fait ridicule, il songea qu'il n'aimerait guère se faire mordre par elle.

– Où suis-je ?

– Vous vous trouvez chez moi, en pleine forêt ardennaise, à plus de trois journées de marche de la ville la plus proche. Cela ne vous apprendra pas grand-chose sur votre situation mais sachez que l'on m'appelle Valkiria.

– Que fait donc une jeune femme seule si loin de tout ?

– De la sorcellerie.

– Ah…

– Je me doutais bien que cela n'allait pas vous plaire. À en juger par vos vêtements, par vos armes et par votre blason, j'ai tout de suite compris que j'avais affaire à l'un de ces preux chevaliers qui se plaisent à conduire mes semblables au bûcher. Autant vous le dire sans détour : je déteste beaucoup ce que vous faites. Je ne vous cacherai pas non plus qu'en vous découvrant dans la forêt, j'ai hésité un long moment entre vous égorger et vous venir en aide. Peut-être est-ce le manque de compagnie qui m'a décidée à vous épargner et à vous soigner…

– Vous êtes trop aimable.

– C'est effectivement ce qu'il me semble.

En dépit de ces échanges aigres-doux, Valkiria persista dans ce comportement charitable qui n'entrait pourtant pas dans son caractère. Passant une grande partie de ses journées dans sa cuisine à préparer de nauséabondes potions, elle lui administra ce que l'on peut appeler des remèdes de cheval. Le Seul, qui n'était guère habitué à ce genre de traitements, se demandait quelquefois si la sorcière ne l'utilisait pas comme cobaye. Peut-être profitait-elle de sa faiblesse pour expérimenter sur lui de nouvelles recettes. Aussi en vint-il à penser que les maux d'estomac qu'il devait subir après l'absorption de chaque médicament étaient peut-être imputables aux tâtonnements de la magicienne. Néanmoins, après quelques jours de ce régime, il dut admettre que ses plaies commençaient de cicatriser et qu'il regagnait peu à peu une certaine vigueur.

– J'ai tenté de tirer le meilleur parti de ma science mais je ne suis pas parvenue à extraire de votre sang tous les vilains poisons qui s'y sont glissés. Je crains donc que vous ne gardiez quelques séquelles de votre aventure. Mais, dites-moi, vous avez certainement dû faire une mauvaise rencontre…

Le Seul confirma la chose d'un signe de la tête mais ne se montra pas plus loquace. Le souvenir de son récent combat lui était plus douloureux que les blessures qu'il en avait reçues.

Tandis qu'il gardait encore le lit, il chercha à en savoir davantage sur sa bienfaitrice. Valkiria répondait à ses questions avec une mauvaise grâce flagrante mais il lui semblait que cela lui allait bien. Alors qu'il n'avait jamais côtoyé que des femmes timides aux yeux baissés ou d'autres plus effrontées, il observait avec une extrême perplexité les réactions imprévisibles et souvent brutales de son hôtesse.

Valkiria était une sorcière en rupture de ban. Elle n'assistait plus aux sabbats qui se déroulaient aux solstices et aux équinoxes, s'étant brouillée avec ses pairs pour d'obscures raisons. Par certaines allusions, le Seul crut pourtant comprendre que nombre de ses consœurs avaient pris ombrage des vastes talents de la jeune femme et que plusieurs d'entre elles avaient même tenté de s'emparer de l'encombrant grimoire où celle-ci consignait tout son savoir.

À mesure qu'il conversait avec Valkiria, le Seul devait reconnaître que l'on pouvait légitimement la jalouser pour l'étendue de ses connaissances. Bien qu'il eût consacré des soirées entières à l'étude des grands maîtres et qu'il possédât plus de livres que le pape lui-même, sa science était bien modeste quand il la comparait à celle de cette petite personne dont la bibliothèque se résumait à un unique grimoire.

Même si cet aveu lui était difficile, il prit peu à peu conscience que l'érudition de la sorcière n'était pas le seul de ses charmes. Pourtant, elle souffrait d'un physique pour le moins ingrat. Mais il avait beau le nier : elle lui plaisait. Certes, il n'ignorait pas que la jeune femme appartenait à ceux qu'on lui avait appris à mépriser et pourchasser. En temps normal, il eût tôt fait de l'éliminer. D'ailleurs, certaines nuits, cette idée le tirait de son lit et, se faufilant dans la chambre d'à côté, il demeurait de longues minutes à la regarder s'agiter dans son sommeil et à attendre en vain que lui vînt le courage de la tuer. Plusieurs fois, il brandit son couteau au-dessus de la tête de l'endormie mais il interrompit toujours son geste, confus d'avoir ainsi songé à frapper une femme sans défense.

S'il lui laissait la vie sauve, c'était aussi par curiosité. En effet, il savait que, le lendemain, Valkiria l'entretiendrait des plantes médicinales ou encore de la course des astres et il ne pouvait donc se résigner à renoncer à ce savoir. Auprès d'elle, il se passionnait pour des disciplines qu'on lui avait jusque-là interdites. Ainsi étudiait-il avec fièvre les tarots, les poisons, l'alchimie ou la généalogie des monstres (griffons, centaures, sirènes, licornes et autres créatures fantastiques).

La joie que le chevalier ressentait à enrichir chaque jour ses connaissances n'était cependant pas sans ombres. Le Seul était troublé par les changements qu'il discernait en lui. Un soir, à bout de ressources, il confia donc son inquiétude à la sorcière. Par un mécanisme qu'il ne maîtrisait pas, il avait pris l'habitude de tout lui dire.

– Comment m'expliquer ? Je me sens trop nombreux, comme si plusieurs êtres aux pulsions contradictoires coexistaient en moi. Je n'ai plus l'impression d'avoir une seule âme mais des dizaines. J'abrite le héros et le lâche, l'ignorant et le savant, le sage et le sauvage, l'homme de paix et le guerrier. Valkiria, je ne sais plus quoi faire de tous ces gens !

D'un air entendu, comme si elle avait immédiatement saisi de quoi il était question, la magicienne ouvrit son grimoire en son milieu et son doigt glissa alors vers un titre dessiné en immenses lettres gothiques : *Du bon usage de la multiplication.*

– Sur cette page, j'ai consigné une formule qui pourrait résoudre toutes vos difficultés. Car jusqu'à présent, vous avez fait fausse route en voulant refouler ces multiples identités dont vous avez senti la présence. En vérité, vous devez admettre que vous n'êtes plus seul et vous résoudre à expulser toutes ces créatures qui, depuis trop longtemps, cohabitent en vous…

– Si je devine bien votre pensée, je n'aurais d'autre choix que de me multiplier pour me débarrasser de tous ces encombrants personnages qui me parasitent ?

– C'est ça ! Vous avez compris ! Vous êtes moins bête que je ne le pensais…

– Et le procédé que vous avez couché sur le papier pourrait m'y aider?

– C'est exact. Cependant, je n'ai jamais réussi à réunir tous les ingrédients nécessaires. Certes, il ne me manque plus que l'un d'entre eux mais, pour votre malheur, celui-ci est sans conteste le plus délicat à trouver. Cet objet n'existe qu'en un seul exemplaire et j'ignore où il peut être en ce moment.

– Quel est donc cet ustensile si rare?

– Celui-ci a plusieurs noms, mais le plus répandu est «Miroir du Sourire éternel». Comme vous l'aurez compris, ce miroir renvoie immanquablement à celui qui s'y regarde l'image de son sourire. Peut-être la chose vous semblera-t-elle dérisoire mais si vous connaissiez tous les pouvoirs que, associé à d'autres objets, cet accessoire peut avoir, vous ne vous avance-riez pas aussi légèrement...

– N'a-t-on vraiment aucune idée de qui posséde-rait aujourd'hui ce miroir?

– On l'a vu entre les mains des Alains, des Huns et chez d'autres peuples qu'il serait trop long d'énu-mérer... Et puis, les récits divergent et remontent à bien longtemps. Ce qui est certain, c'est que cet objet, s'il n'a pas été anéanti, doit être quelque part à l'est du Rhin.

– C'est vaste!

L'entreprise semblait ardue. Sans doute ne lui promettait-elle qu'une errance sans fin. Aussi l'oublia-t-il pendant un temps et préféra-t-il poursuivre l'apprentissage qu'une Valkiria de plus en plus aimante lui offrait quotidiennement. La jeune femme le trouvait en effet désormais à son goût et, pour avoir vécu dans la plus complète solitude, appréciait de s'appuyer sur un compagnon qui partageait ses scientifiques passions.

Bien sûr, le Seul l'agaçait souvent. En particulier, sa parfaite politesse, ses manières attentionnées et la douceur de sa voix l'insupportaient.

– Ne m'appelez plus gente dame ou je vous transforme en cochon! Parfois, je me demande qui je préfère chez vous : celui qui, la nuit, songe cruellement à m'assassiner ou celui qui, de jour, s'échine sottement à me séduire!

À force de se chercher, ils finirent toutefois par se trouver. Survint alors ce qui devait arriver : ils surent mieux occuper et leurs jours et leurs nuits.

Valkiria s'offrit entièrement à ce premier amour. Si, au cours de sa brève existence, elle céda à la tentation de sourire, ce fut uniquement lors de ces journées. Le Seul, quant à lui, n'était pas moins sincère mais, dans son cas, plus rien n'était simple : ainsi oscillait-il, comme un pendule, entre la joie et un sordide mélange fait de malaise et de honte. Pendant quelques instants, il était intensément heureux de tenir cette femme dans ses bras, puis il ne pouvait s'empêcher de penser qu'en l'enlaçant, il se compromettait et trahissait tous les codes qui étaient les siens.

Que faire? Elle était laide mais sa peau était douce. Ses dents mordaient dur mais ses lèvres l'embrassaient fort. Il la haïssait mais il l'adorait autant. Avec elle, il savait ce qu'il voulait : tout et son contraire.

De son côté, Valkiria l'aimait, «un point, c'est tout».

Les semaines et les mois passaient sans qu'ils n'eussent aucune notion du temps. Chacun suffisait à l'autre et tout le reste n'avait aucune importance. Leur vie était bien réglée : quelques saines études, des expériences scientifiques des plus divertissantes, une omelette aux yeux de faucon vairon et l'on allait se recoucher. Mais l'amour finit par avoir à la longue de ces conséquences que l'on peut aisément prévoir même si l'on ne lit pas dans les cartes ou les étoiles.

Bientôt, il apparut que Valkiria attendait un enfant. Alors que, depuis ses plus jeunes années, le Seul avait été conditionné à accueillir cette perspective comme un motif de réjouissance, la jeune femme, entre deux nausées, ne décolérait pas contre cette fâcheuse nouvelle. Elle connaissait bien le monde et ceux qui y vivaient et ne voulait pas leur livrer la chair de sa chair. Non, ce n'était pas un cadeau à faire à un enfant ! Aussi songea-t-elle à s'en débarrasser par quelque poison. Cependant, lorsque le Seul comprit ce qui se tramait, il ne manqua pas de se montrer horrifié par un tel projet et interdit formellement à sa compagne de commettre un tel acte. Pour lui plaire, elle se rangea à ce commandement mais son instinct lui murmurait qu'elle ne tarderait pas à le regretter.

Au cours des derniers mois de sa grossesse, la future mère dut souvent s'aliter. Le Seul se montrait très attentionné. Il veillait à lui épargner le moindre déplacement et, si elle souhaitait malgré son état essayer un nouveau procédé occulte, il se révélait un assistant efficace. Ce fut en ces occasions qu'en dépit de l'interdiction de Valkiria, il fut amené à consulter son grimoire. Dans les premiers temps, il n'osa laisser fureter son regard sur plus d'une page mais, prenant de plus en plus d'assurance, il se mit à lire des chapitres entiers. Il s'attarda ainsi de longs moments sur les passages consacrés au processus de multiplication. Il se plaisait alors à rêver à sa délivrance, quand il aurait expulsé de lui tous les importuns qui s'y développaient. Tout dépendait de ce fichu miroir dont on avait perdu la trace !

Un jour, presque par inadvertance, alors que Valkiria dormait d'un profond sommeil, il tomba sur l'énoncé d'une recette qui le révulsa. On y exposait en détail les moyens de produire un philtre d'amour. Toutes les épices indispensables à sa préparation y étaient énumérées. L'auteur évoquait également les effets secondaires que pouvait avoir cette boisson sur le malheureux à qui on l'administrait, dont de terribles crampes d'estomac. Sans raisonner davantage, il sauta immédiatement à la conclusion : Valkiria l'avait drogué et c'était uniquement par cet artifice qu'il l'avait aimée ! Il était mortifié. De la même manière que Quatre-Faces, par son stupide pacte de sang, avait cherché à se l'attacher pour toujours, la sorcière avait pris la liberté de choisir pour lui et de tracer à sa place sa destinée. Qui se croyaient donc tous ces gens pour le considérer comme un pantin ?

À compter de ce jour, l'endroit lui fit horreur. Il adressait à peine la parole à la jeune femme mais celle-ci était si fatiguée qu'elle ne remarqua pas ce brusque changement d'humeur. Ah, s'il n'y avait eu cet enfant à venir, il eût mis les bouts sans attendre ! Seul son devoir lui dictait de rester.

Désormais, tous ses efforts ne tendaient plus que vers un unique but : trouver le moyen de quitter les lieux sans rougir. Il lui semblait en effet qu'il lui fallait s'éloigner sans retard de sa compagne et de sa future progéniture. Si la part la plus violente de son être devait l'emporter, nul doute qu'il pourrait leur faire du tort. Peut-être serait-il même assez aveugle pour les tuer sans sourciller. Dans son état, il devait absolument se soigner et, pour cela, il n'avait d'autre ressource que de se lancer à la recherche du Miroir du Sourire éternel.

Par-dessus le marché, Valkiria n'était pas du même bord que lui et, si un philtre d'amour n'avait entravé le cours normal des choses, tout aurait dû les opposer. Quelle éducation digne de ce nom une mère et un père si dissemblables pourraient-ils réserver à leur enfant? Ballotté de l'un à l'autre, celui-ci ne serait que la victime innocente de leurs déchirements. Pour le bien du petit, il fallait que l'un de ses parents cédât et l'honneur ordonnait que ce fût lui.

Une nouvelle, qui ne l'étonna guère, le décida à franchir le pas. Valkiria, si elle vivait dans le plus strict isolement, ne se tenait pas totalement à l'écart du monde. Par un ingénieux dispositif de pigeons voyageurs, il lui parvenait régulièrement des échos de ce qui se tramait dans le pays. Ce fut par ce biais que le Seul entendit à nouveau parler d'une vieille connaissance.

Le message que la sorcière avait déroulé sur la table signalait qu'un démon du nom de Triple-Mort écumait la région à la recherche de son plus cher ennemi. La créature, proprement effrayante, ne faisait pas de quartier… À la lecture de ces courtes lignes, le sang reflua violemment du visage du chevalier et cette soudaine pâleur n'échappa point à Valkiria.

– Connaissez-vous ce Triple-Mort?

– Oh, cela serait beaucoup dire… Sait-on jamais si l'on connaît vraiment les gens?

– Vous voilà bien évasif tout à coup! Et puis, vous ne semblez pas dans votre assiette. N'allez pas nous faire quelque idiotie!

Telle n'était pas son intention. Le matin suivant, pourtant, il se leva sans un bruit, ouvrit délicatement le grimoire et y découpa la seule page qui l'intéressât vraiment, celle qui avait trait à la multiplication. Alors qu'il aurait pu simplement la recopier, il ne put s'empêcher de garder pour lui seul ce procédé. Il savait qu'il commettait là une nouvelle faute mais, en dépit de cette certitude qui lui faisait venir les larmes aux yeux, il donna libre cours à ce désir égoïste. Il gagna ensuite la chambre où Valkiria était toujours assoupie, lui baisa délicatement le front et abandonna sur un rebord de commode un billet où il tâchait de justifier sa fuite.

Il se mit aussitôt en route. À mesure qu'il s'écartait de la chaumière, il avait le cœur de plus en plus gros. Celui-ci lui semblait plus lourd et encombrant que la plus épaisse des armures. Il eût voulu que, pour une raison tout à fait inattendue, Valkiria se réveillât, s'aperçût de son absence et, malgré son embarras, se mît à sa poursuite. Mais jamais il ne la vit paraître sur ses talons et, pendant de longues journées d'errance, il n'eut d'autre compagnon que la peine, les pleurs, le dégoût de soi et les blâmes qu'il était le premier à s'adresser…

TROP DE WILMUTH TUE LE WILMUTH !

— **M**ais que c'est triste, que c'est triste ! C'est horrible ! J'en suis tout retourné ! Par pitié, que l'on m'apporte un mouchoir pour sécher mes larmes !

Caille-Caille, comme à son habitude, en faisait trop et ne ménageait pas ses efforts pour nous convaincre de l'accablement où le plongeait le long récit de mon père. De leur côté, Mange-Burnasse et Lani ne l'avaient pas écouté avec moins de fascination. Pour ma part, j'avais entendu avec plus de détachement cette histoire que mon géniteur nous avait racontée à la troisième personne, comme se plaisent à le faire les êtres imbus d'eux-mêmes…

L'odieuse façon dont il cherchait à s'innocenter de l'abandon de ma mère m'était en revanche intolérable et avait réveillé en moi de violentes bouffées de haine.

La situation n'avait pas échappé à Lani. Aussi s'approcha-t-elle de moi pour me souffler à voix basse :

— Wilmuth, vous me semblez encore la proie de méchantes pensées et je crains que celles-ci ne soient tournées contre votre père. Vous avez, certes, quelques raisons de lui en vouloir mais, de grâce, maîtrisez vos nerfs! Laissez-vous le temps de vous habituer à lui, donnez-vous une chance de l'aimer! On ne sait jamais...

– Vous avez raison, Lani : je suis bel et bien en rage et, si vous ne me l'interdisiez pas, je me ferais un plaisir de régler son compte à cette fripouille...

Avant d'en venir à de telles extrémités, je souhaitais néanmoins éclaircir un point que mon père n'avait fait qu'effleurer. Il concernait ce mystérieux miroir qui, à l'en croire, constituait l'exact opposé de celui que j'avais longtemps eu en ma possession. Cette rapide allusion avait en effet ramené à la surface un lointain souvenir, comme si cet objet m'était déjà familier.

– À quoi ce Miroir de la Sempiternelle Grimace ressemble-t-il ?

– Il est tout à fait semblable à celui que tu possédais. Il en a les dimensions et porte les mêmes motifs géométriques sur son pourtour. Il a été taillé dans le même bois de chêne...

– N'en dites pas davantage! Juste avant mon départ du séminaire Inferno, j'ai entrevu cet étrange instrument pendant un bref instant... Vous aurez déjà deviné, je crois, qui en est devenu le propriétaire...

– Triple-Mort! Quelle terrible nouvelle! Voilà un miroir qui ne pouvait faire plus mauvaise rencontre... Moi qui pensais qu'en compulsant les archives carolingiennes, je finirais par retrouver sa piste! Quel idiot! Si Triple-Mort parvient à utiliser ses redoutables propriétés, nous devons nous préparer à affronter bientôt les pires calamités. Nous risquons en effet de voir le monde basculer dans une ère de désolation et de souffrance.

– N'exagérons rien! Lorsque je l'ai vu, ce miroir ne m'a pas paru très effrayant.

– C'est que, pour l'instant, il n'a pas donné la pleine mesure de ses pouvoirs. Cependant, si l'on sait s'y prendre, il est dit qu'il se transformera en un poison mortel que rien ne pourra arrêter.

– Et comment peut-on parvenir à un résultat aussi admirable?

– Eh bien, une vieille légende affirme, je cite de mémoire : «Si, de ce miroir, tu veux libérer les véritables maléfices, par la ruse, tu le voleras et, par un enfant, tu feras périr celui qui le possédait avant toi.»

Mon père n'avait pas besoin de se montrer plus précis. Je comprenais déjà le rôle que Triple-Mort avait voulu me faire jouer. S'il avait souhaité me voir tuer Charlemagne, c'était certainement parce que ce dernier avait été le précédent détenteur du miroir et qu'en l'assassinant, je lui fournirais l'arme dont il devait rêver.

Mange-Burnasse avait abouti aux mêmes conclusions et ne dissimulait pas son soulagement.

– Finalement, je suis heureux que nous ayons pitoyablement échoué dans notre attentat contre l'empereur! Le sort du monde en aurait été bouleversé mais nous n'aurions certainement pas gagné au change.

– Mais que se serait-il passé exactement si nous l'avions liquidé?

– Après l'assassinat de Charlemagne, quiconque se serait observé dans ce maudit miroir en aurait immédiatement perdu le goût de la vie. L'infortuné se serait abandonné à de violentes angoisses et se serait laissé peu à peu consumer par une immense tristesse. Mais il y aurait pire encore. Les souffrances infligées par cet objet de malheur seraient hautement contagieuses. Toute créature qui entrerait en contact avec une personne déjà infectée serait atteinte à son tour et transmettrait à d'autres son dégoût de l'existence. Cette maladie se répandrait à une vitesse foudroyante et notre monde se transformerait bientôt en un véritable enfer ! Je crains en effet que tel soit le projet de Triple-Mort : répandre dans tout l'univers cet affreux poison et faire en sorte qu'il n'y ait plus jamais sur cette terre le moindre rire, le moindre bonheur ou la moindre innocence...

– Quelle magnifique idée ! Je ne comprends pas ce que vous trouvez à y redire. Finalement, je ne suis pas loin d'admirer Triple-Mort d'avoir fomenté un tel projet.

– Tu déraisonnes, Wilmuth !

– Non, je suis sérieux.

– Tu ne sais pas ce que tu dis.

– Je ne verrais aucun inconvénient à ce que l'univers entier ne soit plus que maux et pleurs. Toute ma vie, je n'ai été instruit que pour prendre part à ce genre de catastrophes. Cela pourrait être l'apothéose d'une carrière ! Participer à la victoire totale du Mal !

– Je crains que tu n'aies pas songé à toutes les conséquences... Si les plans de Triple-Mort devaient être couronnés de succès, tous ceux que tu aimes finiraient par être rongés par le désespoir...

– Mais je n'aime personne !

– Ainsi tu accepterais sans difficulté de voir ton amie, Lani, perdre toute énergie et tout enthousiasme, se dessécher, se rabougrir et se faner...

– Ce n'est pas pareil ! Ça n'a rien à voir !

– Réponds à la question, Wilmuth !

– Qu'est-ce que j'en sais, moi ?

– Allons, au fond de toi, tu connais la réponse à cette question. Je te le demande à nouveau : tolérerais-tu un tel destin pour Lani ?

À cet instant précis, la jeune fille me dévisageait

avec une telle insistance que je ne voulus point la décevoir. Aussi, du bout des lèvres, dus-je consentir à cet aveu :

— Euh, non...

Évidemment, mon père triomphait et, de son côté, Lani ne semblait pas mécontente.

— Bien répondu, Wilmuth !

— Ça va, ça va ! Pas la peine d'en faire des tonnes pour si peu ! Passons plutôt à autre chose... Si je raisonne juste, on peut s'attendre à ce que Triple-Mort fasse d'un moment à l'autre son apparition...

— Mon fils, tu penses bien. Je suis d'ailleurs surpris qu'il ne se soit pas déjà présenté pour m'extorquer toute ma science sur l'art difficile de la multiplication...

Caille-Caille intervint alors pour formuler l'une de ces suggestions dont il avait le secret.

— Si Triple-Mort risque de débouler dans l'heure, je crois que nous serons tous d'accord pour prendre nos cliques et nos claques et filer sans plus de cérémonie... Monsieur le père, si vous voulez bien nous indiquer le chemin.

— En réalité, espèce de couard, nous n'allons pas bouger d'ici mais attendre Triple-Mort de pied ferme. Mais, rassure-toi, il ne devrait pas tarder.

— C'est bien ce que je craignais ! C'est chaque fois la même chose. On pourrait rester à l'abri, se satisfaire d'une petite vie tranquille, éviter les ennuis mais non, ça serait trop simple ! Ces messieurs veulent de l'action et méprisent le danger. Tout cet héroïsme, ça me sort par les yeux ! Lani, toi qui es la plus raisonnable, ne peux-tu les convaincre de revenir à de plus lâches sentiments ? Ou alors emmène-moi et fuyons ensemble loin d'ici !

— Pour qui me prends-tu, poltron ? Je ne bougerai

pas d'un pouce! Si je n'avais renoncé à user de violence contre ceux qui m'insultent, tu verrais de quel bois je me chauffe!

Caille-Caille dut donc se faire une raison. D'ailleurs, je ne pouvais le laisser partir : ses écailles me seraient certainement très précieuses lors de notre dernière bataille contre Triple-Mort. J'étais en effet convaincu qu'il n'y aurait pas d'autre combat entre nous : nous serions débarrassés de lui ou nous péririons de sa main.

Dans l'attente de cette ultime confrontation, nous dûmes prendre notre mal en patience. Mon père donna régulièrement à ses geôliers des gages de son activité, leur laissant imaginer qu'il se consacrait jour et nuit à la production de l'élixir convoité par l'empereur. Il lui concocta ainsi diverses potions revigorantes à base de plantes aromatiques et de houblon. La manœuvre se révéla efficace car le patient fit savoir par ses serviteurs que cette médication lui était d'un grand réconfort.

En ce qui me concernait, ma colère s'était un peu apaisée ; c'était à croire que je m'habituais à la présence de mon père. Cependant, même si je mettais de côté le différend qui nous opposait, je continuais à le trouver parfaitement antipathique.

Nous n'avions pas non plus les mêmes valeurs. Même s'il avait donné naissance en se multipliant à d'odieux personnages, il conservait des idées et des manières tout droit tirées de la plus abjecte chevalerie. L'honneur, la loyauté, la veuve et l'orphelin, bla-bla-bla… Toutes ces notions m'étaient étrangères et ne faisaient que creuser le fossé qui nous séparait.

Sans doute finit-il par s'en apercevoir et par être désappointé. Il lui était plus difficile de venir à bout de son fils que de ces créatures sanguinaires dont il avait si souvent triomphé dans son jeune temps. Mais il ne s'avoua pas battu. Il avait encore à sa disposition un atout majeur dont il choisit de se servir.

Sans risque de se tromper, il savait que, s'il me proposait d'apprendre un tour aussi fabuleux que le procédé de multiplication, je succomberais à ma curiosité naturelle. Il ne se priva donc point d'utiliser contre moi cette botte secrète et, comme il l'avait prévu, j'acceptai sa proposition. Ainsi, une nuit, alors que Mange-Burnasse et Lani étaient profondément endormis, me présenta-t-il dans le moindre détail la méthode qu'il convenait de suivre.

Dans ce processus, le Miroir du Sourire éternel n'intervenait qu'au tout début, pour amorcer les premières reproductions. Par la suite, on pouvait tout à fait s'en passer. Aussi, un peu sur le tard, mon père avait-il pu le transmettre à ma mère.

Pour quelle raison? Ce point m'échappait. Peut-être pour se faire pardonner, parce qu'il se sentait une dette envers Valkiria…

Naturellement, il ne put s'interdire d'accompagner sa démonstration d'une pénible leçon de morale.

— Tu le sais déjà mais je me permets de te le rappeler : tu ne peux avoir indéfiniment recours à cette formule magique. Avec elle, tu pourras au plus produire cent incarnations de ta personne. Il convient donc de l'utiliser à bon escient !

— Je n'ignore rien de tout cela. Cependant, j'espère que vous n'êtes pas naïf au point de croire que j'emploierai au service du Bien le don que vous venez de me divulguer. Cela serait mal me connaître !

— Il est exact que je ne sais pas grand-chose de toi. Qui plus est, ta personnalité n'est pas des plus simples à cerner. Néanmoins, je ne suis pas inquiet. J'irais même jusqu'à dire que je te fais confiance. Je ne serais pas surpris si tu venais à recourir à ce procédé plus vite que tu ne le penses et pour une juste cause.

– On a le droit de rêver !

Même si je n'étais pas un de ces gamins qui se laissent corrompre pour un cadeau, les confidences de mon père adoucirent sensiblement ma mauvaise humeur. Je commençais peu à peu à le regarder d'un autre œil. Nous étions irréductiblement différents mais je ne pouvais non plus me cacher que, par certains aspects, l'homme était… intéressant.

Bien qu'il m'en coûtât de l'admettre, je lui étais reconnaissant de m'avoir transmis son savoir et de m'avoir fourni une arme aussi formidable… Pensez donc : pouvoir disposer à tout moment de cent Wilmuth prêts à m'obéir au doigt et à l'œil ! J'aurais presque tué père et mère pour aboutir à ce résultat !

Deux à trois jours passèrent ; nos ennemis ne daignaient toujours pas se présenter. De fait, le laboratoire finit par me paraître une détestable prison. Même les pitreries de Caille-Caille, les tentatives d'approche de Lani ou les plaisanteries un peu grasses de Mange-Burnasse ne me distrayaient pas de mon ennui.

Le Seul, lui, restait imperturbable. Ne manquant jamais une occasion de me faire la leçon, il m'incitait à la patience, arguant qu'il ne servait à rien de piaffer.

– Il viendra, c'est certain. Je le connais comme si je l'avais fait. Si nous conservons le contrôle de nos nerfs et nous serrons les coudes, nous serons en position de force pour le recevoir comme il le mérite.

– Vous me paraissez bien confiant ! Vous semblez

avoir oublié combien Triple-Mort est puissant. Il a déjà tué l'une de vos copics – pas la meilleure j'en conviens – et il pourrait tout aussi bien se débarrasser de l'original.

– Ce n'est pas à exclure mais je n'ai pas peur de la mort. Et puis, maintenant, tu es là pour veiller sur mes arrières.

– Est-ce bien raisonnable de vous fier ainsi à moi?

– Je me fiche de savoir si c'est raisonnable; j'ai décidé que je te ferais confiance et je n'en démordrai pas!

Voilà une réplique qui était tout à fait dans ma manière! Je dois concéder que, pour une fois, sa façon de voir me plut.

La situation évolua du tout au tout quand, un matin, un serviteur toqua à la porte du laboratoire, affirmant que, sur l'ordre de Charlemagne, il apportait au vénérable savant quelques bonnes bouteilles tirées des caves impériales. Le Seul s'étonna aussitôt de cette annonce, lui qui avait pour principe de rester sobre en toutes circonstances. Sans ouvrir la porte, il décida donc de soumettre à un interrogatoire ce livreur inattendu.

– Êtes-vous certain de ne pas vous tromper? Je n'ai rien demandé de tel et il n'est pas dans mes habitudes de m'enivrer dès l'aube.

– Sire, c'est l'empereur lui-même qui a songé que ces bouteilles pourraient vous donner du cœur à l'ouvrage. Depuis des semaines, vous travaillez sans discontinuer et il vous en sait gré. Cependant, personne ne survivrait longtemps au régime que vous vous imposez. Vous frôlez le surmenage!

– Qu'en sais-tu, insolent? Rustaud, canaille, crétin sans cervelle, je te ferai passer le goût des familiarités!

– Son Excellence a raison* : j'ai parlé un peu vite et lui présente mes excuses les plus plates**. Sa Grâce est-elle désormais disposée à m'ouvrir sa porte*** ?

Une telle avalanche d'astérisques était évidemment signée et nous n'avions plus aucun doute sur qui se tenait dans le couloir. Mange-Burnasse ne pouvait tout à fait réprimer ses ricanements tant Fouinard, que les insultes de mon père avaient piqué au vif, s'était sottement trahi. Nous l'avions connu moins nigaud !

Quelqu'un, derrière la porte, devait se faire les mêmes réflexions car nous entendîmes, largement étouffé, un bref conciliabule au cours duquel Fouinard se vit vertement réprimandé. Puis on estima que la leçon avait assez duré et, d'une simple pichenette, on défonça la porte.

L'instant d'après, Triple-Mort, flanqué de l'inévitable Fouinard, pénétrait dans les lieux, comme s'il en était déjà le maître. Comme à son habitude, il avait déjà du sang sur les mains : sans doute celui des gardes qui avaient eu le malheur de croiser sa route.

Je reconnus immédiatement à sa ceinture le miroir dont il m'avait dépossédé à Rome. N'écoutant que mon instinct, je me précipitai à sa rencontre, bien décidé à recouvrer mon bien.

– Non, Wilmuth !

C'était la voix de la raison qui, par l'entremise de mon père, s'exprimait ainsi : on ne pouvait décemment s'attaquer à Triple-Mort sans aucune préparation. Je ne tardai d'ailleurs pas à en faire l'amère expérience. Le Maître me projeta aussitôt avec une violence inouïe

---

* Pour quelques secondes encore…

** Et les plus hypocrites !

*** Qu'on en finisse une bonne fois pour toutes !

parmi la forêt d'alambics et d'éprouvettes qui constituaient l'ordinaire du laboratoire.

– Décidément, le Seul, tu n'as pas su éduquer mieux que moi cet horrible mioche. Je me suis acharné sur lui pendant près de cinquante ans et il ignore encore jusqu'aux rudiments du combat. Cet enfant est désespérant ! Mais je me doutais qu'en quelques jours, tu ne pourrais pas faire de miracles…

– Silence ! Je te ferai payer ce geste ! Et tout le reste avec ! Tous les crimes que tu as commis, le mal que tu as fait à notre famille !

– C'est que tu serais presque touchant, mon vieux ! Voilà que monsieur, qui a lâchement abandonné femme et enfant, se pose aujourd'hui en défenseur des siens ! Wilmuth, j'espère que, malgré tes blessures, tu apprécies ce revirement ! Quelle hypocrisie, quel aplomb ! Bravo !

Encore sous le choc, je n'étais pas tout à fait à même de saisir l'acidité de ces échanges. Par chance, les blessures que l'on venait de m'infliger étaient moins graves que je ne l'avais d'abord redouté. Quelques pointes de verre s'étaient, certes, fichées dans mon dos mais je parvins à les extraire sans trop de dommages.

Triple-Mort poursuivit sur le même ton.

– Allons, le Seul, je n'ai pas de temps à perdre avec tes histoires de famille. Tu as en ta possession un secret que tu ferais bien de me confier sans opposer de résistance. Sinon… Sinon, je vous tuerai tous jusqu'au dernier et je prolongerais vos souffrances jusqu'à ce que vous m'imploriez de vous achever !

– Comme toutes ces menaces sont banales ! Et tu crois m'impressionner ! Tu es resté trop longtemps à t'encroûter dans ton école minable ! Tu es dépassé, Triple-Mort, et pathétique !

– Tu me trouveras sans doute moins démodé quand j'enfoncerai mes griffes dans ton ventre et que je t'obligerai à manger tes sales boyaux ! Je peux t'assurer que tu avoueras tout ce que tu sais.

– Peuh ! Renonce plutôt à ta stupide quête. Si tu me faisais ce serment, je me souviendrais que nous avons été amis autrefois et te laisserais partir en paix.

– Épargne-moi ta grandeur d'âme ! Il est trop tard : s'il y a jamais eu un moment où tu aurais pu te montrer généreux avec moi, c'était il y a plus de soixante ans, quand j'étais rongé par le Mal et que j'en souffrais atrocement. Mais, obéissant à tes maîtres, tu n'avais d'autre projet que de me livrer pieds et poings liés à mes tourmenteurs ! Non, pas de réconciliation, pas de négociation : mort, mort et mort !

Le regard de Triple-Mort, dévoré comme jamais par la haine, semblait s'animer de flammes aussi rouges que le sang. Son corps s'agitait en tous sens et se tordait de rage, comme le font les fous et ceux qui vont bientôt mourir de fièvres. De toute ma vie, je n'avais jamais croisé autant de déraison et de désespoir.

Je me redressai, remis la main sur Caille-Caille et, ni une ni deux, l'avalai d'un coup. Je reconnus aussitôt le contact rassurant de ma bonne vieille carapace. Puis je rejoignis Lani et Mange-Burnasse qui brandissaient déjà leurs armes : poignards et sarbacane pour la première ; sabre et explosifs pour le second. Mon père se mit à son tour sur la même ligne que nous : même si je ne pouvais réprimer un certain étonnement à cette idée, nous allions nous battre côte à côte. Pour l'occasion, il avait sorti de son fourreau sa vieille épée : une lame magnifique et si longue que, par comparaison, la compagne de Roland, la fameuse Durandal, passait pour un jouet inoffensif.

Triple-Mort poussa alors un cri horrible dans lequel on ne pouvait rien reconnaître d'humain. Si quelqu'un dans les couloirs du palais ignorait la présence d'un monstre dans la place, il en était à présent averti.

L'instant d'après, le Maître déploya les longues lianes assassines dont nous avions fait l'expérience quelques semaines auparavant à Rome, mais celles-ci étaient plus nombreuses que jamais : désormais, c'était une véritable forêt, compacte et dense. Un ordre et elle bondirait sur nous pour nous étrangler et nous étouffer, plus sûrement et plus froidement qu'une centaine de pythons. À ma grande surprise, je vis que cette perspective n'effrayait point Mange-Burnasse. Au contraire, un sourire malicieux illuminait la face de mon ami, comme si tout cela n'était qu'une plaisanterie sans conséquence.

– Excuse-moi de te le dire mais je te trouve étonnamment de bonne humeur !

– Attends un instant et tu vas comprendre pourquoi !

Délaissant ses bombinettes artisanales, Mange-Burnasse se saisit d'une grande gourde qu'il portait à l'épaule et, sans s'expliquer davantage, en projeta le contenu sur l'enchevêtrement de lierre grimpant que Triple-Mort nous destinait. L'effet ne se fit pas attendre : on eut dit que l'on avait versé sur notre ennemi un acide surpuissant qui lui arrachait de longs lambeaux de feuilles et d'écorce. Au moindre contact avec ce terrifiant liquide, tiges et rameaux se dissolvaient dans d'épais nuages d'une vapeur blanchâtre et âcre.

– Quelle nouvelle arme as-tu donc mise au point ?

– En réalité, il s'agit d'une invention que j'ai conçue il y a déjà quelques mois et que j'ai simplement un peu améliorée. Tu te rappelles mes grandes conversations avec le père de Lani à propos de ses plantations et de la meilleure façon de les protéger de la maladie ou des parasites…

– Je m'en souviens vaguement. Je crois que tu avais parlé de quelque chose comme du « désherbant » il me semble…

– Tout juste !

– Ne me dis pas que tu as reconverti cette recette de jardinier en une arme qui va être fatale au Maître…

– Parfaitement ! C'est pourtant évident quand on y réfléchit. Triple-Mort est en grande partie végétal et l'on peut même affirmer qu'une telle créature n'est rien d'autre que de la mauvaise herbe. Dès lors, je pouvais supposer sans me tromper que mon produit aurait sur lui les effets les plus néfastes…

À présent, Triple-Mort se consumait sous les morsures dudit produit. De mon côté, je jouissais du spectacle avec jubilation.

Fouinard, quant à lui, considérait avec consternation son maître en proie à de poignantes convulsions. Celui qu'il admirait et avait craint comme le pire des fléaux était en passe d'être vaincu par quelques gouttes d'acide. Déjà, il cherchait à se ménager une rapide sortie vers de lointains horizons.

Toutefois, quelqu'un parmi nous ne partageait pas notre enthousiasme et se refusait à crier victoire. Mon père demeurait silencieux, les sens aux aguets, comme si le danger subsistait encore. Quand je fis un pas en direction de Triple-Mort, histoire de mieux profiter de son agonie, le Seul me retint violemment par le col.

– Malheureux, tiens-toi à l'écart ou tu t'en mordras les doigts !

– À quoi bon ? Dans quelques instants, il ne sera plus qu'un amas d'ordures et de feuilles mortes.

– Ne te montre pas aussi affirmatif. Ne relâche pas ta vigilance et ne sous-estime jamais tes adversaires.

– Encore vos leçons !

C'est alors que Triple-Mort, par une métamorphose que nous n'attendions plus de lui, s'empressa de donner raison à mon père. Alors que je l'imaginais déjà rabougri, il se redressa brusquement et entama une sarabande qui m'aurait paru risible si elle n'avait abouti à la naissance d'un nouveau monstre.

De son corps, comme une démoniaque éclosion, jaillirent en effet cent faces grimaçantes, cent cris de vengeance, cent têtes toutes emplies de la seule envie de tuer. Mon père n'eut guère de mal à reconnaître dans la créature qui venait de surgir une lointaine cousine de celle que l'Unique lui avait autrefois décrite. L'hydre que le chevalier avait vaincue dans ses jeunes années venait de réapparaître : tout aussi sournoise et increvable, avec le même désir animal de mordre et, au fond de la gueule, des canines aussi tranchantes que dans la légende et le même poison aigre que jadis.

Au fil de cette métamorphose, l'hôte du séminaire Inferno avait acquis une puissance comme je ne lui en avais jamais connu et développé une époustouflante souplesse. Chacune de ses nouvelles têtes s'articulait désormais sur un cou aussi extensible qu'un élastique et, à l'image des reptiles les plus vifs, elle pouvait fondre sur vous en un éclair.

Parmi cet entremêlement, on trouvait encore, comme un vestige du Triple-Mort ancienne manière, sa cruelle face d'origine et ses trois consœurs à tête de mort. Celles-ci nous toisaient maintenant avec un air de triomphe absolu.

– Vous étiez bien sots pour espérer me voir disparaître à si peu de frais ! Pensiez-vous vraiment que l'on puisse m'exterminer sans davantage de dommages ? Comme vous êtes naïfs !

J'étais prêt à lui accorder ce point, quand mon attention fut attirée par un vaste remue-ménage à l'entrée du laboratoire.

Les hurlements de Triple-Mort avaient produit leur petit effet dans l'enceinte du palais. L'empereur lui-même avait pris la tête d'une vingtaine d'hommes et, n'écoutant que son courage ou, plus sûrement, cédant à la bêtise, il avait décidé de se lancer dans une tournée d'inspection.

L'arrivée de ces invités de dernière minute ne fit qu'ajouter à la confusion. Bien sûr, les soldats de Charlemagne comprirent immédiatement qu'ils étaient de trop. Pendant un temps, ils crurent même pouvoir s'éclipser à l'amiable. Il n'en fut rien.

Triple-Mort ne tarda pas à saisir l'avantage qu'il pourrait tirer de cette situation. L'homme dont il souhaitait ardemment la mort, l'empereur en personne, se présentait à lui, comme sur un plateau. À voir son sourire, je ne fus pas long à deviner qu'il tâcherait de me contraindre, par un moyen ou par un autre, à tuer Charlemagne. Or le procédé le plus sûr pour m'amener à ce meurtre consistait à s'emparer d'une personne à laquelle je tenais et à me proposer sa vie contre celle du souverain.

Triple-Mort aboutit à cette conclusion presque aussi rapidement que moi et ordonna à Fouinard, épaulé d'une bonne moitié de ses têtes, de se mettre tout de suite en chasse de Lani. Dans le même mouvement, il s'empara de Charlemagne qui, tétanisé par la stupeur, se tenait bêtement là. Les soldats de sa garde, quant à eux, connurent tous le même sort : on les débita en tranches aussi méthodiquement que l'eut fait le plus expérimenté des charcutiers.

Ce fut sur ces bonnes bases que le combat s'engagea.

Je ne sais toujours pas précisément pourquoi : lorsque je me ruai à l'assaut, le Seul sur mes talons, un sourire illumina ma face d'habitude si morne. Sans doute avais-je acquis cette certitude : que je périsse sous ses coups ou qu'il succombe sous les miens, je serai bientôt débarrassé de Triple-Mort ! Je crois que, sur le moment, j'en ai braillé de joie :

– Taïaut, massacre et mornecul ! Taillons et découpons l'infâme pantin, épluchons l'épouvantable légume !

Triple-Mort tenta d'abord de s'opposer à notre attaque en nous refaisant le coup du sort d'immobilité mais c'était sans compter sur la science de mon père qui, du tac au tac, rétorqua par un contre-sortilège. Le Maître esquissa alors une bonne cinquantaine de grimaces mais il fut encore plus désappointé quand je lui tranchais d'un seul coup d'écailles bien placé quatre de ses têtes en perpétuel mouvement. Le spectacle de ces faces roulant sur le sol, se déformant sous la douleur puis se figeant dans une dernière convulsion me fit chaud au cœur, mais je dus bientôt faire, moi aussi, l'expérience de la déception : aux quatre encolures que je venais de frapper, quatre nouvelles têtes avaient déjà repoussé. Triple-Mort nous rappelait à sa manière l'intéressante particularité des hydres.

Il ne tarda pas à me faire payer mon insolence et me balaya comme un fétu de paille, m'envoyant à nouveau m'écraser au fond du laboratoire. Cependant, cette fois, Caille-Caille était là pour me protéger. Le temps de me relever et je pus me précipiter une fois encore vers mon ennemi, lui couper cinq ou six têtes et me faire aussi sèchement jeter à terre. Bien sûr, je me remis aussitôt sur mes pieds et un nouveau cycle put recommencer.

Pour sa part, mon père se montrait plus habile. À dire vrai, il parvenait à éviter avec une adresse incroyable tous les coups que tentait de lui porter son adversaire et lui répondait par des bottes plus vicieuses encore, extirpant ici un œil d'une orbite, là une langue toute suintante de venin. L'homme me prouvait à chaque instant que je n'étais pas le fils d'un incapable ! Toutefois, Triple-Mort n'était pas un adversaire que l'on pouvait torturer sans en supporter tôt ou tard les conséquences. Ainsi, le Seul dut-il payer de sa personne et abandonner aux morsures de son ennemi quelques lambeaux de peau. Mais, en vérité, cela ne me dérangeait pas plus que ça d'assister à ses souffrances. En revanche, le sort de Lani et de Mange-Burnasse m'était beaucoup moins indifférent.

Ils avaient, eux aussi, fort à faire. Lâchement réfugié derrière le corps de son maître, Fouinard leur menait la vie dure, faisant pleuvoir sur eux toutes sortes de projectiles. Et, dans ce domaine, il ne manquait ni d'imagination, ni de matériel. Tout était bon pour faire mal et, parfois, ce lâche parvenait à ses fins. Il me fallait donc voir le sang de mes amis couler et la chose m'était insupportable.

Pendant ce temps, Charlemagne, toujours prisonnier des tentacules de Triple-Mort, avait fini par perdre toute dignité. Il s'époumonait comme un beau diable, implorant en vain l'aide de ses fidèles soldats. Pour l'homme le plus puissant de son temps, il me faisait une bien piètre impression.

Le combat dura plus d'une heure sur ce mode

indécis. Nous attaquions, faisions quelques dégâts et, sans que cela ne parvînt à nous décourager, étions repoussés.

Cependant, il ne m'échappait pas que les forces de mes camarades déclinaient peu à peu. Les morsures de l'hydre, son venin, les bonds incessants qu'il fallait accomplir pour se maintenir en vie : tout cela était usant.

Je ne pouvais tolérer que mes amis périssent pour moi et je devais donc l'empêcher. Or mon petit arsenal personnel s'était récemment enrichi, grâce à mon père, d'une nouvelle arme qui, j'en étais certain, ferait merveille. Aussi décidai-je de mettre un terme à cette trop longue plaisanterie.

Tout d'abord, il me fallut récupérer les objets de la multiplication, qui se trouvaient toujours en possession de Triple-Mort. Je pouvais notamment discerner mon miroir au beau milieu des têtes qui venaient de pousser au Maître. Le récupérer me demanda du temps, beaucoup d'efforts et, je crois, un bon litre de mon sang. Tromper l'attention d'une centaine de regards braqués sur vous n'est en effet pas chose facile. Là encore, les tours de Mange-Burnasse me furent des plus utiles : il projeta aux visages de Triple-Mort l'une de ses bombes fumigènes qui libéra instantanément un brouillard dense. Ainsi dissimulé, je pus m'approcher sans être vu, jusqu'à me trouver à quelques centimètres de mon ennemi. Le temps de lui infliger une profonde entaille et tous mes biens m'appartenaient de nouveau !

L'instant d'après, par un procédé que je m'acharnerai toujours à vous dissimuler, je donnai naissance à 99 incarnations de ma personne. Et, par ce prompt renfort, je me vis donc 100 en attaquant Triple-Mort !

Naturellement, dans le lot, se glissèrent quelques

imperfections. Parmi les 99 Wilmuth qui venaient de nous rejoindre, se trouvaient en effet de grands benêts au regard gentil et à la dégoûtante douceur. Deux ou trois eurent même la mauvaise idée de m'appeler «Papa». D'autres avaient, certes, l'air bestial mais, si l'on fouillait un peu, on constatait rapidement qu'ils étaient plus abrutis que le dernier des ivrognes et qu'on ne pouvait rien en attendre de bon. Heureusement, je finis par repérer dans la troupe plusieurs imitations assez fidèles du Wilmuth original qui m'impressionnèrent très favorablement.

Mon père, dès qu'il avait compris mes intentions, avait cherché à me dissuader.

– Wilmuth, arrête, malheureux! Tu es en train de dilapider toutes tes possibilités de te multiplier! Quel gâchis!

– Croyez-vous que j'aie vraiment le choix? Si nous voulons remporter cette bataille, nous avons besoin de troupes fraîches. Mes amis sont à bout et, d'un moment à l'autre, ils pourraient recevoir un coup fatal…

– Tu le regretteras…

– Tant pis! Quand on aime, on ne compte pas!

Dans l'ivresse de la bataille, j'en arrivais à dire de ces choses!

Mon père accepta bon gré mal gré mon choix et s'efforça de contenir de son mieux les assauts déchaînés de Triple-Mort tandis que je donnais à mes doubles d'ultimes consignes.

– Écoutez-moi bien, bande de Wilmuth, je compte sur vous pour vous battre avec furie et me faire honneur! Il n'y a pas de place pour les lâches dans la famille : c'est bien compris?

– Euh…

– Faut-il vraiment que j'en étripe un ou deux pour l'exemple ?

– Non, chef !

– Je préfère ça. Vous voyez l'affreux qui s'agite avec ces dizaines de tentacules autour de lui...

– Pour sûr, nous le voyons !

– Eh bien, vous allez le voir d'encore plus près ! Comme vous pouvez le constater, l'énergumène est doté de cent têtes toutes aussi redoutables les unes que les autres. Or on ne peut venir à bout de cette créature que si l'on réussit à trancher au même moment toutes ses horribles faces. C'est là que vous intervenez...

– Ah bon ?

– Oui, bougres d'ânes ! Je vais confier à chacun de vous une arme suffisamment aiguisée pour égorger l'ennemi le plus coriace : rien de moins que l'une de mes écailles ! Vous m'en direz des nouvelles ! À mon signal, vous me ferez le plaisir de vous ruer sur cette chose et, avec cette écaille, de trancher l'une de ses nombreuses gorges...

– N'est-ce point un geste un peu trop compliqué pour certains d'entre nous ?

– Je ne veux pas le savoir ! Allez, du cran et du nerf ! Ne me décevez pas ! Je serai en première ligne et vous n'aurez qu'à faire comme moi.

Sur ces bonnes paroles, j'adressai à mes incarnations le signe qu'elles attendaient de moi et, tous ensemble, ayant choisi chacun la tête que nous devions supprimer, nous nous jetâmes sur notre adversaire.

Le combat ne tarda pas à se transformer en un effroyable chaos où se mêlaient et s'entre-déchiraient têtes ennemies et visages connus. Tous luttaient avec acharnement et ardeur. Tous étaient meurtris, estropiés ou mutilés mais tous infligeaient autour d'eux blessures profondes et lésions fatales.

Évidemment, Triple-Mort n'entendait pas se laisser trucider et se défendait avec plus de cruauté que jamais. Mais rien n'y faisait : il avait sous-estimé la force que nous assuraient notre nombre et la fidélité sans faille de mes doubles. Malgré les obstacles et la douleur, tous progressaient vaille que vaille vers l'objectif tant convoité : l'un des multiples visages du Maître, ces veines palpitantes qu'il fallait trancher.

Je percevais chez Triple-Mort les premiers signes d'inquiétude et de doute. Je l'entendais ainsi houspiller Fouinard avec véhémence, lui ordonnant de mieux l'épauler. C'était la preuve manifeste qu'il était tombé bien bas. Mais Fouinard dut bientôt prendre congé. En effet, Lani parvint enfin à s'approcher de cette vermine et, après lui avoir craché à la figure, lui plongea sa dague dans le cœur.

– Horreur, je meurs ! Je n'ai pourtant rien fait pour mériter ça* ! C'est trop injuste ! Je vous maudis tous autant que vous êtes** !

Si le sort de Fouinard était scellé, celui de Triple-Mort était lui aussi sur le point de l'être. À force d'obstination et de courage, mes doubles étaient à présent en vue de leur cible. À l'unisson, ils purent bientôt appliquer les cent mutilations qui devaient nous débarrasser du Maître. Avec application, cent lames pénétrèrent dans la chair maudite, coupant tendons et muscles, jusqu'à ce qu'entre la tête et le cou, il n'y eût plus que le vide ou de grands flots de sang.

---

* On m'a obligé !
** Aargh ! Ouille, ouille, ouille ! Couic !

Nul autre que moi n'était mieux indiqué pour donner le coup de grâce à celle des têtes de Triple-Mort que j'avais toujours détestée, celle qui, pendant des décennies, m'avait accablé de mépris et d'insultes. J'avais sacrifié pour ce moment 99 répliques de ma personne mais je ne le regrettais pas.

– Maître, nous allons devoir nous séparer. Ne m'en voulez pas si je vous tue. Je vous ai toujours haï et, comme vous me l'avez vous-même appris, il ne faut jamais laisser la vie sauve à ceux que l'on déteste. Je ne fais que suivre vos leçons. Reconnaissez que j'ai été à bonne école !

– Fais ce que tu as à faire et épargne-moi tes remarques ! Finissons-en ! Cette vie ne m'a déjà que trop pesé. Une seule chose me tourmente pourtant : savoir qu'après moi, il y aura encore des gens pour rire et être heureux. Dire que, si je m'y étais mieux pris, j'aurais rempli ce monde de tristesse et de larmes !

Pour un peu, Triple-Mort m'aurait donné des remords, mais je me repris et, imitant mes 99 compagnons, tranchai la centième de ses têtes. Aussitôt, le corps de l'hydre fut parcouru de spasmes d'une violence extrême. Charlemagne, qui était jusqu'alors resté prisonnier, vit comme par miracle s'ouvrir le tentacule qui l'enserrait. Une fois au sol, il déguerpit de la plus rapide des façons. Bah, il pouvait aller au diable !

Cependant, la dépouille de Triple-Mort ne semblait pas vouloir trouver de repos mais continuait de s'agiter et de se débattre. Tout cela ne me disait rien qui vaille. Je m'écartai d'un bond, me précipitai sur Lani et Mange-Burnasse, exsangues mais heureux, et, coupant court à leurs félicitations, les emmenai au fond du laboratoire où, accompagnés de mon père, nous pûmes nous mettre à l'abri juste avant l'explosion. Car il y eut une immense déflagration qui continua de me vriller les tympans longtemps après ce jour décisif. Une odeur pestilentielle, tandis que les entrailles de Triple-Mort se dispersaient. Partout, des traînées rouges et vertes : le sang mêlé à la sève et aux débris végétaux.

Sous le souffle, les murs qui nous entouraient volèrent en éclats et le plafond au-dessus de nos têtes ne fut plus qu'un souvenir. Un épais nuage de poussière s'abattit sur nous. Ainsi, pendant de longues minutes, nous ne pûmes voir à plus d'un mètre et nous parvînmes à peine à nous entendre. Si je sus que Lani et Mange-Burnasse avaient survécu, ce fut uniquement parce qu'ils m'embrassèrent chaleureusement et que, pour une fois, je me laissai faire.

Nous avions vaincu le Maître : nous étions vengés et j'exultais. Néanmoins, j'avais dû payer dans cette affaire le prix fort. Quand le nuage se dissipa, je pus en effet entrevoir un bien triste spectacle : tous mes doubles n'avaient profité de la vie que pendant un court instant ; tous avaient péri lors de l'explosion qui avait suivi la fin du combat. Je les avais à peine connus mais, à les découvrir ainsi inanimés autour de moi, j'éprouvais un étrange chagrin : il n'est guère agréable de se voir mourir 99 fois !

Toutefois, je ne tardai pas à me rappeler l'essentiel : la version originale de Wilmuth était saine et sauve (mais un rien fatiguée). Cela suffisait à mon bonheur.

Lorsque je me tournai vers mon père pour lui faire part de ma joie, je remarquai à ma grande surprise qu'il avait les larmes aux yeux. Cette réaction, inattendue en ce moment de victoire, ne manqua pas de me désarçonner.

– Qu'avez-vous ? Vous me paraissez contrarié.

– J'ai perdu un ami. Certes, je l'avais perdu depuis longtemps mais je ne pouvais m'empêcher de songer qu'un jour, il se repentirait peut-être…

– Ah, vous n'en manquez pas une ! Vous pensiez réellement que Triple-Mort finirait par avoir une révélation et qu'il se rachèterait une conduite ?

– Oui. Tu peux trouver cela idiot mais, quand on tient à ses amis, on est prêt à espérer l'impossible pour eux. J'aimerais tant qu'il ne soit pas mort.

– Eh bien, moi, ça me va très bien comme ça !

Avec un vague rictus d'agacement, le Seul se dirigea vers mes camarades afin d'examiner leurs blessures. Ils étaient mal en point et je lui sus gré de prendre soin d'eux. Il leur fit des pansements de fortune puis, à tous, nous distribua des fioles emplies d'un contrepoison qu'il avait préparé pendant les quelques jours précédant la réapparition du Maître.

– Nul mieux que moi ne connaît les effets du venin qui coulait dans les veines de Triple-Mort. Aussi ne saurais-je trop vous conseiller de prendre matin, midi et soir une gorgée de cet élixir. Ce traitement vous épargnera bien des malheurs et vous évitera de vous transformer à votre tour en une hydre repoussante.

Mange-Burnasse accueillit cette attention comme il se devait.

– Merci, monsieur. Je suivrai scrupuleusement vos prescriptions. Ma tête est des plus vilaines et je n'en veux pas d'autres du même genre !

Pour ma part, je m'adressai à Lani qui restait silencieuse. Je m'inquiétais un peu pour elle.

– Comment allez-vous, Lani ?

– Comment voulez-vous que je me porte ? Je saigne de partout, j'ai des plaies à ne plus savoir qu'en faire, je ne suis pas certaine d'avoir encore toutes mes dents mais, sinon, je suis heureuse! Bien sûr que je vais bien, abruti!

Soulagé de la voir fidèle à elle-même, je revins sur le champ de bataille et me mis à la recherche du miroir que ma mère m'avait transmis autrefois. Avait-il résisté à l'explosion? Alors que je ne me faisais guère d'illusions, j'eus la surprise de le découvrir en parfait état, à peine dissimulé sous une fine couche de gravats. De la même façon, tous les objets qui constituaient mon héritage demeuraient intacts sur le sol.

Pour une fois, le sourire qui éclaira mon visage tandis que je caressais le miroir ne fut pas artificiel. L'un des rares liens qui m'attachaient encore à Valkiria n'avait pas été rompu!

Un peu plus tard, je retrouvai tout aussi miraculeusement préservé l'autre miroir, celui qui faisait naître sur les visages rictus et grimaces. Par un navrant réflexe, je fis part de ma découverte à mon père. Celui-ci m'arracha immédiatement l'objet des mains, le projeta à terre et lui décocha de vigoureux coups de talon.

– Voilà tout ce que mérite cet objet malfaisant! Le monde ne s'en portera que mieux lorsqu'il aura été réduit en miettes!

Mais, lorsqu'il eut fini de sottement passer ses nerfs sur le miroir, il put constater que celui-ci n'avait point souffert des coups qu'il lui avait donnés. L'objet ne portait pas une éraflure et semblait le défier avec plus d'insolence que jamais. J'en riais sous cape. Ce fut ce moment que Mange-Burnasse, à qui l'on n'avait rien demandé, choisit pour proposer ses services :

– Monsieur le Seul, je crois comprendre que vous cherchez à tout prix à venir à bout de ce miroir.

– C'est exact, mon garçon. Mais, pour une raison

qui m'échappe, cette horrible chose demeure indestructible.

– Je pense avoir la solution à vos problèmes. Vous verrez : ce ne sera qu'un jeu d'enfants... Wilmuth, veux-tu bien me remettre ton miroir ?

Sans me douter de ce qu'il avait réellement en tête, je tendis celui-ci à Mange-Burnasse. Mon ami se contenta alors de placer les deux objets l'un en face de l'autre et le désastre qu'il fomentait put se produire. Les deux miroirs aux effets si diamétralement opposés ne supportèrent pas davantage de se trouver ainsi confrontés. Des grimaces et des sourires, nul ne sortit vainqueur : les deux glaces se brisèrent simultanément et, s'abattant sur le sol du laboratoire, se transformèrent en un insignifiant tas de cendres. Devant un tel méfait, je perdis mon sang-froid !

– Quel scandale, quelle perte ! C'est criminel !

J'étais outré. Je n'en revenais pas que l'on eût réduit à néant avec autant de légèreté deux joyaux de cette valeur ! Comment mon ami avait-il pu me faire une chose pareille ?

– Excuse-moi, Wilmuth, mais ces deux objets étaient trop dangereux pour qu'on en tolère plus longtemps l'existence ! Je sais que tu étais extrêmement attaché à ton héritage mais c'est le sort du monde qui en dépendait.

Naturellement, mon père était du même avis et estimait lui aussi que l'on n'aurait pu rêver meilleur dénouement... Cependant, je dus taire mon indignation : Charlemagne, que j'avais commencé d'oublier, était déjà de retour. Il avait remis la main sur quelques bataillons de mercenaires fermement décidés à venger l'honneur de leur chef. Non seulement on avait usé de sa personne comme d'un hochet, mais on lui avait aussi détruit toute une aile de son palais fraîchement construit. Ces choses allaient se payer !

– Exterminez-moi tout ça ! Mais attention, qu'il ne soit fait aucun mal à mon médecin ! Il peut encore m'être utile : j'aurai grand besoin d'un petit remontant quand toute cette histoire sera terminée !

Ne nous accorderait-on jamais un instant de repos ? N'avions-nous pas mérité de souffler un peu ? Tous ces gens qui ne songeaient qu'à nous massacrer commençaient à me fatiguer !

Laissant échapper un soupir, je demandai à Mange-Burnasse de s'assurer du sort de Lani, tandis que mon père et moi tâcherions de retenir Charlemagne et ses soldats assez longtemps pour couvrir leur fuite. Cependant, Mange-Burnasse déclina cette proposition.

– Je préfère que ton père se charge de reconduire Lani vers la sortie. Pour ma part, j'entends te seconder dans cette dernière escarmouche.

– Allons, Mange-Burnasse, sois raisonnable, tu es épuisé et tu dois te reposer à présent.

– Ne t'inquiète pas pour moi : je n'ai rien contre ce petit supplément, bien au contraire. Il va me donner l'occasion de réaliser un vieux rêve.

Sans me laisser le temps d'esquisser le moindre geste, mon ami se précipita sur Charlemagne et, avant même que ses gardes pussent s'interposer, lui trancha juste sous le menton une belle longueur de barbe qu'il rangea aussitôt dans sa besace. En voilà un qui avait de la suite dans les idées !

Comme on l'imagine, l'empereur n'apprécia guère ce nouvel outrage et nous dûmes batailler ferme pour ne pas périr sous les coups de ses soldats. Pas à pas, marche après marche, couloir après couloir, nous nous frayâmes cependant un passage vers la sortie et pûmes rejoindre Lani et mon père. Ils nous attendaient avec des chevaux au point de rendez-vous dont nous avions convenu.

Les troupes impériales étant toujours à nos trousses, nous lançâmes immédiatement nos montures au grand galop et franchîmes à bride abattue les portes de la ville. Quelle journée! Ce n'était vraiment pas une vie!

UNE PETITE LETTRE DES FAMILLES

Nous quittâmes Aix-la-Chapelle sans demander notre reste et mîmes le cap sur Rome. Tout au long de cette fuite, nous dûmes régulièrement surveiller nos arrières, histoire de nous assurer que les troupes de Charlemagne n'avaient point retrouvé notre trace. J'en conviens : ce n'est guère glorieux. La chose m'était d'autant plus insupportable qu'il n'était pas dans mes habitudes de refuser le combat. Néanmoins, mes compagnons étaient dans un tel état qu'ils n'auraient pas survécu à une nouvelle bataille. Même Mange-Burnasse montrait d'inquiétants signes de faiblesse. Quelquefois, il était à ce point abruti de fatigue que, paupières closes, il en venait à se pencher sur sa monture jusqu'à menacer de tomber. Il me fallait alors m'approcher de lui et, par une tape amicale, le prévenir du danger.

Nous devions aussi nous arrêter plusieurs fois par jour afin de refaire nos bandages et nettoyer nos blessures. Dans l'urgence, je dus souvent me fendre de quelques points de suture sur les plaies qui striaient le corps meurtri de Lani et semblaient prendre un malin plaisir à se rouvrir. La jeune Romaine était trop épuisée pour exprimer le moindre remerciement mais, aux regards qu'elle m'adressait lorsque je maniais le long de ses mollets le fil, l'aiguille et le couteau, je devinais qu'elle m'était reconnaissante.

Elle était plus hideuse que jamais. Ses lèvres boursouflées, les ecchymoses le long de ses bras, les balafres sur son visage, les bleus et les entailles qui lui couraient dans le dos et sur le ventre achevaient de la rendre parfaitement affreuse. Elle n'en était pas moins aimable à mes yeux. Au contraire, à voir comme elle s'était battue et comme elle avait souffert pour moi, j'envisageais déjà avec tristesse le moment où il faudrait nous séparer. Car je savais que, lorsque nous serions revenus à Rome, je n'aurais de cesse de repartir à l'aventure. De la même façon que Lani était convaincue que sa place se trouvait dans les rues de sa cité, aux côtés des malheureux et des orphelins, je ne pouvais concevoir de mener une vie sédentaire, de renoncer aux mêlées furieuses, aux vilaines actions et à la violence gratuite. Si je m'obligeais à rester avec Lani, il me faudrait me plier à une existence pour laquelle je n'étais point fait et me transformer en quelqu'un qui n'aurait qu'un lointain rapport avec le véritable Wilmuth. Avouez que cela aurait été dommage !

J'avais pourtant conscience qu'en m'éloignant d'elle, je commettais peut-être la plus belle (ou la plus laide) erreur de ma vie. Mais j'ai toujours vécu ainsi et je n'en conçois aucun regret. Je me suis sans doute trompé plus souvent qu'à mon tour, mais je sais que je n'ai jamais eu tort d'agir de la sorte car c'est moi seul qui ai pris ce genre de décisions…

De son côté, mon père ne semblait pas trop atteint par notre récent combat. L'expérience de toute une vie l'avait sans doute protégé. Il en avait vu d'autres ! De toute façon, cela m'importait peu. Pour tout dire, sa santé m'était presque indifférente. J'aurais échangé sans sourciller une année de sa vie contre un jour de celle de Lani ou de Mange-Burnasse.

Avec Caille-Caille, qui avait pour politique de ne jamais se taire, il était le seul d'entre nous à avoir le cœur à jacasser à longueur de journée. Peut-être voyait-il dans cet interminable bavardage une façon de rattraper le temps perdu. Il m'entretenait ainsi de divers sujets qui, pensait-il, pouvaient compléter mon éducation. Je l'écoutais d'une oreille distraite me parler des règles de la chevalerie, des mille façons de rester digne au milieu d'un massacre, des poètes latins, de la mathématique arabe, des méfaits de l'alcool, des vertus de la pratique sportive ou de la complexité sans limite de l'âme humaine.

Malheureusement, mon père s'autorisa aussi à évoquer l'art de bien choisir ses amis et se permit quelques commentaires déplaisants sur Mange-Burnasse. Ce fut d'ailleurs à cette occasion que je m'aperçus combien je détestais que l'on dise du mal de lui.

– Ce Mange-Burnasse est courageux et il sait se battre mais, reconnais-le, il manque de classe. Il n'y a qu'à voir la goinfrerie avec laquelle il s'empiffre. Et puis, qu'il est balourd ! Je ne crois pas qu'il soit capable de s'élever. Pire, je suis convaincu qu'il te tire vers le bas. Tu devrais te choisir de meilleures amitiés. Mais nous y mettrons bon ordre !

– De quel droit dénigrez-vous celui qui a supporté avec moi mille périls ? Celui qui donnerait sa vie pour moi…

– Allons, les amis, ça va, ça vient ! Je ne serais pas

surpris que ce Mange-Burnasse dont tu t'es entiché te quitte plus vite que tu ne le penses.

– Qui êtes-vous pour insulter mes camarades? Pensez-vous vraiment que, dans ce domaine, vous savez mieux vous y prendre que moi? Dois-je vous rappeler qu'il y a quelques heures, nous avons envoyé en enfer celui qui fut votre ami de jeunesse? Vous viendriez, après une vie remplie d'erreurs, m'accabler de vos recommandations? Ah non!

– Je ne veux que ton bien, mon garçon! Mais tu refuses de m'écouter. Tu n'éprouves pour moi que mépris et rancune. Pourtant, je pensais que le récit que je t'ai fait des circonstances de ta naissance t'aiderait à me comprendre. Malheureusement, tu préfères fermer ton cœur. Je ne dis pas que ma conduite a toujours été irréprochable. Cependant, ne va pas croire que les torts sont tous de mon côté. Ta mère, non plus, n'était pas une sainte!

– Sans blague! Vous croyez que vous me l'apprenez?

– J'aurais espéré que tu t'en serais aperçu tout seul mais il semble que je doive t'ouvrir les yeux: sache que ta mère ne t'a jamais aimé et n'a jamais conçu pour toi que du dégoût, du mépris et de la haine. Au mieux elle a supporté patiemment ta présence. Pour elle, tu n'étais rien. Si ce n'est un intrus, un parasite, un fardeau. Pire encore, le souvenir vivant d'une époque qui lui faisait horreur.

Si, à cet instant, Caille-Caille n'avait pas partagé sa monture avec Lani, si j'avais pu sentir sa présence sous ma peau, j'aurais commis le parricide dont je rêvais. Je l'aurais découpé en tranches, lacéré, écorché.

– Tout cela n'est qu'un tissu de mensonges! Vous divaguez! Jusqu'ici, je ne vous portais pas dans mon cœur mais j'avais un peu de respect pour vous. Mais, ce petit rien, vous l'avez désormais perdu !

– Comme d'habitude, tu parles à la légère. De mon côté, je ne m'avance pas sans preuves. Je puis te montrer sur-le-champ un document qui te clouera le bec !

– J'attends de voir ça ! Je suis curieux de découvrir ce que vous avez encore pu inventer pour discréditer Valkiria.

– En réalité, je n'ai rien eu à inventer : nul ne sait parler mieux de Valkiria que Valkiria elle-même…

Sur ce, il se pencha sur l'une des sacoches qui pendaient près de sa selle, l'ouvrit et en sortit une lettre sur laquelle je reconnus l'écriture de ma sorcière de mère. La dernière fois que j'avais parcouru des yeux un mot de sa main remontait à plus de cinquante ans : j'étais alors un orphelin de fraîche date et il s'agissait du message par lequel elle me léguait mon maigre héritage et me faisait part de ses dernières volontés.

Pas de doute : cette lettre était authentique. Même si un vague pressentiment m'avertit qu'une telle lecture ne pouvait rien me réserver de bon, je ne pus m'empêcher de m'y plonger.

Trois ans ! Trois ans que le mufle que vous êtes ne me donne aucune nouvelle ! Trois ans que vous m'avez abandonnée en me laissant un odieux billet sur un bout de table et un poids grandissant dans mes entrailles.

Sachez, à présent, que cette chose se prénomme Wilmuth. Si ce prénom, que portait l'un de mes abominables ancêtres, ne vous convient pas, peu m'importe. Il est trop tard pour en changer. D'ailleurs, vous avez, par votre fuite, renoncé à tous vos droits sur cet enfant...

Quand votre étrange ambassadeur s'est approché de ma maison, j'ai d'abord cru vous retrouver. Si cela avait été vous, je vous aurais pardonné et ouvert les bras mais vous ne m'avez mandé que l'une de vos imitations. Une copie ! Décidément, vous ne savez donner que dans la lâcheté, l'insulte et la bassesse !

À la vue de votre messager, j'ai compris que vous étiez parvenu à vous emparer du Miroir du Sourire éternel. Vous devez être sacrément fier mais ne comptez pas sur moi pour vous féliciter. De même, votre promesse de m'adresser ce miroir dès que vous n'en aurez plus l'usage ne me fait ni chaud ni froid.

Je dois toutefois admettre que, pour une première tentative, votre utilisation du procédé de multiplication est assez impressionnante. Certes, votre copie ressemble par moments à un méchant portrait de vous mais on discerne clairement la parenté qui vous lie.

Malgré cette ressemblance, je me suis abstenue de lui bondir à la gorge. Au contraire, je l'ai laissé repartir indemne de sorte qu'il pourra vous remettre cette lettre. Je crois qu'il en a été soulagé.

Je ne sais si cela vous intéresse d'avoir quelques nouvelles de notre enfant. C'est un miracle qu'il soit encore de ce monde, tant sa mère a souvent eu le désir de s'en débarrasser. Cette petite chose sans défense m'agace au plus haut point, notamment parce qu'elle a vos yeux. Pour me venger de vous, j'aurais volontiers supprimé cette vie mais il m'est resté, misère de misère, un peu d'instinct maternel.

Heureusement, Wilmuth ne tient pas que de son père. Quand, malgré ses cris et ses pleurs, je lui impose le bain, je décèle sous mes rugueuses caresses comme *la pointe d'une écaille. Or je crois me souvenir que ma mère m'a un jour entretenue de l'un de ses grands-oncles que l'on surnommait Tranchant et dont le corps était entièrement recouvert de ces lames effilées.*

J'ignore comment évoluera le caractère de notre fils. Je pressens qu'il n'en manquera pas et je me charge de le lui forger. Je ne lui épargne aucune épreuve, aucune privation. En particulier, je lui enseigne la méfiance : le soir, je le quitte sur un tendre baiser et, le matin suivant, je le réveille par une volée de gifles. Je le prépare à toujours rester sur ses gardes et à n'accorder sa confiance à personne. Il devrait ainsi passer toute son existence sans jamais aimer quiconque.

Vous apprendrez également que, peu de temps après votre départ, il m'a été donné de rencontrer celui que vous avez successivement appelé l'Unique puis Quatre-Faces. À présent, il a pour nom Triple-Mort, ce qui sied à merveille aux trois vilaines têtes que vous lui avez dessinées. Quand il s'est avancé en direction de ma chaumière, je n'ai pas tardé à le reconnaître. Vous m'en aviez déjà fait une description assez évocatrice. Les blessures que vous lui avez infligées paraissent cependant avoir accentué ses mauvais penchants. Je dois avouer qu'il impressionne. Chez lui, c'est la colère qui domine (et elle vous vise pour une bonne part) mais il m'a semblé aussi lire chez cet être difforme une grande tristesse. Je m'étonne qu'en dépit de toute l'amitié que vous lui vouiez, vous n'ayez jamais songé qu'il pût être la première victime de sa métamorphose.

Il était à votre recherche et je ne lui ai pas caché que vous étiez resté quelque temps chez moi.

Il songeait à se venger de vous et il a été très déçu de vous avoir manqué. Je crois que, de colère, il m'aurait envoyé plus vite que nécessaire aux enfers des sorcières. Croyez bien que je ne me suis pas laissée faire. Je lui ai aussitôt appliqué un sort d'immobilité devant lequel, malgré toute sa force et sa rage, il a dû abdiquer. Il a donc fini par revenir à une conduite plus sage.

Heureux ou malheureux hasard, c'est au même moment que j'ai été saisie de violentes contractions, celles-là qui devaient marquer le début de mes ennuis de mère...

Je crois que votre ancien compagnon d'armes aurait préféré se dérober et ne point m'assister dans cette douloureuse épreuve. Je ne lui ai pas laissé le choix. Ainsi est-il la première personne à avoir tenu notre fils entre ses mains. Bien sûr, Triple-Mort ne s'est pas attendri sur la petite créature gigotante et larmoyante qui venait de s'échapper de moi. En réalité, il était embarrassé et ne savait que faire. Il a fini par me consulter du regard et ma réponse ne s'est pas fait attendre : « Faites-en ce que bon vous semble ! Cet immonde moutard m'exaspère déjà ! »

Sans doute Triple-Mort a-t-il flairé la haine qui bouillait en moi. Peut-être est-ce ce pressentiment qui l'a dissuadé de mettre un terme rapide à ce début de vie. Peut-être a-t-il compris que la mère ferait souffrir l'enfant plus sûrement et plus longuement que lui.

L'affreux s'est donc contenté de déposer Wilmuth contre moi, alors même que ce seul contact me donnait la nausée. Puis il a pris congé. Avant qu'il ne disparaisse, je l'ai interrogé sur ses intentions à votre propos. À mon grand étonnement, il m'a annoncé qu'il cessait de vous poursuivre. Il ne voulait plus dépendre de vous. Or, à vous chasser, il vous était relié par une sorte de fil invisible qui lui ôtait toute véritable liberté de mouvement. Même loin de lui, vous étiez encore là à lui dicter sa conduite et à lui désigner les chemins qu'il devait emprunter.

Il m'a confié ses projets, qui étaient désormais tout autres. «J'ai eu vent d'une institution aussi ignoble qu'admirable. Elle a pour nom le séminaire Inferno. Malheureusement, cette maison a récemment été dirigée par des incapables, de sorte qu'elle végète dans un semi-oubli. Pourtant, sa mission devrait lui valoir respect, renommée et prospérité. Cette école d'un genre peu banal se propose en effet de former les futurs monstres de demain, l'élite du Mal. Un tel idéal ne peut se perdre et il faut un homme décidé pour relever cette diabolique université. Je serai celui-là et j'ai l'éternité devant moi pour y parvenir.»

Je ne l'ai pas découragé dans cette voie, mais j'étais déçue qu'il ne continue point à vous chercher querelle. J'aurais préféré le voir vous régler d'abord votre compte.

Avant de partir, Triple-Mort m'a laissée sur une ultime suggestion : «Si vous avez dans l'idée d'offrir à votre enfant la plus horrible instruction qui soit, n'hésitez pas à me le confier. Cela serait un habile moyen de vous venger de qui vous savez…»

Ce conseil n'est pas tombé dans l'oreille d'une sourde…

Quant à vous, ne cherchez pas à savoir où se trouve le séminaire Inferno. Vous vous épuiseriez en pure perte. Seules les plus méchantes natures peuvent l'apercevoir, tandis que les autres peuvent en frôler les parages sans jamais en soupçonner la présence.

Un dernier détail dont je n'ai eu connaissance que quelque temps après le départ de Triple-Mort : avant de partir, celui-ci a cru bon de déchirer la page de mon *grimoire sur laquelle se trouvait la formule de mon sortilège d'immobilité. Un tel comportement vous rappellera certainement quelque chose. Les hommes sont tous pareils !*

Je vous laisse. J'ai fort à faire. Être une mauvaise mère représente une occupation à plein temps ! Soyez assuré de mon plus profond mépris.

Celle qui aurait pu être votre Valkiria

Cet éloquent courrier, tout droit sorti des archives paternelles, confirmait une intuition qui s'était éveillée depuis longtemps en moi : sans doute n'avais-je jamais été aimé de toute mon enfance.

Ne croyez pas que j'en fusse trop déçu : je ne suis pas ce genre de criminels qui avancent une enfance difficile pour réclamer des circonstances atténuantes. En outre, je ne suis pas certain d'avoir été avec ma mère un enfant malheureux. N'ayant jamais connu ce que l'on appelle le bonheur, je crains de n'avoir pas tout à fait saisi ce qui m'arrivait, quand l'auteure de mes jours glissait dans mes godillots une araignée venimeuse ou soignait avec du gros sel mes petites plaies de gamin. Et puis, je savais maintenant quelle était ma vraie famille. Elle n'était guère nombreuse mais comptait au moins Mange-Burnasse, Caille-Caille et peut-être même Lani. Pour moi, elle remplaçait avantageusement celle que les liens du sang auraient dû me donner.

Aussi le Seul dut-il renoncer à son triomphe. J'avais été éduqué par une méchante femme. Et alors ? Avec un père qui, dès le début, s'était comporté de manière indigne, elle formait un couple bien assorti !

– Eh bien, Wilmuth, qu'en penses-tu ?

– Rien. Je ne vois pas ce que cela change.

– Décidément, c'est à croire que tu es irrécupérable !

– Je prendrai ce mot pour un compliment…

– Vraiment, je ne te comprends pas !

– Je ne suis pourtant pas une nature compliquée. Je suis mauvais mais pas tout à fait antipathique, cruel mais pas totalement bestial. Je n'ai aucune morale mais il m'arrive de temps en temps de montrer quelques vertus. Je déteste tout le monde mais je fais des exceptions. J'aime le sang, les coups, la tripaille et la mort mais, parfois, je me plais à imaginer le goût des baisers de Lani. Alors, vous voyez, moi aussi, je sais être plusieurs à mes heures !

Mon père prit l'allusion sur le ton de la plaisanterie. Il n'était pas en colère et ne semblait pas m'en vouloir. J'avais le sentiment qu'il était toujours prêt à faire preuve avec moi d'une extrême patience, signe qu'il devait s'être attaché à ma personne. Pour l'heure, il ordonna à son cheval de s'écarter et prit sur notre groupe quelques mètres d'avance.

Je ne restai seul que quelques secondes car Lani vint bientôt ranger sa monture à côté de la mienne. Son regard, longtemps éteint sous l'effet de la fatigue, avait retrouvé sa vivacité habituelle et son aimable strabisme. La joie rayonnait sur sa face repoussante. Il ne faisait pas de doute qu'elle avait intercepté ma conversation avec le Seul. Cependant, elle n'avait point envie de parler mais plutôt de demeurer là, simplement heureuse d'être toujours en vie et d'avoir quelqu'un à qui sourire.

LE MALHEUR SI JE VEUX !

Notre voyage de retour se poursuivit sans anicroche. Je l'occupais de mon mieux en faisant de discrets détours pour me livrer à mes calamités habituelles. J'étais toutefois impatient de gagner Rome, d'y déposer Lani, de planter là mon radoteur de père et de repartir illico à l'aventure.

J'étais convaincu que, lors de ces nouveaux exploits, je serais naturellement flanqué de mon fidèle Mange-Burnasse. Mais mon acolyte m'apprit à l'improviste qu'il avait décidé de prendre une autre voie.

Lorsqu'il m'annonça cette nouvelle, nous nous trouvions dans les environs du haras où, quelques mois plus tôt, nous avions obtenu des informations fort utiles sur ce félon de Fouinard. Il ne m'avait alors pas échappé que l'endroit plaisait au plus haut point à mon camarade.

— Wilmuth, je ne sais pas comment te le dire : je ne pense pas que je vais vous suivre jusqu'à Rome…

— Comment ça ? Où diable veux-tu partir ?

— Je vais aller me présenter à ce vieillard qui nous a si bien accueillis lors de notre premier passage et je lui demanderai s'il veut bien m'apprendre tout ce qu'il sait des chevaux et me faire une petite place sur son domaine.

– Tu plaisantes ! Tu me fais marcher, dis ?!

– Pas le moins du monde. Après toutes ces péripéties, j'aspire à un peu de repos. Et puis, tu as retrouvé ton père et tu as moins besoin de moi.

– Ne dis pas de bêtises ! C'est toi ma vraie famille !

– C'est gentil…

– Non, ce n'est pas gentil ! Sans toi, je ne suis qu'un de ces héros solitaires comme on en croise à la pelle dans les sagas et les chansons des troubadours ! Je ne mérite pas ça !

– Que fais-tu de Lani ? Tu l'oublies un peu vite ! Tu sais pourtant qu'elle sera toujours là pour toi.

– Ce n'est quand même pas pareil !

– Non, c'est mieux.

– Je ne vais pas te mentir : c'est vrai que Lani me plaît mais, entre nous, c'est voué à l'échec. Je suis une brute et elle se prépare à être une sainte. Nous ne sommes plus du même camp. Tu vois le tableau !

– Vous feriez pourtant un très joli couple…

– Arrête, je crois que je vais vomir ! Tu ne parles pas sérieusement. Tu oublies que, dans trente ans, Lani sera déjà vieille tandis que j'aurai encore mon physique d'adolescent.

– Ce petit détail m'avait échappé. Voilà qui pourrait effectivement compromettre votre relation.

– C'est le moins qu'on puisse dire. J'ai cependant imaginé une solution à ce petit problème et j'y aurai recours le moment venu… Mais nous n'en sommes pas encore là ! Non, c'est ce départ subit, Mange-Burnasse : tu ne peux pas me faire ça !

Je n'arrivais pas à y croire : mon ami semblait véritablement décidé à mettre ses menaces à exécution.

Pour me démontrer qu'il n'entendait pas changer d'avis, Mange-Burnasse annonça aussitôt sa décision à nos compagnons de voyage. Si l'on fait exception de mon père, tous lui prodiguèrent de grandes marques d'amitié. En particulier, Lani lui assura (un peu trop) chaleureusement qu'il allait lui manquer et, avec un rien de jalousie, je la vis étreindre ce benêt qui s'apprêtait à nous lâcher. Naturellement, je mis le holà à ce déluge de bons sentiments.

Sur la suggestion de Caille-Caille, notre troupe décida alors d'accompagner Mange-Burnasse jusqu'à ce fichu haras. Tous semblaient heureux. Pour ma part, je ne décolérai pas. Comment osait-il me faire ça à moi ? Seul un miracle pouvait nous tirer de ce mauvais pas.

Or ce miracle que j'attendais se produisit. Mais la façon dont les choses se passèrent ne correspond pas exactement à l'idée que l'on se fait de ce genre d'événements.

Dès que nous franchîmes les limites du haras, je compris que, par bonheur, quelque chose d'horrible s'y était produit. Les champs étaient à l'abandon ; certains bâtiments avaient été incendiés, les granges pillées, les cultures détruites et tous les arbres du verger arrachés. Mais la mort ne s'était pas arrêtée en si bon chemin... Dans le petit ruisseau, là même où nous avions aperçu deux gamins en train de jeter leur ligne, flottait à présent le cadavre décomposé d'un jeune homme, le dresseur qui nous avait si aimablement salués lors de notre venue.

Partout dans le haras, on avait fait un grand massacre d'hommes et de chevaux. Personne n'avait été épargné : les rosses hors d'usage comme les vieillards blanchis, les enfants comme les poulains.

Les traces que nous apercevions, les coups qui avaient été portés, les armes qui avaient été employées ne nous laissaient que trop deviner qui était le commanditaire de ces crimes. Cette rage et cette cruauté étaient signées. Nul autre que Triple-Mort n'avait pu vouloir aussi sauvagement une telle extermination. Nul autre que lui n'avait pu trouver parmi ses obligés des êtres à ce point dénués de scrupules pour s'adonner à une telle tuerie.

Comme un somnambule, Mange-Burnasse errait hébété parmi les décombres et les cadavres. Tout ce dont il avait rêvé lui avait été enlevé. Tout ce qui lui avait paru précieux avait été souillé. On n'avait pas seulement tué les êtres qu'il avait voulus pour amis ; on lui avait également pris la vie qu'il avait espérée.

Mais il faut dire qu'à l'intérieur, j'exultais. Mange-Burnasse resterait à moi ; je ne le partagerais avec personne.

Je gardais évidemment ma joie pour moi et me comportais en parfait camarade. Je ne fus donc pas le dernier à mettre la main à la pâte pour offrir une sépulture décente à tous ces morts qui arrangeaient mes affaires. Je leur devais bien ça ! L'air grave mais avec une forme d'entrain, je creusais une bonne vingtaine de tombes et, tandis que je jetais de lourdes pelletées sur chaque linceul, je me réjouissais de voir disparaître sous la terre ces imbéciles qui auraient pu tout gâcher si on leur avait laissé le droit de vivre.

Je ne sais si Mange-Burnasse était totalement dupe. La douleur qu'il éprouvait était si forte qu'elle entamait peut-être sa lucidité. Je ne l'avais jamais vu comme ça. Il titubait comme un homme ivre, écartait souvent les bras dans un geste d'impuissance et bredouillait des phrases qui ne voulaient rien dire.

Lani me prit par la manche et m'écarta lentement de mon ami.

– Je crois qu'il vaut mieux laisser Mange-Burnasse tranquille pour le moment. Il a reçu un coup très dur et il lui faudra du temps pour s'en remettre.

Pour sûr, dès lors qu'il serait à mes côtés, je lui laisserais tout le temps de se relever de cette épreuve ! Nous avions l'éternité devant nous pour retrouver nos sales habitudes et nos vieux travers !

À force d'insistance, Mange-Burnasse se laissa convaincre de remonter en selle mais le bref trajet jusqu'à Rome me parut interminable. Chacun semblait sous le choc. Même Caille-Caille restait muet, même mon père nous épargnait ses leçons de morale. Pire, je n'exclus pas d'avoir surpris Lani en train d'écraser une larme ou deux. Franchement, ils en faisaient trop ! Toutes ces simagrées pour un petit massacre de rien du tout !

Dans ces conditions, ce ne fut pas sans un certain soulagement que je retrouvai ce bon vieux quartier de Subure, ses brigands, ses escrocs et ses femmes de mauvaise vie. Des gens qui, en général, ne faisaient pas dans le sentiment.

Pendant notre absence, le père de Lani n'avait pas chômé. Mobilisant une armée de mécréants, de gueux et de criminels de tout poil, il avait lancé la reconstruction de l'auberge du Bourreau maudit. Les travaux avaient si bien avancé qu'à notre retour, le chantier était presque terminé. Néanmoins, je remarquai instantanément que la maison n'avait pas été reconstruite à l'identique. On lui avait apporté quelques modifications dont j'aurais volontiers fait l'économie.

Certes, l'auberge se tenait de nouveau à l'endroit qu'elle avait occupé autrefois mais elle était désormais flanquée d'un orphelinat et d'un hospice. Ces lieux, que j'avais grandement contribué à remplir, bruissaient déjà d'une agitation incessante. À chaque instant, des malheureux, des affamés et des éclopés se présentaient et, honte suprême, on les aidait !

Ces opérations se déroulaient sous la houlette, généreuse mais ferme, de Calliope. Dès qu'elle reconnut notre petit groupe, celle-ci interrompit ses activités pour accourir à notre rencontre et, oubliant toute décence, se jeta dans les bras de Lani.

– On peut dire que tu tombes bien ! Je ne sais plus où donner de la tête !

– Ne vous en faites pas, Calliope ! Je m'en vais vous seconder de mon mieux. À présent que Wilmuth a retrouvé son père, j'ai l'esprit libre et pourrai me consacrer entièrement à nos bonnes œuvres.

– Et ce grand dadais se joindra-t-il à nos efforts ?

– Plutôt crever !

– Hum… Comme vous le voyez, même si cet imbécile a bien changé au cours des derniers mois, il ne faut pas non plus trop lui en demander. Pratiquer la charité ou venir en aide à son prochain est encore au-dessus de ses forces.

Cette conversation à la noix me fit fuir plus sûrement que la plus effrayante des armées. Je saluai le père de Lani, lui confiai la garde de Caille-Caille et, puisque Mange-Burnasse n'était pas d'humeur à me suivre, je partis seul promener mon mauvais caractère dans les rues de Rome.

Tout en cheminant, je songeais à nouveau à

l'échange dont j'avais été le témoin entre la jeune fille et Calliope. J'en avais suffisamment entendu pour comprendre que je devais m'en aller. Je deviendrais fou si je restais ici à supporter tous ces débordements de gentillesse. Mais voilà : comment m'échapper sans déplaire à la jeune Romaine ?

J'avais déjà mon idée sur la question. Mon projet me semblait tout à fait ingénieux et, surtout, il m'apparaissait de nature à satisfaire tout le monde. Les termes en étaient assez simples.

Il n'aura pas échappé au lecteur attentif que, lors de notre combat contre Triple-Mort, je n'avais eu recours au procédé de multiplication qu'à 99 reprises. Or ce procédé pouvant être utilisé cent fois, je pouvais encore donner naissance à un ultime double. Et je n'allais pas m'en priver !

Le gaillard allait servir mes plans. Si je m'y prenais bien et lui donnais des consignes suffisamment strictes, il me remplacerait si habilement auprès de Lani qu'elle n'y verrait que du feu. Ensemble, ils vivraient heureux, auraient beaucoup d'enfants et feraient toutes ces choses dégoûtantes qu'on appelle le bonheur. Sans doute la jeune fille finirait-elle par s'apercevoir de la supercherie en voyant mon double vieillir au même rythme que le commun des mortels. Mais je serais déjà loin… Ce plan était carrément génial !

Je brûlais donc de le mettre en œuvre.

Je revins brièvement sur mes pas, retournai dans ma chambre, m'emparai des objets de la multiplication et repartis comme j'étais venu, sans me faire remarquer de quiconque. Dans le même souci de discrétion, je décidai d'attendre des heures plus sombres avant de pratiquer ma dernière duplication.

Ainsi le jour avait-il fortement baissé quand, dans

une carrière abandonnée, je pus m'adonner à l'abri des regards à une ultime multiplication. Je ne fus point déçu du résultat : mon double, s'il n'égalait évidemment pas l'original, était des plus réussis. Au physique, nous nous ressemblions comme deux jumeaux et, pour le reste, il avait tout de moi, sauf la cruauté et cette forme d'intelligence qui me fait commettre le mal avec brio.

Je lui expliquai aussitôt le rôle qu'il devait tenir dans mon plan. Dans un premier temps, il devait rester aussi ronchon que le vrai Wilmuth car, s'il se montrait aimable trop tôt, Lani en viendrait à suspecter quelque chose. Pour l'heure, il devait imiter mes méchantes manières et continuer à se faire détester, comme je savais si bien m'y prendre.

– C'est bien compris, numéro 100 ?

– Parfaitement ! Je me conformerai scrupuleusement à vos directives. Mais, vous savez, vous pouvez m'appeler Wilmuth...

– C'est vrai : autant t'habituer tout de suite à porter ce nom... Allons, Wilmuth, mettons-nous en route sans retard !

Chose dite, chose faite. Sitôt revenu à l'auberge du Bourreau maudit, je dissimulai mon double dans une cachette où nul ne viendrait le déloger puis lui apportai quelques provisions pour tenir la nuit.

– Vous n'avez pas trouvé de l'omelette à la diable ?

– Écoute, contente-toi de ce que je t'apporte ! C'est bien assez.

Ma dernière incarnation était à ce point achevée qu'elle partageait jusqu'à mes goûts culinaires. C'était certain : Lani se laisserait prendre.

Je rejoignis ensuite la jeune fille dans le grand hall de l'hôpital qu'elle supervisait avec Calliope. Elle semblait épuisée mais épanouie. Elle avait passé les dernières heures à panser des plaies purulentes, nourrir à la cuillère des nuées de mioches braillards ou faire la toilette de pathétiques vieillards. Et tout cela la mettait en joie ! Je ne la comprendrais jamais !

— Où aviez-vous donc disparu ? Je vous ai cherché partout. J'ai eu peur que, pour une de ces fichues raisons connues de vous seul, vous ne me fassiez la tête. Pourtant, j'aurais apprécié de passer quelques minutes de pause avec vous…

— Voilà donc la place que vous me concédez : entre deux malades ou entre deux changements de couches !

— Vous savez que ce n'est pas vrai ! Pourquoi faut-il que vous preniez tout de travers ?

— Allons, n'en parlons plus… Dites-moi plutôt ce que l'on nous a préparé en cuisine.

— À en croire les disputes que j'ai pu surprendre entre notre cuisinière et Caille-Caille, je crois que, pour célébrer notre retour, on nous a concocté un véritable festin… si, toutefois, ce diable de hérisson n'y a pas mis sa trompe !

Je proposai d'aller faire honneur à ce banquet, suggestion que Lani approuva chaudement. Tandis que nous nous dirigions vers la salle de réception où nous attendaient ces réjouissances, je songeai que, de tous les convives, je serais le seul à savoir que nous allions prendre là notre dernier repas ensemble.

Cette certitude ne m'empêcha pas de faire, pour une fois, un convive agréable. Je crois même que, dans l'euphorie, je parvins à glisser un compliment à une vieille commère que l'on avait invitée à notre table et qu'en me forçant un peu, je réussis à rire aux mauvaises plaisanteries d'un vague cousin de Lani. Ainsi ce fut cette nuit-là que je me montrai à cette dernière sous mon « meilleur jour ». Il fallait bien faire la transition avec mon futur remplaçant !

La nuit était bien avancée quand chacun alla se coucher. Je regagnai alors la chambre que je partageais avec Mange-Burnasse. Celui-ci n'avait pas encore surmonté ses émotions et n'avait donc pas participé aux festivités. Malgré l'heure tardive, il ne dormait pas.

– Alors, l'ami, on ne trouve pas le sommeil ?

– Je ne le cherchais point…

– Bah, j'ai à te parler d'un projet que j'entends exécuter dès les prochaines minutes. Voilà, j'ai résolu de m'en aller et rien ne pourra me faire revenir sur ma décision. Je prends Caille-Caille avec moi. Rassemble tes affaires et suis-moi.

– Partir comme ça ? Du jour au lendemain ?

– Oui. C'est une sorte de tradition dans la famille.

Ma dernière remarque le fit sourire. Il allait mieux.

– Je t'ai déjà expliqué ce que je pensais de ma relation avec Lani. Notre histoire est condamnée d'avance. Mais j'ai une solution : j'ai gardé de côté mon centième Wilmuth et il restera ici après mon départ, histoire de me remplacer avantageusement.

– Pas bête !

– Je ne te le fais pas dire ! Et puis, je n'ai aucune envie de rester avec mon rabat-joie de père. Toujours à vouloir me faire la leçon, à vouloir choisir mes fréquentations ! Quelle plaie ! Il peut déjà me remercier de ne pas l'avoir éliminé pour ce qu'il nous a fait, à ma mère et à moi. Mais de là à le supporter jusqu'à la fin de mes jours… Jamais ! Reprenons plutôt notre vie d'avant, partons sur les routes et nous verrons bien ce qu'il nous arrivera…

– Je ne sais pas si je pourrai…

– Allons, cela te fera le plus grand bien : tu as besoin de changer d'air, d'oublier ta déception !

– C'est que j'étais prêt à me racheter une conduite, moi !

– Le sort en a décidé autrement. Mais, après tout, si le destin veut que tu restes une fripouille, à quoi bon s'y opposer ?

– Il me faudra simplement quelque temps pour retrouver mes marques. Je crois que je suis un peu rouillé…

– Je suis sûr que cela te reviendra vite. Le Mal, ça ne s'oublie pas ! Bien, prépare-toi, nous partons tout de suite. Je reviens dans un instant avec cette chiffe de Caille-Caille.

Les heures précédentes, le hérisson s'était honteusement empiffré et il dormait d'un sommeil si lourd que lorsqu'il se réveilla, agacé par le vent qui nous cinglait le visage, nous avions quitté depuis longtemps Rome et ses faubourgs. Quand il comprit que nous nous étions enfuis et que nous nous éloignions inexorablement de Lani, sa réaction ne se fit pas attendre.

– Comment avez-vous pu ? Une jeune fille si adorable ! Vous allez lui briser le cœur ! Et avez-vous seulement pensé à moi dans tout ça !? Qui vous a dit que je souhaitais vous suivre ? Comme j'aurais été heureux avec Lani ! Comme j'aurais été bien soigné ! Mais non, vous ne conspirez que pour mon malheur ! J'en ai pourtant soupé des tueries, des menaces de mort et des bivouacs à la dure !

– Silence ! Ou je te gobe tout net et nous n'aurons plus à subir tes simagrées !

Faisant contre mauvaise fortune bon cœur, Caille-Caille finit par se taire et continua de pleurer sans un bruit. Nous pûmes ainsi poursuivre notre route sans être importunés davantage. Nous nous dirigions vers le sud car nous avions l'intention de nous embarquer vers l'orient. Peu importait notre destination exacte : dans tous les pays que nous visiterions, les gens devaient avoir leur manière à eux de faire le mal de sorte que, pour nous, un tel voyage se révélerait des plus instructifs. En particulier, je me réjouissais déjà de tout ce que je pourrais apprendre en me frottant aux fameux pirates barbaresques.

Je caressais déjà cette idée lorsque Mange-Burnasse attira mon attention sur un petit détail, un nuage de poussière à l'horizon, qui m'avait jusqu'alors échappé.

– Wilmuth, je crois que nous sommes suivis.

Mon camarade avait raison. Trois cavaliers s'étaient lancés à nos trousses et gagnaient peu à peu sur nous. Qui pouvait donc être à ce point impatient de nous rattraper ? La réponse ne tarda pas à se préciser. Je reconnus d'abord mon numéro 100 et, pendant une seconde, j'éprouvai combien il peut être désagréable d'être pourchassé par un autre soi-même ! Ensuite, un deuxième visage familier m'apparut distinctement : voilà que ressurgissait déjà la face peu commune de cette bonne Lani ! Enfin, de manière beaucoup moins intéressante, mon père complétait cet improbable trio.

Mange-Burnasse me consulta brièvement.

– Que faisons-nous ? Veux-tu que nous les attendions ?

– Hors de question, malheureux ! Si nous les laissons nous rejoindre, ils voudront à tout prix me retenir et il me faudra alors subir leurs pleurnicheries. Tout mais pas ça !

Nous donnâmes aussitôt l'ordre à nos montures

d'accélérer. Néanmoins, nos poursuivants ne se laissaient pas distancer. Nous les sentions parfois sur nos talons et devions donc redoubler d'ardeur dans la fuite, comme si nous avions été les pires des lâches. Heureusement, nous trouvâmes sur notre route l'occasion propice de mettre un terme à cette traque.

Nous longions depuis quelques minutes le cours d'une large rivière quand un pont se dressa devant nous. Nous l'empruntâmes immédiatement et, une fois de l'autre côté, j'ordonnai à Mange-Burnasse de balancer sur l'ouvrage quelques bombes de sa composition. L'effet ne se fit pas attendre. Sous les explosions successives, des pans entiers du pont s'effondrèrent avec fracas dans la rivière.

Ainsi assurés de nous trouver hors de portée, nous mîmes pied à terre. Sur l'autre berge, on considérait avec accablement et colère les dégâts que nous venions de causer. Lani n'était évidemment pas la moins remontée contre moi. Utilisant ses deux mains comme un porte-voix, elle me fit rapidement part de son désaccord.

– Revenez tout de suite, si vous êtes un homme ! Espèce de crétin, comment avez-vous osé me faire ça ? Pensiez-vous que je n'allais rien remarquer ? Est-ce que vous me prenez pour une cruche ?

– Loin de moi cette idée ! Il me semblait simplement que j'avais mis au point une solution qui pouvait tous nous satisfaire…

– Ah, je reconnais bien là vos inventions débiles ! Vous n'entendez vraiment rien aux choses de l'amour ! Avez-vous réellement cru que je vous connaissais si peu pour me laisser abuser par cette vulgaire imitation ?

– Moi, je la trouvais plutôt réussie !

– C'est vrai que, pendant un temps, je n'ai rien remarqué de louche. Mais les bonnes manières de votre double, son ton conciliant et ses sourires incessants ont fini par me mettre la puce à l'oreille et, quand je me suis aperçue de la disparition de Mange-Burnasse et de Caille-Caille, je n'ai pas tardé à en arriver à la seule conclusion qui s'imposait : vous m'aviez trompée, m'abandonnant sans vergogne à une pâle copie du véritable Wilmuth !

– Quel incapable, ce numéro 100 ! Se faire démasquer au bout de quelques heures : quelle honte !

– N'accablez pas ce malheureux ! Après tout, il n'est qu'un jouet entre vos mains. Tout est de votre faute !

– Vous y allez un peu fort. Je ne voulais que votre bonheur. J'ai songé qu'en plaçant à vos côtés quelqu'un qui me ressemblerait sans être tout à fait moi, cela ferait l'affaire. N'aspiriez-vous pas à une vie de ce genre, humble et paisible, à faire jour après jour le bien autour de vous ?

– C'est vrai mais je voulais mener cette existence en votre compagnie.

– Vous savez bien que c'est impossible : je suis fait pour le mal et rien que le mal ! De temps en temps, je suis capable d'un geste noble mais cela n'est pas dans ma nature.

– Pourquoi ne pas essayer de changer un peu ?

– Parce que je n'en ai pas envie ! Je suis comme je suis. Mon destin est de mener une existence périlleuse et de faire couler le sang. Allons, Lani, il faut vous faire une raison : il vaut mieux pour tous que je m'en aille…

Mon père tenta à son tour de me raisonner mais sans plus de succès.

– Wilmuth, pour une fois, tu vas me faire le plaisir

d'obéir à ton père! Je te rappelle que tu vas sur tes soixante ans à présent et que tu as passé l'âge des caprices et des fugues! Sois raisonnable! J'ai tant de choses à t'apprendre, à te transmettre. Tu ne le regretteras pas!

– Comme vous l'avez remarqué, je ne suis plus tout à fait un enfant. Nul ne me dicte sa loi, nul ne me fait la leçon. Je ne dis pas que, de temps à autre, je n'aurais pas plaisir à avoir de vos nouvelles mais, de là à accepter de vivre avec vous, il y a un monde! Jamais! Nous ne sommes pas du même bord et, si j'ai oublié mes idées de vengeance, celles-ci reviendraient très vite si je devais vous supporter à longueur de temps. Non, c'est à vous d'être raisonnable. Si vous avez quelque affection pour moi, renoncez à faire de moi votre créature et acceptez que je mène l'existence que je me suis choisie!

Sur ce, je fis signe à Mange-Burnasse de se remettre en selle. J'adressai de la tête un bref salut à ceux qui, impuissants, nous observaient de l'autre côté. Puis, sans d'autre cérémonie, nous commençâmes à nous éloigner.

De loin, Lani me paraissait si abattue qu'elle m'aurait presque fait de la peine. Tout aurait été si simple si elle m'avait détesté et flanqué à la porte! Par chance, elle sut rapidement se ressaisir.

Tandis que nous continuions à longer la rivière, la jeune fille se mit à nous suivre sur l'autre berge et, aussi longtemps que dura ce petit manège, elle ne cessa de m'interpeller sans ménagement.

– Je vous déteste! Je vous déteste plus que tout au monde! Je n'ai jamais détesté personne d'autre que vous. Abruti, crétin, face de rat! Je ne vous garderai pas la moindre place dans mon cœur! Rien du tout!

Pas un souvenir, pas une pensée! Je ne veux jamais vous revoir!

Voilà qui me rassurait. Sans doute m'étais-je en grande partie trompé sur les sentiments de la jeune fille. Finalement, elle ne semblait pas s'être autant attachée à moi que je le pensais. Probablement se consolerait-elle très vite.

Quand je fis part de mes conclusions à Mange-Burnasse, celui-ci soupira, haussa les épaules et me considéra avec lassitude, comme si je ne comprenais rien à rien.

– Ben quoi?

– Non rien. Je crois que cela serait trop long à t'expliquer.

Telle fut ma dernière entrevue avec Lani et mon père. Au bout d'un moment, notre chemin s'écarta du cours d'eau et bientôt, à la faveur d'un tournant, Lani et ses démonstrations d'amertume disparurent tout à fait de ma vue. En revanche, je profitais un peu plus de ses volées d'insultes mais, après une courte distance, celles-ci s'éteignirent à leur tour. Le dernier lien qui me retenait à elle venait de céder…

Mais assez regardé derrière soi! Il ne fallait plus songer qu'à l'avenir. Or mon petit doigt me disait que la suite promettait d'être saignante. En effet, Wilmuth le Terrible, flanqué de son indéfectible Mange-Burnasse, était à nouveau en ordre de bataille! Tremblez, froussards, frissonnez, poltrons! Jouez, hautbois et décampez, lavettes: Wilmuth est déjà à vos trousses!

À suivre
(si le narrateur est dans de bonnes dispositions)

REMERCIEMENTS

Un grand merci à Fani, dont les grimaces m'ont rudement aidé.

Toute ma gratitude à Florence pour ses conseils avisés. Merci d'avoir su «revenir à la charge» quand il le fallait!

Enfin, toutes mes excuses à mes premiers lecteurs : la famille Deville, sacrément mise à contribution, Gwenaëlle, Kathleen, Julien, Claire, Émilie, Philippe et Isabelle, Benjamin, Christian et Catherine.